Mademoiselle Solitude

BILL PRONZINI

Mademoiselle Solitude

roman

Traduit de l'anglais (États-Unis)
par Frédéric Brument

DENOËL
Sueurs Froides

Conseiller d'édition
Frédéric Brument

Titre original :
Blue Lonesome.

© Bill Pronzini, 1995
Publié avec l'accord de Bloomsbury Publishing

Et pour la traduction française :
© Denoël, 2013

Pour Rocco,
Qui n'est rien d'autre que mélancolique solitude.

« Qu'est-ce que l'enfer ? L'enfer est lui-même,
L'enfer est seul, les autres figures qui le peuplent
Ne sont guère que projections. »

T.S. ELIOT

« Le diable n'est pas douleur,
Le diable n'est pas peur,
Le diable n'est pas même péché ou stress.
Le diable, je vais vous le dire, est solitude. »

Elma L. LOBAUGH,
The Devil is Loneliness

1

Mademoiselle Solitude.

C'était le nom qu'il lui avait donné, l'idée qu'il se faisait d'elle depuis le début. Mais c'était plus qu'un simple nom car elle était bien plus qu'une femme seule. Elle était la personne la plus triste, la plus solitaire qu'il avait jamais rencontrée : elle était la solitude incarnée, la mélancolie même.

Il connaissait la solitude : chaque nuit il dormait avec elle et chaque jour elle l'accompagnait, profondément accrochée à lui, comme une tique sur un cerf. Il l'avait vue sur un millier de visages autres que le sien, mais jamais aussi nue que sur son visage à elle. L'essence de sa solitude, c'était en partie la peine, le genre de peine qui pèse sur l'âme sans jamais laisser de répit, sans jamais s'en aller. Et une autre partie était… le chagrin et la perte ? la désillusion ? la vacuité ? le manque ? Il ne pouvait en être sûr car il n'avait pas pu devenir assez proche d'elle pour en juger. Elle était comme une femme dans une cage de verre — on pouvait se faire d'elle une image plus ou moins nette, mais on ne pouvait pas l'atteindre.

La solitude incarnée, la mélancolie même. S'il avait vécu dans les années 1930 et s'il avait eu le talent de Jelly Roll Morton, de Duke Ellington ou d'un autre de ces géants du jazz, il aurait écrit une ballade à son sujet. Et il l'aurait appelée « Mademoiselle Solitude ».

Depuis combien de temps fréquentait-elle le Café Harmony ? Pas longtemps, de cela il était sûr. Il leva les yeux de son dîner un soir du début juin et elle était là, seule dans un box voisin. La solitude nue qu'elle dégageait lui donna d'abord un choc. Il fut incapable de détacher ses yeux de la femme. Elle ne le remarqua pas ; elle ne voyait rien de ce qui l'entourait, ce soir-là ni aucun autre soir. Elle venait, elle mangeait, elle partait. Mais elle n'était jamais vraiment *là*, dans un café en présence d'autres gens. Elle était quelque part ailleurs — un endroit lugubre qui n'appartenait qu'à elle.

Il la revit à l'Harmony la fois suivante où il vint y dîner, puis encore la suivante. Holly, une des serveuses, lui dit qu'elle était là chaque soir, entre 18 h 30 et 19 heures. Holly ne savait pas qui elle était, où elle vivait ni d'où elle venait. Personne ne la connaissait.

D'ordinaire, il dînait à l'Harmony deux ou trois soirs par semaine, non parce que la nourriture y était particulièrement bonne mais parce que le café était situé juste au bord de Taraval, à deux pâtés de maisons seulement de son appartement. La femme le poussa à changer ses habitudes ; il se mit à fréquenter le café aussi souvent qu'elle, et aux mêmes horaires. Elle le fascinait et le perturbait. Il ne savait pas vraiment pourquoi. Il n'avait jamais été attiré par les femmes solitaires ; elles partageaient trop souvent les mêmes problèmes et les mêmes angoisses que lui ; les rares femmes avec qui il était sorti depuis Doris avaient été d'un genre radicalement opposé — des extraverties débordantes de vie et d'énergie qui lui avaient permis, ne serait-ce que pour de brèves périodes, de se sentir lui-même pleinement vivant. Il ne s'agissait pas non plus

12

d'une attirance physique. Même au regard de ses critères peu exigeants, ce n'était pas une jolie femme. Trop maigre, trop pâle, même si sa peau avait un aspect tanné qui révélait des années passées au grand air ; des cheveux blond cendré sans éclat qu'elle coupait apparemment elle-même, à la va-vite ; des lèvres fines comme une estafilade au rasoir, qu'elle ne maquillait pas ; de grands yeux gris pâle qui auraient pu être son trait le plus charmant, n'était-ce la peine qu'on y lisait et la manière dont ils restaient obstinément fixes, vides et inexpressifs, comme les yeux d'un moribond. Non, ce n'était pas de l'attirance, mais plutôt une sorte de fascination incrédule. Personne ne naît aussi blessé, aussi solitaire et mélancolique. Il avait dû lui arriver quelque chose pour qu'elle en soit là. Quelque chose de si terrible qu'il ne pouvait même pas imaginer de quoi il pouvait bien s'agir.

Trois semaines passèrent avant qu'il finisse par rassembler assez de courage pour l'aborder. C'était un homme timoré, peu entreprenant, guère à son affaire dans les relations sociales — une des raisons de sa solitude. Le seul fait qu'il se décide à franchir le pas montrait à quel point était profonde la fascination qu'elle exerçait sur lui. Il s'arrêta devant son box, se sentant mal à l'aise, emprunté, comme mû malgré lui par une obsession bizarre, puis il s'éclaircit la gorge et dit :

— Excusez-moi, mademoiselle.

On l'avait déjà servie et elle était en train de manger ; elle prit le temps de mastiquer et d'avaler une bouchée de nourriture avant de lever la tête. Les yeux vacants et douloureux papillotèrent sur lui, constatèrent son existence — avant de la nier à nouveau une ou deux secondes plus tard tandis que son regard se reportait sur son plat. Elle ne dit pas un mot.

— Il y a beaucoup de monde ce soir et je me demandais…
ça vous embête si je m'assois ici avec vous?

Elle ne parlait toujours pas. Dans n'importe quelle autre
circonstance, avec n'importe quelle autre femme, il n'aurait
pas insisté et serait parti. Mais ici avec elle, il s'assit, lentement, d'un mouvement un peu raide. Sa peau était moite.
Elle continua de manger sans lui adresser le moindre regard.
Un pâté en croûte, une garniture de laitue et de tomates, une
salade de fruits, un café — elle commandait et consommait le
même menu chaque soir, invariablement. Son plateau comprenait aussi du fromage blanc, mais elle n'y touchait jamais,
même pour y goûter. C'était une des choses qui l'intriguaient
le plus à son sujet. Pas tant le fait qu'elle accordait si peu
d'intérêt à la nourriture, voire aucun, que le fait qu'elle ne
prenait même pas la peine de demander autre chose à la place
du fromage blanc, ou juste qu'on le lui enlève du plateau.

Il s'éclaircit à nouveau la gorge.

— Je m'appelle Jim, s'essaya-t-il, Jim Messenger.

Silence.

— Vous venez juste de vous installer dans le coin, non? Je
demande parce que…

— Ça ne vous apportera rien de bon, dit-elle.

Sa voix, plus que les mots en eux-mêmes, le prit au dépourvu. Elle était grave, si rauque qu'elle en grinçait presque
— et si peu naturelle qu'on l'aurait crue générée par un
ordinateur. Aucune émotion, aucune inflexion. Totalement
dénuée de vie.

— Désolé, je ne sais pas quoi…

— Je ne suis pas intéressée, dit-elle.

— Intéressée?

— Ni par vous, ni par ce que vous avez à dire.

— Je n'essaie pas de vous draguer, si c'est ce que…

— Aucune importance. Je n'ai pas envie de compagnie. Je n'ai pas envie de parler. Je veux juste qu'on me laisse seule. Ça vous pose un problème ?

— Non, bien sûr…

— Au revoir.

Elle lui avait ôté toute possibilité de poursuivre ; il n'avait plus qu'à battre en retraite. Elle ne l'avait pas regardé pendant leur échange et ne le regarda pas plus lorsqu'il s'éloigna ; elle continua de manger comme s'il n'avait jamais été là. Il s'assit dans un autre box. Il sentait ses joues le brûler, mais en dedans il était glacé.

Il l'observa tandis qu'elle terminait son dîner, enfilait son manteau, payait l'addition, quittait le café. Elle ne jeta pas un regard à la caissière. Il eut l'impression qu'elle ne voyait même pas la brume estivale qui s'enroula autour d'elle, dépouillant sa silhouette de sa netteté, de sa consistance, et lui permit du même coup de disparaître.

Mon Dieu, se dit-il. *Mon Dieu !*

Deux soirs plus tard, il la suivit jusque chez elle.

Il n'avait pas planifié son acte. L'idée ne lui avait jamais traversé l'esprit. Il arriva à l'Harmony presque en même temps qu'elle, se fit servir et acheva son repas quasi au même moment. Il alla régler juste devant elle à la caisse et lui tint la porte lorsqu'elle sortit. Elle lui prêta aussi peu d'attention que si la porte s'était ouverte automatiquement. Une fois dehors, elle prit la direction de l'océan. Il s'arrêta un instant, la regarda s'éloigner, puis, au lieu de tourner dans l'autre sens, vers la Quarante-quatrième Avenue où il habitait, il lui emboîta le pas.

Ils avaient parcouru la moitié d'un pâté de maisons lorsqu'il prit pleinement conscience de ce qu'il était en train de faire. Tout d'abord, il s'en voulut beaucoup d'agir de la sorte. C'était un comportement de tordu, bon Dieu; et illicite, par-dessus le marché, au regard des nouvelles lois contre le harcèlement. Mais sa colère ne dura pas longtemps; la rationalisation la dilua. Il n'était ni un violeur ni un psychopathe — il ne lui voulait aucun mal; c'était plutôt le contraire. Il était curieux, voilà tout. Il était une âme sœur.

Ou bien un pauvre imbécile qui perdait son temps.

Oui. D'accord. Il continua à la suivre malgré tout.

Arrivée au bout de Taraval, elle prit la Quarante-huitième Avenue sur la droite et, peu de temps après, bifurqua encore à droite pour pénétrer dans le vestibule d'un vieil immeuble en stuc qui faisait face à l'océan. Le temps qu'il atteigne l'entrée, elle avait disparu à l'intérieur. C'était un bâtiment de trois étages, à la façade presque décolorée par l'érosion du vent et du sel, découpé en six petits appartements, trois devant et trois derrière. Depuis le trottoir, il distingua une série de boîtes aux lettres fixées sur un mur de l'étroit vestibule; il s'approcha d'elles. Chaque boîte portait une étiquette plastifiée. Elles lui apprirent que cinq des appartements étaient occupés par plus d'une personne, des couples mariés ou des colocataires. La seule exception était le 2B, deuxième étage à l'arrière.

Janet Mitchell.

Ce devait forcément être Mademoiselle Solitude. *Je n'ai pas envie de compagnie. Je n'ai pas envie de parler. Je veux juste qu'on me laisse seule.* Elle ne partagerait son espace vital avec personne, homme ou femme. Pas elle.

Il connaissait donc à présent son nom et son adresse. Janet

Mitchell, 2391 Quarante-huitième Avenue, appartement 2B, San Francisco. Mais à quoi lui servait cette information ? Que pouvait-il bien en faire ? C'était vraiment inutile. Les réponses aux questions qui lui importaient restaient inaccessibles, bien gardées à l'intérieur de la coquille de verre de cette femme.

Qui était Janet Mitchell ? Qu'est-ce qui avait fait d'elle ce qu'elle était ?

La perspective de ne jamais le savoir était comme une écharde dans son esprit.

Juin laissa place à juillet, et juillet à août. Mademoiselle Solitude continua de venir à l'Harmony chaque soir, sans exception. Elle continua de manger le même dîner et de ne parler à personne à l'exception de sa serveuse. Elle maigrissait à vue d'œil, au point d'en être décharnée — c'est du moins ce qu'il semblait à Messenger. Comme si le pâté en croûte, la garniture de laitue et de tomates et la salade de fruits étaient le seul repas quotidien qu'elle faisait — ou pouvait se payer ? Il ne pensait pas que c'était le cas. Elle devait avoir un peu d'argent; ses vêtements étaient loin d'être miteux et son appartement, même dans ce vieil immeuble, devait coûter au moins huit cents dollars par mois. Pas d'appétit pour manger; pas d'appétit pour vivre. Une femme pour qui la vie n'avait plus d'importance.

Il tenta de se forcer à dîner ailleurs qu'à l'Harmony, parvint à ne pas s'y rendre trois soirs d'affilée. Mais elle continuait à l'y ramener, comme un aimant attire la limaille de fer. Il n'essaya pas de l'aborder de nouveau. Il ne la suivit plus. Il se contentait d'apparaître entre 18 h 30 et 19 heures et de prendre un des plats du jour en la regardant manger son repas — et en s'interrogeant.

17

Comportement obsessionnel. C'était malsain. Il le savait, s'en irritait, mais paraissait incapable de s'en libérer. La seule chose qui le rachetait, c'était que son obsession restait modérée, bénigne ; sorti de l'Harmony, lorsqu'il était au travail ou seul dans son appartement, il ne pensait à elle que de loin en loin, de brefs moments. Mais il n'en était pas moins inquiet. Il n'avait pas un caractère obsessionnel ou compulsif ; rien de tel ne lui était jamais arrivé auparavant. C'était même plus frustrant encore car il ne parvenait pas à comprendre ce qui l'incitait à réagir de cette manière vis-à-vis d'une parfaite étrangère. La seule chose qu'ils avaient en commun était la solitude ; et pourtant celle de cette femme, si aiguë et si visiblement autodestructrice, lui répugnait au moins autant qu'elle le fascinait.

Un samedi après-midi où le ciel était dégagé, il alla se promener sur Ocean Beach, comme souvent, pour faire un peu d'exercice, mais aussi parce qu'il aimait profiter de l'air marin et de la compagnie des jeunes amoureux et des enfants, de l'exubérance des chiens qui couraient après les bouts de bois qu'on jetait dans les vagues. En rentrant chez lui, il se surprit à faire un détour qui l'amena devant l'immeuble de Mademoiselle Solitude sur la Quarante-huitième Avenue. Serait-elle là, cloîtrée dans son appartement, par une si belle journée ensoleillée ? *Oui*, se dit-il, à moins qu'elle ne travaille le samedi. Enfin, si elle avait un emploi. Quel genre d'emploi une femme comme Janet Mitchell serait-elle capable d'occuper ?

Tout en ruminant ces pensées, il s'avança dans le vestibule et posa son doigt sur la sonnette située au-dessus de sa boîte aux lettres. Mais il n'appuya pas dessus. Il resta presque une minute ainsi, le doigt posé sur la sonnette, sans appuyer. Puis

18

il fit demi-tour, les épaules crispées, et s'éloigna sans jeter un regard en arrière.

Que pourrait-il bien lui dire? *S'il vous plaît, racontez-moi vos soucis, je suis une oreille attentive, je sais ce que c'est de souffrir et d'être seul, moi aussi? Non. Non.* Il ne trouvait rien à dire, aucune parole susceptible de l'aider ou de la réconforter.

Tout ce qu'il avait à offrir à Mademoiselle Solitude, c'était plus de solitude encore.

Qu'avait-il, en réalité, à offrir à quiconque?

Nom: James Warren Messenger. («J'espère que vous ne m'apporterez jamais de mauvaise nouvelle, lui avait dit un client blagueur un jour, parce que alors je devrais vous tuer. Vous savez — on tue le messager?»)

Âge: 37 ans.

Taille: 1,82 m.

Poids: 80 kg.

Yeux: marron.

Cheveux: bruns.

Traits distinctifs: néant.

Caractéristiques physiques notables: néant.

Passé: né à Ukiah, petite ville située à cent soixante kilomètres au nord de San Francisco. Père propriétaire d'une quincaillerie, mère boulangère. Tous deux décédés. Tous deux lui manquaient, mais pas tant que ça; ils ne formaient pas une famille très unie. Ni frère ni sœur. Enfance normale, mais aucune de ses amitiés d'alors n'avait survécu à son déménagement pour l'université. Aucun moment fort dans ces dix-huit premières années. Aucun moment difficile non plus. Par conséquent, peu de souvenirs et encore moins de choses à raconter.

Statut marital : divorcé. Le mariage n'avait duré que sept mois, dix-sept ans auparavant, lorsque Doris et lui étaient étudiants à Berkeley. « Ça ne marche pas, Jimmy, c'est tout, lui avait-elle dit une nuit. Je pense qu'on ferait mieux d'arrêter tout de suite, avant que les choses n'empirent entre nous. » Peu de temps après leur séparation, il avait découvert qu'elle couchait avec un membre de l'équipe d'athlétisme depuis au moins trois mois.

Emploi : expert-comptable chez Sitwell & Cobb, conseillers financiers pour sociétés et particuliers, expertise et stratégies fiscales.

Employé depuis : 14 ans.

Salaire annuel : 42 500 $.

Possibilités d'avancement : aucune.

Centres d'intérêt : jazz, tout style, avec une légère préférence pour le jazz ancien de La Nouvelle-Orléans — stomp, rag, cannonball, blues —, celui d'Armstrong, de Morton, d'Ellington, de Basie, de Kid Ory, de Mutt Carey. Lectures, sur des sujets très variés. Vieux films sur cassettes. Voyages. (Il n'avait jamais été plus loin que Salt Lake City à l'est, Seattle au nord et Tijuana au sud. Il espérait visiter un jour Hawaii. Et l'Extrême-Orient. Et l'Europe.)

Hobbies : collection de vieux disques de jazz. Constitution d'une bibliothèque personnelle complète sur le jazz.

Activités : sorties occasionnelles dans les clubs de jazz de Bay Area, et un week-end prolongé une fois tous les deux ans au festival de jazz de Monterey. Matchs de base-ball occasionnels au Candlestick et à l'Oakland Coliseum (quoique les récentes histoires de gros sous dans ce milieu aient beaucoup douché son enthousiasme pour le jeu). Promenades sur la plage. Jogging (mais il ne le pratiquait plus guère à cause de ses genoux).

Talents particuliers : aucun.

Projets d'avenir : aucun.

Monsieur Normal. Monsieur Banal.

Monsieur Solitude.

Août laissa place à septembre. Et le troisième dimanche de ce mois, Mademoiselle Solitude ne vint pas à l'Harmony pour dîner.

Messenger attendit jusqu'à 20 h 15, surveillant la porte en buvant trop de café. Le fait qu'elle ne se montre pas le dérangea plus que de raison. Elle était peut-être malade ; il y avait eu une épidémie de grippe asiatique à travers la ville. Ou peut-être avait-elle eu un empêchement quelconque. Dans tous les cas, il n'y avait pas là de quoi se mettre dans tous ses états, non ?

Elle ne vint pas le soir suivant.

Ni le suivant.

Ni le suivant.

Alors il s'inquiéta vraiment. Il était inquiet et soulagé à la fois. Il ne voulait pas d'elle dans sa vie, pourtant il l'avait laissée en devenir une petite partie — une partie qui lui manquait. Prendre son dîner à l'Harmony n'était pas pareil sans elle. D'une manière perverse, son absence rendait ce segment de sa journée plus vide, plus solitaire.

Il se demanda si elle reviendrait jamais. Pour des raisons qui lui appartenaient, elle avait pu décider de prendre son repas du soir ailleurs. Elle avait pu déménager dans une autre partie de la ville, ou dans une tout autre ville. Subitement apparue, subitement disparue... cela n'était-il pas la marque d'une existence en transit? Les gens solitaires ne demeuraient pas toujours au même endroit. Le manque et l'insatisfaction les rendaient nomades. Elle n'avait pas paru rechercher quelque chose — juste végéter. Mais peut-être avait-il mal interprété son comportement et qu'elle attendait le bon moment pour mettre fin à sa souffrance dans un autre endroit. Qu'elle attendait de prendre un nouveau départ.

Lorsqu'elle brilla de nouveau par son absence le jeudi soir, il quitta le café à 19 h 30 et parcourut à pied les trois pâtés de maisons jusqu'à son immeuble. L'étiquette qui portait son nom sur la boîte aux lettres 2B avait disparu. Elle avait donc déménagé, se dit-il non sans un bref instant d'intense déception. Où? Le gérant de l'immeuble devait le savoir; l'étiquette indiquant le 1A — D. & L. Fong — portait aussi l'abréviation «Grt.». Il hésita. Voulait-il vraiment savoir où elle était partie?

Non, pensa-t-il. *Je ne le veux pas.*

Il sonna chez les Fong.

Il n'y eut pas de sonnerie déclenchant le mécanisme d'ouverture de la porte. Mais, au bout d'une demi-minute, une femme asiatique d'âge moyen apparut dans le vestibule et l'observa avec curiosité à travers la porte de verre. Comme son allure n'avait rien d'inquiétant, même pour la pire des paranoïaques, la femme ouvrit la porte presque immédiatement.

— Oui?

— Madame Fong?

— Oui. L'appartement n'est pas encore prêt pour la location. La semaine prochaine, peut-être.

— Je ne suis pas à la recherche d'un appartement. Je... eh bien, je m'interroge au sujet de Janet Mitchell.

22

Mme Fong plissa les yeux. Ses lèvres se pincèrent pour ne plus former que deux petites rides.

— Elle ? Vous la connaissez ?

— Oui, je la connais, mentit Messenger. Vous pouvez me dire où elle est partie ?

— Où ?

— Ou au moins pourquoi elle a déménagé.

— Déménagé ? Vous ne savez pas ?

— Quoi donc ?

— Elle est morte.

— Morte !

— Dimanche soir. Dans la baignoire, elle s'est ouvert les veines avec une lame de rasoir.

Mme Fong roula des yeux.

— Mon immeuble... elle s'est tuée dans *mon* immeuble. C'est épouvantable. Vous imaginez un peu comme c'est épouvantable de nettoyer tout ce sang ?

2

Il s'assit dans son salon, lumières éteintes, un verre de cognac réchauffant ses mains. Il s'était servi le cognac aussitôt rentré chez lui, mais n'avait pas eu envie de le boire. Il resta assis à regarder passer les motifs lumineux que les phares des voitures projetaient sur les rideaux tirés de la fenêtre. De la platine stéréo affluaient et refluaient les courbes mélodiques et les innovations rythmiques d'Ellington accompagné de sa formation. C'était un des enregistrements originaux des années 1930 du Duke: «Perdido», avec la plainte sourde et le blues cafardeux de la trompette de Cootie Williams.

Perdido. Perdu.

Comme Janet Mitchell: son blues cafardeux et sa perte.

Pourquoi?

La question le lancinait sur le tempo de la musique. Elle n'avait laissé aucun mot, lui avait dit Mme Fong. N'avait laissé paraître aucun signe annonciateur. Et la police n'avait rien trouvé dans ses maigres effets qui puisse l'éclairer sur les motivations de son geste. Et son passé? avait-il demandé. Qui était-elle? D'où venait-elle? Mme Fong n'en avait pas la moindre idée. Elle était apparue un beau jour, cinq mois auparavant, et avait loué l'appartement au mois. Elle avait payé deux mois de loyer d'avance, plus la caution, le tout en liquide; les mois suivants, elle les avait aussi réglés en liquide. Où travaillait-elle? Mme Fong avait haussé les épaules. Elle travaillait en indépendant, disposait d'un revenu personnel — c'était ce que Janet Mitchell lui avait dit, et Mme Fong ne s'était pas compliqué la vie à lui demander des références. Nul besoin de références quand on vous donnait sept cents dollars d'avance en espèces sonnantes et trébuchantes, puis qu'on vous réglait sans faute chaque premier du mois. Des visiteurs? Pas de visiteurs, ni avant ni après sa mort. Juste lui, aujourd'hui. La police n'était pas revenue, ce qui signifiait qu'ils s'étaient contentés de conclure que sa mort était bien un suicide. Quant au reste, ils s'en fichaient; elle n'était qu'une statistique pour eux. Mme Fong s'en fichait elle aussi; pour elle, Janet Mitchell n'était rien de plus qu'un embarrassant bazar à nettoyer. Quelqu'un avait-il manifesté le moindre intérêt pour sa disparition? Un parent — les autorités en avaient-ils retrouvé un pour réclamer le corps? Mme Fong ne savait rien non plus à ce sujet. Mme Fong en avait marre de répondre à des questions. Mme Fong lui avait poliment mais fermement refermé la porte au nez.

Assis à présent là dans le noir, il se sentait vide et abasourdi — c'était presque la même sensation que lorsque son père, d'abord, puis sa mère étaient morts. Mais eux étaient ses parents; il les avait aimés, même s'ils n'avaient jamais été très proches. C'était absurde d'éprouver un sentiment de deuil envers une femme à qui il n'avait parlé qu'une seule fois, qui n'avait même pas su qu'il existait.

Absurde, vraiment?

Le blues, pensa-t-il. Un individu solitaire ressent de l'empathie pour le sort malheureux d'un autre. Mais c'était plus que

25

cela. Dans le jazz, il y avait deux sortes de blues : une tristesse simple, directe, personnelle, la tristesse des souvenirs passés et des profondeurs ténébreuses de l'inconscient ; et l'autre genre, une détérioration et un déclin de l'esprit de l'individu, une sorte de chute irrésistible vers une résignation plaintive et désespérée. Mademoiselle Solitude avait ce second type de blues. *Perdido.* Perdue. Il se demanda si ce n'était pas aussi son cas ; si toute cette histoire avec cette inconnue n'était pas le signe que sa propre existence entrait dans une spirale descendante. Plus qu'une simple crise passagère de la quarantaine ; une crise qui le ferait chuter graduellement dans un vortex de passivité totale pour le restant de ses jours.

Cette possibilité l'inquiétait, même si elle ne l'effrayait pas. Peut-être était-ce là aussi symptomatique. Si on pense être à deux doigts d'une dépression, on devrait être terrifié à cette perspective — et si on ne l'est pas, alors n'est-ce pas justement le signe clinique que quelque chose ne tourne pas rond ? Passivité totale : un synonyme du désespoir. Comme le type de désespoir dont souffrait Mademoiselle Solitude ?

Non. La différence, c'est que lui n'était pas suicidaire. *Dans la baignoire, elle s'est ouvert les veines avec une lame de rasoir.* Ce n'était tout simplement pas dans son caractère. Il ne pourrait jamais commettre un tel geste d'autodestruction.

Peut-être ne le croyait-elle pas non plus. Avant.

Pourquoi l'avait-elle fait ?

Qu'est-ce qui avait bien pu l'attirer dans ces gouffres ?

La version de « Blue Serge » par le Duke passait à présent, un morceau reflétant la résignation plaintive encore plus que « Perdido ». Messenger écouta, se laissa emporter par la musique pendant une minute environ, puis en émergea de nouveau, revenant à sa morne conscience présente. Il but un peu de cognac. Le goût était amer — une brûlure amère. Il reposa le petit verre. Dehors, une moto passa à toute allure avec son moteur débridé, noyant un moment sous son vacarme la formation d'Ellington. Une sirène perça soudain la nuit, toute proche ; des lumières blanches puis rouge sang illuminèrent les rideaux avant de s'évanouir. La pièce, réalisat-il, était froide. Il devrait se lever et allumer le chauffage. Mais il n'en fit rien. Il ne fit rien sinon rester assis, à penser et à essayer de ne pas penser.

Après un moment, lorsque le disque prit fin et que le silence retomba, il dit tout haut :

— Elle n'aurait pas dû être seule. Personne ne devrait mourir aussi seul.

Il était assis là.

— Une vie perdue, gâchée.

Il était assis là.

— Mademoiselle Solitude, dit-il dans le noir, pourquoi avez-vous pris ce putain de rasoir ?

Il faisait chaud dans le bureau du coroner sur Bryan Street. Trop chaud : Messenger sentait la sueur couler sur son visage et son cou. Une autre des petites illusions de la vie s'effondrait. Il avait toujours imaginé de tels endroits comme obligatoirement froids et humides — un bâtiment d'une blancheur nue, antiseptique, où régnaient des gens à l'air sépulcral, aux uniformes empesés. Il en allait peut-être ainsi au sous-sol, là où se trouvaient la morgue et la salle d'autopsie, mais ici, au rez-de-chaussée, c'était un bureau tout à fait ordinaire, lambrissé de bois ; et l'employé qui répondit à sa demande était jeune, vif, vêtu avec chic d'un blazer bleu nuit et d'un pantalon gris.

— Janet Mitchell, dit l'employé en tapant le nom sur son clavier d'ordinateur.

Il étudia un instant le dossier qui s'afficha sur l'écran.

— Oh, oui. La suicidée inconnue de la semaine dernière.

— Inconnue ? Vous voulez dire que son nom n'est pas Janet Mitchell ?

— On dirait bien que non.

— Alors son corps n'a toujours pas été réclamé ?

— Toujours pas. Il est encore ici, au frigo.

— Au frigo ? dit Messenger.

— Dans ce genre de cas, les cadavres sont frigorifiés aussitôt après l'autopsie. Vous pensez être capable d'identifier la défunte ? Si c'est le cas, je peux arranger une séance d'id...

— Ça ne servirait à rien. Je la connaissais sous le nom de Janet Mitchell.

— Je vois.

— Combien de temps allez-vous garder son corps ici si on ne le réclame pas ?

— Entre trente et soixante jours, selon l'espace disponible.

— Et ensuite ?

— On s'arrangera avec l'administration publique pour organiser une crémation ou un enterrement. Mais, dans ce cas-là au moins, la ville n'aura pas à payer les frais.

— Pourquoi ça ?

— Elle a laissé assez d'argent pour couvrir la dépense.

— Combien d'argent ?

— Je crains de ne pas pouvoir vous donner cette information.

— Pouvez-vous au moins me dire ce qu'on fait pour découvrir sa véritable identité ?

28

— Non, vous allez devoir en discuter avec l'officier chargé de son cas.

— Si vous pouviez me donner son nom…

— Inspecteur Del Carlo, dit l'employé. Dans le bâtiment principal, au premier étage.

L'inspecteur George Del Carlo, la soixantaine corpulente, avait des yeux noirs comme des olives qui ne clignaient presque jamais. Il ne se montrait ni amical ni inamical, mais n'en mettait pas moins Messenger mal à l'aise, comme s'il pensait que son visiteur se comportait d'une manière suspecte.

— Vous dites que vous ne connaissiez quasiment pas cette femme, monsieur Messenger. Alors pourquoi êtes-vous si curieux de savoir qui elle était et pourquoi elle s'est suicidée ?

— Je me pose moi-même toujours la question. J'imagine que c'est parce que c'était quelqu'un… de solitaire, et moi aussi. Je l'ai vue et je me suis vu en elle.

— Vous aviez une relation avec elle ?

— Une relation ?

— Vous êtes sorti avec elle ? Vous avez couché avec elle ?

— Non. Je vous l'ai dit, je ne la connaissais presque pas.

— Mais vous vous êtes parlé.

— Seulement une fois, à peine une minute.

— Vous a-t-elle dit quelque chose à son sujet ?

— Non. Rien.

— Vous avez essayé d'en savoir plus par vous-même ?

— Non.

— Alors vous ne connaissez personne d'autre qui la connaissait.

— Non.

— D'où elle venait, pourquoi elle était à San Francisco.

— Non.

— Ce qui l'a poussée au suicide.

— Elle était très seule, dit Messenger.

Del Carlo haussa un sourcil.

— Il y a beaucoup de gens seuls dans cette ville, monsieur Messenger. Ce n'est pas un motif suffisant pour se suicider.

— Sauf si vous êtes coupé du reste de la société, si vous existez dans une sorte de vortex de désespoir.

— Vortex de désespoir. Jolie expression. Selon vous, c'est ce que cette femme vivait ?

— Je crois, oui.

— Par choix, ou bien quelque chose l'y aurait conduite ?

— Je ne sais pas. Mais j'ai du mal à imaginer que quelqu'un vive ainsi par simple choix.

— Elle aurait fui quelque chose ou quelqu'un ?

— Soit ça, soit elle se fuyait elle-même.

— Mmh mmh, fit Del Carlo avant de s'adosser à sa chaise. Eh bien, je ne peux pas vous dire grand-chose, monsieur Messenger. Elle n'a pas laissé de message et il n'y avait rien dans ses affaires qui nous permette de comprendre pourquoi elle a fait le grand saut. On a trouvé une photographie dans la baignoire avec son corps ; elle devait la regarder avant ou après s'être ouvert les veines. Trop endommagée par l'eau et le sang pour être identifiable, mais d'après les gars du labo c'était la photo d'un enfant.

— Garçon ou fille ?

— On n'a pas pu le déterminer. Ni le sexe ni l'âge.

— Et ses affaires ? Que sont-elles devenues ?

— La gérante de l'immeuble les a encore, on lui a demandé de tout conserver jusqu'à nouvel ordre. On n'a plus assez de place ici dans la pièce aux scellés pour garder les affaires d'une suicidée inconnue. Mais, comme j'ai dit, il n'y avait rien dedans qui puisse nous aider. Pas de permis de conduire, pas de carte de sécurité sociale, pas de carte de crédit — aucune pièce d'identité.

— Des empreintes digitales ?

— On les a entrées dans la base de données informatique du département de la Justice, avec des radios et toutes les autres caractéristiques physiques que son corps pouvait nous livrer. Aucun dossier sur elle nulle part. Aucune correspondance dans le fichier des personnes disparues. On a aussi fait des recherches sur le nom Janet Mitchell dans diverses agences locales ; sans plus de résultat. Il y a de fortes chances que ce soit un nom d'emprunt.

— Et l'argent ? Elle n'avait pas de compte en banque ?

— Non, dit Del Carlo. Ce qu'elle avait, c'est un coffre de dépôt à l'agence Wells Fargo sur Taraval. Plein à craquer de liquide — plus de quatorze mille dollars en billets de cent.

— Mon Dieu, autant que ça ?

— Autant que ça. La banque garde ces petits récépissés qu'ils font signer aux usagers des coffres quand ils se présentent. Elle se servait dans son coffre une fois par semaine, le vendredi après-midi, aussi régulière qu'une horloge.

— Ce qui laisse penser qu'elle payait toutes ses dépenses en liquide.

— On dirait bien.

— On doit fournir un numéro de sécurité sociale pour louer un coffre, dit Messenger. J'imagine qu'elle a marqué un numéro bidon sur son formulaire.

— Exact. Et personne à la banque ne s'est donné la peine de le vérifier. Comme toutes les autres informations qu'elle a données.

31

— Elle fait penser à une sorte de criminelle. Mais je n'arrive pas à croire qu'elle en était une. Pas elle.

— Eh bien, vous avez peut-être raison, dit Del Carlo. Les gens prennent des pseudonymes pour toutes sortes de raisons, légales ou illégales. Ça vaut aussi pour ceux qui filent se planquer en emportant un gros paquet d'argent et qui vivent là-dessus.

— Je suppose qu'il n'y a pas de doute sur le fait que sa mort soit vraiment un suicide.

— Pas en ce qui me concerne. Il n'y avait pas le moindre indice qui laissait penser à une mise en scène.

— Alors c'est une affaire classée.

— À part pour l'argent. La somme a été placée en dépôt légal sur un compte au cas où un parent se ferait connaître et le réclamerait. Déduction faite de ce qu'aura coûté l'enterrement ou la crémation de ses restes.

— Et si personne ne réclame ce qui reste au bout de sept ans, l'argent revient à l'État, dit Messenger.

— Comment le sav... Oh, c'est vrai, vous êtes comptable.

— Si l'argent était vraiment à elle, il devrait revenir à sa famille.

— Effectivement, si elle avait de la famille. Mais vu comment les choses se présentent, on ne le saura jamais.

— Vous avez sans doute raison. Vu comment ça se présente, on ne le saura jamais.

3

Il retourna au travail avec une heure de retard. Ce qui n'avait aucune importance ; personne ne lui fit la moindre remarque. Après quatorze ans chez Sitwell & Cobb, il bénéficiait d'une certaine souplesse sur ses horaires. Harvey Sitwell ne se souciait guère de savoir si le travail était effectué au bureau ou à domicile, ou combien de temps on y consacrait, tant que les heures salariées restaient stables. À cet égard, et en termes de loyauté basique envers ses employés, Sitwell était plutôt un bon patron. Le problème, c'est qu'il était radin et buté dans ses opinions. C'était une vraie corvée de tenter d'obtenir de sa part une hausse annuelle de son salaire ; et une fois qu'il s'était fait son idée sur votre position dans la hiérarchie du bureau, vous n'en bougiez plus. Messenger s'était démené durant cinq ans avant de découvrir que son créneau se situait vers le milieu et que, peu importait combien il travaillait dur ou ce qu'il accomplissait, il serait toujours à ce même niveau de responsabilité dans dix, vingt ou trente ans.

Plus d'une fois, les premières années, il avait envisagé de quitter la compagnie pour en rejoindre une autre qui lui offrirait plus d'opportunités d'avancement. Mais il ne s'était jamais décidé à franchir le pas, et à présent il n'y pensait même plus. Par apathie, sans aucun doute, mais c'était une apathie motivée par le contentement. Son travail ici était assuré ; il s'entendait bien avec Sitwell et avec ses collègues ; son salaire était plus que suffisant pour subvenir à ses modestes besoins ; et il disposait de trois semaines annuelles de vacances, plus des jours libres de-ci de-là lorsqu'il lui arrivait de boucler un exercice en avance sur son planning. Cela ne lui arrivait donc que très rarement — comme aujourd'hui — de ronger son frein à cause de son travail, d'avoir l'impression que son petit poste était trop limité, trop étouffant, et de désirer quelque chose de plus. Ou au moins quelque chose de différent.

Il se rendit compte qu'il avait du mal à se concentrer. Son esprit décrochait sans arrêt, pour se repasser les conversations avec l'employé du coroner et l'inspecteur Del Carlo. Ce sont en particulier les quatorze mille dollars qui l'intriguaient. Appartenaient-ils légalement à Mademoiselle Solitude ou pas ? Et où se les était-elle procurés ? Revenaient-ils de plein droit à quelqu'un quelque part, qui en aurait bien plus besoin — un besoin urgent — que l'État de Californie ?

À 16 h 15, il cessa d'essayer de travailler et rangea les comptes d'impôts de Sanderson dans sa mallette. Il se replongerait dans les chiffres plus tard, avec l'aide de Kenton et Dizzy Gillespie.

— Tu pars tôt, Jimmy ?

Il leva les yeux. Phil Engstrom. Un de ses collègues ; placé un cran ou deux au-dessus de lui dans la hiérarchie, mais sa carrière n'allait nulle part non plus. Mince, chauve, et d'un optimisme à toute épreuve, c'était son ami le plus proche au bureau.

— Je ferais aussi bien, dit-il. Impossible de me concentrer cet après-midi.

— Tout va bien ?

— Oui. C'est juste un jour sans.

— Tu as besoin de prendre des vacances, mon vieux. Tu as encore deux semaines, non ?

— Exact. Fin octobre.

— Tu as déjà décidé où tu irais ?

— Non, pas encore. Hawaii, peut-être — si j'ai les moyens.

— Bon choix. Il y a plein de filles disponibles dans les îles. Et je ne parle pas seulement des coups d'une nuit.

— Sûr.

— À propos, dit Phil, tu fais quoi demain soir ?

— Vendredi ?

— Vendredi. Le début du week-end. Tu as prévu quelque chose ?

— Non, rien. Pourquoi ?

— Ça te dirait de venir à une soirée avec Jeanne et moi ?

— Oh, Phil, tu sais...

— Ne dis pas non avant d'en savoir plus. Le frère de Jeanne, Tom, est peintre, tu te souviens ? Eh bien, il vient juste de vendre un de ses tableaux à la galerie Fenner pour huit mille dollars — c'est sa première grosse vente. Alors il organise une soirée pour fêter l'événement. Dans son studio à North Beach. C'est une vraie caverne, cet endroit — on pourrait y faire tenir plus de cent personnes. C'est le nombre qu'il a invité, plus de cent personnes.

— Il ne m'a pas invité, dit Messenger. Je ne le connais pas.

— Aucun problème. Tu seras notre invité, à Jeanne et à moi. C'est une bonne occasion pour rencontrer des gens, Jimmy. Des artistes, des écrivains. Et on est sûr d'y trouver plus d'une femme célibataire.

Phil tentait toujours de l'aider à socialiser, de lui organiser des rencontres et de lui offrir des occasions de croiser des femmes seules. Il avait cédé quelques rares fois, sans enthousiasme et sans grand succès. Il avait eu une brève aventure avec une assistante sociale divorcée de moins de trente ans, qui s'était éteinte par simple inertie ; leur seul et unique sujet de conversation, c'étaient ses cas sociaux («J'ai eu ce couple de Latinos, mon Dieu, quel duo ils formaient ceux-là ! Il s'est fait arrêter un jour pour s'être exhibé devant trois adolescentes du lycée Mercy. Et tu sais ce qu'elle a eu comme réaction ? "Personne à part moi n'a le droit de voir ce truc." C'est ce qu'elle a dit, mot pour mot, je te jure. Elle n'était pas choquée qu'il ait commis un acte de pervers, elle était choquée parce qu'il l'avait sorti devant quelqu'un d'autre qu'elle... »).

— Je ne suis pas très soirées, Phil, répondit Messenger, tu sais bien. Je ne me sens pas à l'aise dans la foule.

— Oui, je sais. Mais rien ne t'oblige à rester si tu ne t'amuses pas. Viens juste une heure, bois quelques verres, vois comment ça se passe.

— Bon... peut-être. Je verrai comment je me sens demain après le boulot.

— Sérieux, je pense vraiment que tu ne le regretteras pas.

— Tu as sans doute raison.

Deux lampées du bourbon à l'eau qu'il s'était préparé lui suffirent à réaliser qu'en fin de compte il n'avait pas envie d'un verre. Il mit un CD de Stan Kenton et essaya de travailler. Cela ne marcha pas non plus. Il n'arrivait toujours pas à se concentrer. Et il avait l'impression d'être confiné, presque oppressé dans l'appartement.

À 18 h 30 il enfila son manteau et marcha jusqu'au Café Harmony, qui était quasi plein, comme d'habitude. Des visages familiers — et l'anonymat complet. Lorsqu'il parcourut le menu, son regard s'arrêta sur la liste des «plats sur le pouce» qui comportait le pâté en croûte, le fromage blanc et la salade de fruits. Il commanda le plat du jour, un pain à la viande. Mais quand on lui servit sa commande il s'aperçut qu'il n'avait pas faim. Il picora la nourriture, puis finit par repousser le plat. Il paya à la caisse et ressortit dans le vent froid qui venait de l'océan.

Mme Fong n'était pas ravie de le revoir. Elle fronça les sourcils au-dessus d'une paire de lunettes de lecture en entrouvrant la porte du vestibule d'à peine quelques centimètres.

— Qu'est-ce que vous voulez maintenant? Encore des questions?

— Pas exactement, non. C'est au sujet des affaires de Janet Mitchell.

— Des affaires?

— Des vêtements, des effets personnels. L'inspecteur Del Carlo m'a dit que vous aviez tout gardé ici.

— Les cartons sont à la cave. Il n'y a pas grand-chose.

— Oui, c'est ce qu'il a dit.

— Pas de bijoux, rien de valeur. Des habits bon marché.

— Ça vous dérangerait que j'y jette un œil?

— Pour quoi faire?

— J'aimerais en savoir plus sur elle.

— Rien d'intéressant là-dedans. La police a déjà regardé.

— Je sais. Mais je voudrais juste… vous permettez?

— Je préfère pas, dit Mme Fong.

— Je ne prendrai rien, je veux juste regarder. Vous pouvez rester et surveiller…

— Je préfère pas. La police ne serait pas contente.

Mais elle ne referma pas la porte. Elle resta à l'épier au-dessus de la monture de ses lunettes — en position d'attente.

Oh, Seigneur, se dit-il.

— La police n'a pas à le savoir, dit-il. Et… si je vous payais pour regarder ?

— Combien ? demanda-t-elle aussitôt.

— Vingt dollars.

— Non. Pas vingt.

— Dites un prix, alors.

— Cinquante dollars.

— Quarante.

Il sortit deux billets de vingt de son portefeuille et les lui tendit pour qu'elle les voie.

— En liquide. D'accord ?

— D'accord, dit-elle, avant d'ouvrir la porte en grand.

Il y avait trois cartons, un grand et deux petits, un petit sac de voyage et une valise plus grande. C'était tout. Mme Fong le laissa avec toutes les affaires dans un coin de son sous-sol poussiéreux ; maintenant qu'elle avait été payée, elle ne semblait plus se soucier qu'il emporte quelque chose en s'en allant. Ou peut-être qu'elle ne voulait simplement pas le savoir.

Il resta un moment à contempler la maigre pile, en colère contre lui-même et se sentant vaguement stupide. Quarante dollars pour fouiller dans les affaires d'une femme morte et inconnue. Quel sens cela avait-il ? Ses chances de trouver quoi que ce soit d'éclairant étaient pour ainsi dire nulles. Il ne faisait que s'agiter en vain, comme un idiot. Pourquoi ne pouvait-il pas simplement la laisser partir, oublier que leurs chemins s'étaient croisés ?

Il s'agenouilla et ouvrit le plus grand des cartons.

Des habits. Des sous-vêtements, pour l'essentiel. Deux pull-overs, qu'il se rappelait lui avoir vu porter au Café Harmony. Une chemise western qui se fermait avec des fausses perles à la place des boutons. Trois chemisiers. Une veste en daim teintée.

Le deuxième carton révéla une demi-douzaine de livres de poche en piètre état, un maigre assortiment de cosmétiques (mais sans parfum ni eau de toilette), une carte des rues de San Francisco, une boîte à demi pleine de biscuits salés (il ne s'expliquait pas pourquoi Mme Fong avait rangé des biscuits rassis dans ce carton), une montre de poche vieillotte, sans valeur, avec un boîtier rayé et une chaîne imitation or mouchetée de taches vertes d'oxydation, et un panda en peluche sale et déchiré auquel manquait un de ses yeux en bouton de chaussure.

Le troisième carton contenait une paire de bottes usées et éraflées de partout avec un motif d'arabesques style cow-boy; une paire de sandales et une paire de chaussures plates; deux chemises, un pantalon et un jean Levi's.

Le petit sac de voyage était vide. La grande valise contenait le manteau en tissu léger que Mademoiselle Solitude avait porté à l'Harmony la plupart des soirs, et rien d'autre.

Un tas d'affaires pathétique. Et d'autant plus remarquable pour une femme qui détenait quatorze mille dollars en liquide dans un coffre à la banque. Les regarder étalées sur le sol de la cave le rendit triste, déprimé. Les seuls biens vraiment personnels étaient la montre de gousset et la peluche.

Il ramassa la montre, fit fonctionner le remontoir. Les aiguilles bougèrent mais le mécanisme d'horlogerie était cassé. Il glissa un ongle sous le boîtier et le releva. Des mots avaient été gravés à l'intérieur de manière malhabile, comme avec un outil maison. Des lettres et des portions de lettres étaient effacées, mais l'inscription d'ensemble était encore déchiffrable lorsqu'il leva la montre pour capter la lumière d'une ampoule nue qui pendait du plafond.

Pour Davey, ton papa.

Davey. Un mari, un amant, un frère, un ami? Aucun indice ne lui permettait d'en savoir plus — sur l'identité de ce Davey ou la raison pour laquelle elle avait gardé la montre.

Même chose pour le panda en peluche. Il paraissait vieux : était-ce à elle, datant de son enfance? Ou avait-il appartenu à un enfant qu'elle aurait eu? Il se souvint de la photographie abîmée dont Del Carlo lui avait parlé, qu'elle avait prise avec elle dans la baignoire pour les dernières minutes qu'il lui restait à vivre. Son suicide était-il en rapport avec un enfant — la perte d'un enfant, peut-être? Un petit garçon prénommé Davey? La montre de Davey, le panda de Davey?

Il se sentait de plus en plus déprimé à présent. Il se dit qu'il ferait mieux de tout remettre à sa place et de ficher le camp d'ici ; il avait l'impression que l'œil de la peluche borgne l'observait, bon sang. Au lieu de cela, compulsivement, il ne put s'empêcher de déplier la carte de San Francisco pour voir s'il n'y avait pas quelque chose d'écrit ou de marqué dessus (il n'y avait rien), et farfouilla même dans la boîte de biscuits avant de tirer vers lui la demi-douzaine de livres.

Un des livres était une anthologie poétique — *Trésors de la poésie américaine*. Trois autres étaient d'épais romans historiques sentimentaux, tous situés dans le Sud avant ou après la guerre de Sécession. Le cinquième : un western avec une couverture encore plus criarde que celles des romances historiques. Le sixième : un livre de développement personnel intitulé *Faire face au chagrin et au deuil*. Drôle de mélange. Mais le dernier pouvait être signifiant, se dit-il. Le chagrin et la solitude allaient main dans la main, en particulier si un enfant était impliqué. De même que le deuil et le suicide.

Messenger feuilleta le bouquin de développement personnel. Pas de page cornée, pas de passage souligné, pas d'annotation personnelle ; et rien n'était glissé entre les pages. Il examina chacun des cinq autres livres, sans s'attendre à y trouver quoi que ce soit non plus. Mais, à la dernière page de l'anthologie de poésie, un détail capta son attention — des mots tamponnés à l'encre rouge.

Bibliothèque publique de Beulah.

Beulah. Une ville, ou peut-être un comté. Mais, dans tous les cas, ce n'était pas en Californie ; il n'avait jamais entendu ce nom auparavant.

Il examina de nouveau les autres livres. Aucun ne portait de tampon similaire. Celui-ci n'avait donc pas forcément de rapport direct avec Mademoiselle Solitude. Les livres voyageaient par différents biais, passaient parfois entre de nombreuses mains. Et cette édition avait été publiée en 1977, il y avait des années de cela. Elle avait pu se le procurer n'importe où, dans un endroit très éloigné de Beulah — où que ce soit.

Il se demanda si Del Carlo avait remarqué le tampon. Même si c'était le cas, il était probable que sa réflexion l'ait mené au même point et qu'il ne soit pas allé plus loin. Cela valait-il la peine d'en discuter avec lui ? Cela valait-il la peine de s'arrêter d'abord à la bibliothèque, pour tenter de localiser Beulah… ?

Non, se dit-il. *Non et non.*

Les États-Unis étaient parsemés de milliers de localités, certaines si minuscules qu'elles ne figuraient même pas sur

41

la plupart des cartes ; si Beulah était un de ces petits bleds, cette recherche pourrait lui prendre des jours. En outre, pour ce qu'il en savait, il existait peut-être plusieurs Beulah — quatre, cinq ou six. Et même s'il n'en trouvait qu'un, que faire ensuite ? Il n'avait pas les moyens de remonter une piste si ténue. Del Carlo si, mais comme la plupart des flics des grandes villes il devait être débordé de boulot. Il ne serait pas assez motivé pour dépenser plus de temps et de fonds publics sur un simple cas de suicide. On ne pouvait guère lui en vouloir d'ailleurs de n'être pas plus motivé.

Toutes ces réflexions étaient vaines. Comme l'avait été le paiement de quarante dollars pour jeter un coup d'œil à ce pitoyable *memento mori*.

Ça suffit, Messenger. Ton obsession s'achève là, ce soir. Mademoiselle Solitude est morte et tu es vivant — reprends-toi avant qu'il soit trop tard et que tu fasses vraiment une dépression, avant que tu finisses toi-même dans un vortex de désespoir.

En toute hâte, il rassembla les livres, la peluche, la montre et le reste de ses affaires dans les cartons et les pauvres bagages. Puis il se leva et tourna les talons.

Mais il ne partit pas tout de suite. Pas avant une minute.

Pas avant que, en dépit de lui-même, il se soit retourné vers les cartons, ait retrouvé l'exemplaire de *Trésors de la poésie américaine* et l'ait dissimulé dans la poche de son manteau.

4

La femme aux cheveux roux s'appelait Molene, Molene Davis. Dès qu'elle se fut présentée, il l'interrogea sur son prénom pour s'assurer qu'il avait bien entendu, et elle le lui épela. Non, cela n'avait rien à voir avec la ville de l'Illinois, qui d'ailleurs s'orthographiait différemment. Son père avait été poète, dit-elle, comme si cela expliquait tout.

Il l'avait remarquée peu après son arrivée à la soirée avec les Engstrom. Le frère de Jeanne, un genre d'ours barbu qui planait complètement, soit d'autosatisfaction égotiste, soit sous l'influence d'une quelconque substance chimique, avait aussitôt embarqué le couple, en laissant Messenger se débrouiller seul. Soixante ou soixante-dix personnes se pressaient déjà dans le loft caverneux aux parois éclaboussées de peinture de North Beach, et chaque minute il en arrivait d'autres ; la foule de gens, les voix trop fortes et les rires trop sonores le rendaient fébrile — et le rendraient claustrophobe s'il restait trop longtemps. Les pièces bondées avaient toujours cet effet sur lui. Pas assez d'espace, pas assez de place pour respirer.

Mais il était ici pour prendre du bon temps. Rencontrer des gens — rencontrer une femme *vivante* qui l'intéresserait, s'il avait de la chance. Et, à distance, la rousse lui avait

43

aussitôt paru intéressante. Elle était grande, aussi grande que lui, et il mesurait plus d'un mètre quatre-vingts. Très mince, presque pas de hanches, mais elle avait des gestes souples, sinueux, comme si elle pouvait se désarticuler. Le même âge que lui, peut-être deux ou trois ans de plus. Vêtue d'un jean et d'une tunique noirs, sa chevelure rousse cascadant en boucles serrées jusqu'au milieu de son dos. Un long visage étroit et de grands yeux sombres perpétuellement aux aguets. Il l'observa pendant environ cinq minutes tandis qu'elle se servait un verre de vin et grignotait des canapés. Lorsqu'il se fut assuré qu'elle était seule, il se força à mettre de côté sa timidité naturelle et l'aborda.

Il s'attendait plus ou moins à se faire rembarrer, mais elle le surprit. Elle lui sourit aussitôt, le jaugea rapidement et le courant passa. De près, la forme de ses yeux le frappa — tout ronds, comme l'œil du panda en peluche de Mademoiselle Solitude. *Non*, se dit-il immédiatement, *ils ne sont pas du tout pareils*. Ses yeux à elle étaient réels : brillants, intelligents — vivants. Oui, et ils lui manifestaient de l'intérêt en retour.

— Je suis artiste, lui dit-elle. Je crée des mobiles. Les mobiles de Molene. Jolie allitération, non ? Je travaille essentiellement sur la quatrième dimension — on pourrait dire que j'explore la quatrième dimension. Vous voyez ce que je veux dire ? Pas vraiment. Eh bien, il y a la dimension de la longueur, c'en est une. La dimension de la largeur est la deuxième. La profondeur est la troisième. Ce que j'essaie de faire avec mes mobiles, c'est d'étendre géométriquement les lignes dans chacune de ces trois dimensions pour en créer une quatrième, afin d'*entrer* artistiquement et visuellement dans la quatrième dimension...

Elle aimait s'écouter parler. Mais cela ne le dérangeait

pas. Même si ce n'était pas entièrement compréhensible, ce qu'elle disait était assez attrayant, et elle parlait avec beaucoup d'énergie et d'intensité. Par ailleurs, ses monologues lui évitèrent d'avoir à trouver des mots pour combler les habituels blancs d'une conversation entre deux étrangers. Il n'était vraiment pas doué au jeu du bavardage ordinaire. Mais, s'il y avait une aménité sociale où il excellait, c'était bien celle qui consistait à écouter attentivement.

Cependant, elle n'était pas non plus de ces individus qui ne voient dans les autres guère plus qu'un panel d'auditeurs. Et Molene Davis n'était pas le seul sujet qui la fascinait.

— Parlez-moi de Jim Messenger, lui demanda-t-elle avant longtemps.

Et lorsqu'il s'exécuta, brièvement, elle n'eut pas l'air de considérer que sa profession d'expert-comptable était forcément morne et ennuyeuse, comme tant d'autres gens.

— Vous paraissez être quelqu'un de très stable, Jim, dit-elle.

— J'aime penser que c'est le cas.

— Sur le plan personnel autant que professionnel?

— Oui. Je suis plutôt conventionnel.

— Vous n'êtes pas marié, je me trompe?

— Non.

— Déjà été?

— Une fois, à l'université. Ça n'a pas fait long feu.

— Mon mariage non plus. Je me suis mariée trop jeune, moi aussi.

— Péchés de jeunesse, j'imagine.

— Nous n'avons pas eu d'enfant, Brian et moi. Je croyais ne pas en vouloir, ni à cette époque ni plus tard. Aujourd'hui… eh bien, je n'en suis plus si sûre. J'entends le tic-tac de mon horloge biologique.

45

— Au milieu de cette foule, ça me semble impossible.

Molene rit.

— Et vous, Jim ? Vous avez des enfants ?

— Non.

— Des regrets ?

— Ça m'arrive, de temps en temps. Pas très souvent, pour être franc.

— Pourquoi ça ?

— Je n'en sais rien. Peut-être que je n'avais simplement pas l'étoffe d'être père.

— Vous voulez dire le genre père moderne. Qui change les couches, se lève à trois heures du matin pour nourrir le bébé et tout ça.

— C'est ça.

— Je comprends très bien. La plupart des hommes ne le sont pas, et trop font l'erreur de croire qu'ils le sont. Et être un mari ? Ça vous manque ?

— Parfois.

— Je ne parle pas du sexe, précisa-t-elle. Je veux dire vivre seul... vous vivez seul ?

— Oui. Dans un appartement près d'Ocean Beach.

— Vivre seul, sans personne qui attend quand on rentre chez soi le soir. Ça vous manque, Jim ?

Il hésita avant de parler. Quelle réponse attendait-elle de lui ? *Oui, je me sens seul et j'aimerais vraiment me remarier ? Non, je suis content d'être célibataire, de vivre ma vie comme bon me semble, sans responsabilités ni charges familiales ?* Il ne savait même pas lui-même quelle était la vraie réponse.

— Ça ne me manque pas vraiment, non, dit-il enfin. Je crois qu'on peut dire que me remarier n'est pas un objectif central dans ma vie.

— Ce n'est même pas un objectif du tout dans la mienne, dit Molene. Une fois m'a suffi, merci bien. J'ai trop l'habitude de vivre comme ça me chante pour supporter d'avoir un homme dans les pattes au quotidien.

Elle haussa les épaules et finit son verre.

— Qu'est-ce que vous en dites? Ma franchise vous choque? reprit-elle.

— J'aime les gens qui sont francs, dit Messenger.

— Moi aussi. Nous devrions bien nous entendre alors, n'est-ce pas, Jim?

— J'espère que oui.

Il lui apporta un autre verre de vin avec des canapés sur une serviette. Ils discutèrent de divers sujets, impersonnels pour la plupart. Ou plus exactement elle alimentait l'essentiel de la conversation et lui se contentait d'écouter. Autour d'eux, la soirée battait son plein dans le vaste loft de plus en plus bondé au point de ressembler, du moins aux yeux de Messenger, à la scène de la fête dans le film *Diamants sur canapé*. Si Molene n'avait pas été là, il serait déjà parti à l'heure qu'il était. Dans l'état actuel des choses, il n'aspirait qu'à retrouver un peu d'espace, de calme et d'air frais.

Elle parut sentir ce besoin en lui. Soit ça, soit elle avait la même impression de claustrophobie. Elle dut s'approcher tout près de lui et crier à moitié pour se faire entendre pardessus le vacarme ambiant.

— Jim, si on fichait le camp d'ici? Tout ce boucan me donne mal à la tête.

— J'allais suggérer la même chose.

— Mon appartement n'est qu'à quelques pâtés de maisons d'ici.

Un frisson d'excitation le parcourut.

47

— Très bien.

— Je veux vous montrer mes mobiles.

— J'en serais ravi. Vos estampes japonaises aussi.

— Quoi ?

Il secoua la tête. Sa blague lamentable était tombée à plat. Il appréciait Molene, la trouvait sensuelle et attirante, et il avait vraiment très envie de coucher avec elle ; il n'avait pas eu de relation sexuelle avec une femme depuis ce qui lui paraissait une très longue période. *Ne gâche pas tout par des banalités, Messenger.*

— Je ferais mieux de prévenir les gens avec qui je suis venu que je m'en vais, lui dit-il à l'oreille. Sinon ils vont se demander ce qui m'est arrivé.

— Je vous retrouve dans l'entrée.

— Cinq minutes.

C'est le temps qu'il lui fallut pour réussir à dénicher Phil Engstrom. Lorsqu'il lui dit qu'il partait, Phil lui fit un clin d'œil et lui demanda si c'était en compagnie de la rousse avec laquelle il l'avait vu parler. Il confirma.

— Mignonne, dit Phil, même si elle est un peu trop maigre à mon goût. Alors, je ne t'avais pas dit que tu ne perdrais pas ton temps en venant ce soir ?

— Si.

— C'est quoi, son nom ? Qu'est-ce qu'elle fait ?

— C'est trop bruyant ici. Je te le dirai lundi.

— Et les détails aussi, hein, Jimmy ? dit-il avec un autre clin d'œil. Je veux tous les détails.

Messenger s'éloigna sans répondre. Certains hommes, dont Phil faisait partie, demeuraient les mêmes que lorsque, ados, dans les vestiaires, il était question d'intimité physique. Jusqu'où vous êtes allés ? Elle t'a fait quoi ? Tu lui as fait quoi ?

Comment c'était? Lui-même ne comprenait pas ce besoin de rabaisser et de déshumaniser le sexe. Une relation intime n'était pas un jeu et ne devrait pas fournir matière à plaisanteries et à commentaires de la part de quelqu'un d'autre.

Molene attendait dans l'entrée. Une fois dans la rue, ils s'arrêtèrent un instant pour s'abreuver de l'air frais de la nuit. Puis elle lui prit le bras et le tint serré contre son sein menu tandis qu'ils remontaient Green Street. Son appartement était sur Reno, lui dit-elle, une petite ruelle qui partait de Green. Juste à deux pâtés de maisons de là.

Son immeuble se révéla être un bâtiment de style victorien réhabilité; son appartement, au premier étage, était petit et étroit. Des mobiles étaient accrochés un peu partout, certains isolément, d'autres paraissant former une sorte de schéma d'ensemble — morceaux de bois, de métal et de poterie aux formes aléatoires, certains décorés de motifs de couleurs vives peints à la main, d'autres à l'état naturel. Se déplacer autour d'eux et parmi eux représentait une véritable course d'obstacles. Pour Messenger, ils conféraient à l'appartement une ambiance chaotique. Habiter ici, pensa-t-il, reviendrait à vivre au beau milieu d'un rêve dérangeant.

Molene leur servit à tous deux des verres de vin, puis s'assit tout près de lui sur un énorme canapé poire au cuir craquelé — un rescapé des sixties. Son parfum musqué lui rappela l'odeur des clous de girofle. Il sentit s'attiser et croître la chaleur dans son bas-ventre.

Elle lui demanda ce qu'il pensait de ses mobiles. Il lui dit qu'il les trouvait fascinants, tout en gardant les yeux posés sur elle de sorte à ne pas devoir les regarder. Elle parla d'art et de quatrième dimension pendant un moment, en formulant des phrases auxquelles il ne comprenait pas grand-chose, sinon rien. Puis elle posa son verre et prit l'une de ses mains dans les siennes. D'un ton presque solennel, elle demanda :

— Jim, as-tu fait un test de dépistage du sida ?

— De dépistage du sida ? Non, dit-il.

— Tu ne crois pas que tu devrais ?

— Euh, je ne suis pas… je n'ai pas beaucoup de relations.

— Moi non plus. Mais j'en ai fait un pour être sûre.

Il ne savait pas quoi dire.

— Tu devrais vraiment, tu sais, dit-elle.

— Tu as sans doute raison.

— Tu le feras, alors ? Pour moi ?

— D'accord. Oui.

— Bien. C'est très, très bien.

Elle sourit à quelques centimètres de sa bouche. Ses lèvres étaient très rouges, luisantes.

— Et pour les autres tests, Jim ?

— Les autres… Je ne vois pas de quoi tu parles.

— Un test de fertilité. Tu en as déjà fait un ?

— Non.

— Bon, on pourra en parler plus tard. Ce soir… ce soir on va juste faire attention et se faire plaisir. Tu as un préservatif ?

— Non.

— Pas de problème. J'en ai. Mais je préfère sans, pas toi ? C'est tellement mieux sans ce truc.

Elle sourit à nouveau, lui faisant les yeux doux à présent, et lorsqu'elle se leva parmi les mobiles ses boucles rousses semblèrent devenir une extension difforme de l'un d'entre eux. Elle lui tenait toujours la main ; elle tira dessus gentiment.

— Viens au lit, Jim, dit-elle.

Il comprit alors de quoi il retournait, avec une clarté aveuglante. Tout le feu qui l'animait s'éteignit aussitôt et son atti-

50

rance pour elle fut étouffée sous les cendres. L'amertume le poussa à la suivre malgré tout, par défi. Mais c'était une erreur stupide. Le défi se transforma bientôt en honte, comme il aurait dû s'en douter. Il ne resta pas longtemps dans son lit. Ni dans son appartement étroit, surréel. Et, lorsqu'il partit, tous les deux savaient qu'il ne reviendrait pas.

Avec Molene, il était impuissant.

Il ne pouvait pas lui faire l'amour car elle ne le voyait pas comme une personne, ni même comme un instrument de plaisir. Elle ne le voyait pas *du tout*.

Ce qu'elle cherchait, c'était un bébé. Seulement ça : un bébé.

Depuis le début, il n'avait rien été de plus pour elle qu'un donneur de sperme qui correspondait à ses critères.

Le samedi matin, une demi-heure après l'aube, Messenger enfila sa tenue de sport, une vieille paire de Reeboks et se rendit en voiture au Golden Gate Park. Deux ans plus tôt, il s'était mis à courir régulièrement — tôt le matin avant d'aller travailler ainsi que le week-end. À deux reprises, il avait pris part à la course d'endurance de quarante kilomètres entre la baie de San Francisco et Breakers, et la seconde année il avait réussi à terminer pas loin de la tête du peloton. Mais alors ses genoux et les tendons de ses jambes avaient manifesté des signes de faiblesse ; il avait dû ralentir le rythme, sur le conseil de son médecin, puis avait totalement arrêté de courir et s'était reporté sur l'aérobic, jugeant cette pratique moins douloureuse pour garder la forme. Il n'avait plus couru depuis six bons mois. Il n'en avait plus ressenti le besoin jusqu'à ce matin.

Il se gara près du hangar à bateaux du lac Stow. Il

commença sa course par l'itinéraire facile, en faisant un demi-tour de lac et en traversant sa petite île boisée, avec un détour par la pente escarpée de Strawberry Hill qui se dressait au milieu de l'îlot, puis revint en longeant l'autre rive du lac. Il effectua trois fois ce circuit, en accélérant l'allure à chaque tour. Ses jambes avaient l'air de bien tenir le coup, alors il prit par les routes qui faisaient le tour complet de Stow — un trajet de presque deux kilomètres, qui grimpait sur une large partie. Ce parcours l'exténua. Il avait les jambes en feu et c'est en clopinant plus qu'en courant qu'il revint au hangar à bateaux.

Il ne se sentait en outre pas mieux mentalement que physiquement. Aucun sentiment d'exaltation — cette euphorie du coureur qu'il avait ressentie dans les meilleurs jours et lors de la seconde course de Breakers. Seulement de la fatigue et le sentiment d'avoir produit un effort inutile.

De retour dans son appartement, il prit une douche et passa de la pommade sur les muscles douloureux de ses jambes. Lorsqu'il eut terminé un petit déjeuner léger, il était 9 heures. La perspective du restant de la journée s'étalait devant lui, longue et vide. Comment la remplir ? Il devait bien y avoir quelque chose qu'il avait envie de faire.

Bien sûr. Une chose.

— Merde, dit-il tout haut avant d'aller s'habiller dans sa chambre.

À 9 h 30, avec un troublant sentiment mêlé d'expectative et de résignation, il était à nouveau au volant de sa voiture sur le trajet de la grande bibliothèque du Civic Center.

Beulah se trouvait dans le Nevada.

Une ancienne ville minière située au sud-ouest du désert

du Nevada, au nord de la Vallée de la Mort, à environ deux cent quarante kilomètres de Las Vegas. Population, selon le recensement de 1990 : 2 456 personnes.

Il consacra trois heures à cette recherche, à éplucher le fonds de cartes d'États et d'almanachs, dont plusieurs lui furent nécessaires pour localiser la ville et s'assurer que c'était apparemment la seule dans le pays à porter ce nom. Si Beulah, dans le Nevada, était dotée d'une bibliothèque, alors l'édition de poche des *Trésors de la poésie américaine* devait provenir de là. Mais qu'en était-il de Mademoiselle Solitude ?

Il se remémora l'aspect tanné de sa peau, comme si elle avait passé beaucoup de temps au grand air sous un climat chaud. Il se souvint de la chemise western avec sa boutonnière en simili-perles, la veste en daim teinté, les Levi's et les bottes avec le motif style cow-boy. Ce n'était pas impossible. Et si ce n'était pas Beulah, elle devait sans doute venir d'un autre endroit du coin. Oui, c'était bien possible.

Il consulta un annuaire téléphonique récent de la partie du Nevada qui incluait Beulah. Il y trouva — bingo ! — les coordonnées de la bibliothèque publique de Beulah ; il nota l'adresse. Un seul Mitchell y était répertorié — David M. —, mais il habitait une ville située à quatre-vingts kilomètres de là. Il recopia également ses coordonnées, même si Janet Mitchell était presque certainement un nom inventé.

À tout hasard, il feuilleta les pages jaunes. Une demi-douzaine d'entreprises étaient localisées à Beulah ; l'une d'elles était un fournisseur d'équipement pour l'extraction minière. Cela l'incita à consulter une poignée de guides et de livres d'histoire du Nevada dans les rayonnages de la bibliothèque. Il n'y trouva pas grand-chose sur Beulah. La ville était apparue dans les années 1880, comme centre d'approvisionnement pour les équipes qui transportaient les machines, les outils et les vivres à dos de mule jusqu'aux mines situées dans les collines environnantes. L'un de ses fondateurs l'avait baptisée du nom de sa mule favorite. À deux reprises, au début du xxᵉ siècle, la ville avait failli disparaître, lorsque les veines aurifères des mines s'étaient taries et furent abandonnées. Pendant la Seconde Guerre mondiale, la découverte de tungstène dans la Black Mountain toute proche lui avait redonné une nouvelle vie ; puis, dans les années 1950, l'US Air Force et la Commission à l'énergie atomique avaient installé des bases gouvernementales topsecrètes dans les environs — c'était une des zones où l'on avait mené les essais controversés de bombe atomique en plein air. La mine de tungstène était toujours exploitée, de même qu'une grande mine de gypse dans la chaîne de Montezuma plus à l'ouest. La population de la ville était restée plus ou moins stable durant les cinquante dernières années, en partie à cause des mines toujours ouvertes, des installations gouvernementales et des ranches qui élevaient du bétail près des sources dans le désert, et principalement parce qu'elle était située sur le parcours de la Highway 95, la principale route entre Tonopah et Las Vegas, qui permettait d'accéder à la Vallée de la Mort et à la région des grands déserts le long du versant est des sierras.

C'était tout pour Beulah. C'était tout pour les possibilités. Et maintenant ?

Harvey Sitwell évoquait immanquablement un bouledogue, en particulier lorsqu'il fronçait les sourcils. Ce lundi matin, aucun signe de froncement de sourcils cependant ; sa bouille ronde était joviale, presque sereine, ce qui signifiait sans doute que pour une fois il avait fait un score de plus de cent lors de sa partie de golf dominicale à Harding Park.

— Trois semaines plus tôt? dit-il en réponse à la requête de Messenger. Comment ça se fait, Jim?

— J'aimerais juste partir plus tôt, c'est tout. Pour être franc, je me sens assez crevé et des vacances ne seraient pas du luxe.

— C'est quoi, tes projets? Lézarder sur la plage quelque part?

— Non. Je pensais aller dans le désert.

— Le désert? Lequel?

— Du côté de la Vallée de la Mort. J'ai toujours voulu visiter cette partie de l'État et il ne devrait pas faire trop chaud à cette période de l'année.

— Sans vouloir m'en mêler, ce n'est pas l'endroit qui me viendrait en tête pour prendre du bon temps.

— En fait, je ne pense pas rester les deux semaines entières dans la Vallée de la Mort.

— Vegas, hein?

— C'est seulement à quelques centaines de kilomètres.

— Une semaine à Vegas ne me déplairait pas non plus. Mais ce n'est pas tellement ton genre de jouer, je me trompe?

— Non, pas jusqu'ici, dit Messenger. Mais je me suis dit que ça ne me ferait pas de mal de mettre un peu de piquant dans ma vie.

— Évite juste les tables de craps, conseilla Sitwell. J'ai perdu neuf cents dollars à une de ces tables à Vegas il y a vingt ans. Madge me le ressort encore parfois, quand elle est furax après moi.

— J'éviterai. Le seul jeu que je connaisse, c'est le black-jack.

— C'est le seul jeu qui vaille. Les chances sont meilleures.

— Alors qu'en dis-tu, Harvey? Est-ce qu'on pourrait modifier mon planning?

— Eh bien, je ne sais pas trop, dit Sitwell en s'adossant à son siège, ses doigts boudinés entrecroisés contre sa bedaine — sa posture de réflexion. Cette période de l'année est plutôt calme, c'est certain. Tu en es où avec tes comptes?

— Bien avancé. Ils sont presque tous à jour.

— Combien de temps ça te prendra pour les boucler?

— Une semaine, si je fais quelques heures supplémentaires et que je travaille le week-end.

— Et quand veux-tu partir?

— Dimanche prochain. Lundi au plus tard.

Sitwell prit encore un peu de temps pour réfléchir. Puis il avança sur son siège et arbora son sourire magnanime — celui qu'il n'affichait guère quand on lui demandait une augmentation, et jamais quand on abordait le sujet d'une promotion dans la compagnie.

— D'après ce que j'ai entendu dire, déclara-t-il, la Vallée de la Mort est un endroit à voir. Dis-moi ce que tu en as pensé, Jim... quand tu reviendras travailler dans trois semaines.

5

Il quitta la ville tôt le dimanche matin et passa deux jours entiers sur la route en direction de Beulah, Nevada. Il prenait son temps, profitait du paysage et du sac plein de cassettes de jazz qu'il avait emportées pour se tenir compagnie. Rien ne pressait. Ce n'était pas seulement une aventure donquichottesque ; c'était aussi une sorte de promenade de santé. Il était exténué et en manque de vacances, exactement comme il l'avait dit à Harvey Sitwell. Il passerait un jour à Beulah, deux tout au plus, et ensuite, quoi qu'il trouve, il serait libéré de Mademoiselle Solitude une bonne fois pour toutes.

Le premier jour, sa route le mena tout droit jusqu'au parc national Yosemite qu'il traversa avant d'obliquer vers le sud sur la Highway 395, dépassant les lacs Mono et Mammoth avant d'arriver à Bishop. Le deuxième jour, il prit l'autoroute du désert à Lone Pine à travers les Panamint Mountains jusqu'à la Vallée de la Mort. Il faisait chaud là-bas, mais pas au point de devoir pousser à fond l'air conditionné de sa Subaru. Il n'y avait presque pas de trafic. Sur de longues portions du trajet, il avait l'impression d'avoir ces étendues de désert pour lui seul.

Il avait entendu dire que les gens étaient rarement indifférents à la Vallée de la Mort, qu'on y réagissait en général de deux manières distinctes. Soit l'endroit vous dérangeait profondément — ces kilomètres sans fin d'un paysage mort, brûlé par le soleil, où, les jours sans vent, l'absence totale de bruit est si aiguë qu'elle produit une pression douloureuse sur les tympans. Soit les panoramas majestueux et la beauté brute de la nature vous laissaient une impression quasi mystique — celle d'un endroit vivant plutôt que mort. Les deux heures durant lesquelles il traversa la cuvette de la vallée, il fut débordé par ce dernier sentiment. Sa dimension monumentale l'impressionna et le stimula — à tel point qu'aux deux tiers du trajet dans les Funeral Mountains qui délimitaient la frontière nord-est, il s'arrêta et demeura un long moment à l'ombre d'une saillie rocheuse, en hauteur, à contempler le fond de la vallée, observant les variations subtiles de couleur des rochers, des collines de sable et des plateaux de sel à mesure que se modifiait l'inclinaison du soleil. Lorsqu'il retourna dans la voiture, ce fut à contrecœur. C'était un lieu bénéfique pour Jim Messenger, un endroit où il reviendrait. Face à ces vastes étendues désertiques, ses problèmes rapetissaient, au point de devenir insignifiants et donc plus supportables.

C'était la fin de l'après-midi lorsqu'il atteignit Beatty, juste à la limite de la frontière avec le Nevada. Il s'arrêta là pour dîner tranquillement, puis reprit la route. Les quatre-vingts derniers kilomètres jusqu'à Beulah lui firent traverser une plaine déserte au sol accidenté : des collines basses parsemées çà et là d'armoise et d'arbustes caducs, coupées par des petits ravins et des arroyos plus profonds. Les flancs nus de collines plus hautes faisaient miroiter leurs teintes à l'horizon qui s'assombrissait — brunes d'abord, puis jaune doré, or sombre, pourpre et finalement noires tandis que le soleil se couchait avant de disparaître.

Sa première impression de Beulah, ce fut un amas de lueurs tremblantes dispersées sur un plateau en altitude. Il se trouvait encore à vingt-cinq kilomètres lorsqu'il aperçut les lumières et il crut qu'elles devaient signaler la présence d'une autre ville ; mais, jusqu'à ce qu'il arrive à huit kilomètres d'elles, elles ne parurent ni grossir ni briller plus fortement — comme si elles s'éloignaient de lui à la même vitesse qu'il s'en approchait.

Le terrain devint plus pentu, plus inégal ; la route se transforma en une longue montée graduelle. Plus de lumières, éparpillées sur une large superficie, se mirent à cligner dans le désert environnant — les ranches dont il était fait mention dans les livres, sans doute. Puis les lueurs de la ville devinrent plus distinctes, prirent la forme et la teinte de néons. La pente de la route s'accentua et, au sommet de la montée, il aperçut le premier panneau signalant un motel. Avant qu'il l'ait atteint, ses phares accrochèrent un autre panneau : BIENVENUE À BEULAH.

Le motel était une franchise de la chaîne Best Western à l'enseigne du High Desert Lodge ; il s'engagea dans l'allée. À l'intérieur l'attendaient une femme volubile aux cheveux gris du nom de Mme Padgett et l'inévitable rangée de machines à sous. Il prit une chambre pour la nuit. L'endroit n'était pas bondé ; s'il avait besoin de rester plus longtemps, il pourrait réserver sans problème une nuit supplémentaire.

Une fois dans la chambre, il déballa sa trousse de toilette, suspendit sur des cintres une chemise propre et un pantalon, puis s'allongea sur le lit. Il était fatigué d'avoir tant roulé ; et il aurait tout le temps de visiter la ville le lendemain, de voir ce qu'elle avait à offrir, avant de poser ses questions.

Il avait conscience de son besoin de faire durer son séjour ici aussi longtemps que possible, de repousser le moment où il aboutirait à une impasse qui mettrait fin à sa quête. C'était la raison pour laquelle il n'avait pas interrogé Mme Padgett. Même s'il voulait se libérer de Mademoiselle Solitude, la laisser partir ne serait pas chose facile. Ce serait comme perdre une petite partie de lui-même. Une part non essentielle, certes, née de sa propre complaisance, mais une part signifiante tout de même.

Sous le soleil du petit matin, la ville de Beulah avait un air endormi, légèrement schizoïde. Des immeubles modernes, flambant neufs, côtoyaient des façades boisées à l'ancienne, des bâtiments de brique vieillissants, un hôtel de pierre grise de trois étages qui devait bien dater de plus d'un siècle. Des feux de circulation ; des voitures ternies par la poussière et de lourds camping-cars qui se garaient ou ne faisaient que traverser la ville ; un étalon criard en néon rouge qui se dressait au-dessus de l'entrée du Wild Horse Casino ; et, sinuant à travers les basses collines rousses qui flanquaient la partie centrale de la ville, des chemins de terre sillonnés d'ornières qui paraissaient plus aptes à accueillir des carrioles ou des chariots de minerai que n'importe quel véhicule du xxe siècle. Au-delà de la périphérie nord, la route principale se poursuivait tout droit à travers le plateau désertique, se rétrécissant jusqu'à ne plus former qu'une ligne fine là où deux chaînes de montagnes sombres semblaient converger dans le lointain.

Une brise sèche souffla sur les joues de Messenger tandis qu'il marchait du motel jusqu'à l'endroit où la rue principale, longue de deux pâtés de maisons, s'élançait vers l'ouest. L'air portait encore la fraîcheur de la nuit, chargé de senteurs d'armoise et de poussière, mais une chaleur croissante commençait à s'y accumuler; dans deux heures, il ferait assez chaud pour faire couler la sueur. Tout — le ciel, le désert, les objets faits de main d'homme — émettait une clarté et une brillance qui lui firent plisser les yeux. Mais l'effet combiné de tout cela était plaisant. C'était un de ces matins et un de ces endroits qui vous rendaient simplement content d'être en vie. Et qui réveillaient aussi en vous un appétit féroce, fut-il étonné de constater. C'était la première fois depuis très longtemps qu'il se découvrait le moindre appétit avant midi.

Mme Padgett lui avait dit que le Goldtown Café était le meilleur endroit en ville pour prendre un petit déjeuner. Le café se trouvait dans la grand-rue, juste à la hauteur de l'intersection avec l'autoroute du désert, sa devanture en verre proclamant «Pâte à pancakes à la bière, la meilleure du Nevada». À l'intérieur, il découvrit une atmosphère à la fois proche et différente de celle du Café Harmony. Les odeurs étaient les mêmes; en dépit des omniprésentes machines à sous, le décor était assez similaire. Mais il y avait plus de conversations, plus de rires, plus de plaisir visible à manger parmi les hommes et les femmes assis dans les boxes et accoudés au comptoir; et les visages, qu'il s'agisse d'autochtones vêtus dans le style western ou de voyageurs sur le chemin ou de retour de Las Vegas, paraissaient globalement plus souriants, plus ouverts et plus enclins à nouer le contact du regard.

Il se demanda si la signification de tout cela était qu'une ville comme San Francisco était peuplée de gens qui en partaient rarement, voire jamais, qu'elle pesait si lourdement sur eux et les rendait si méfiants qu'après un temps ils finissaient par se renfermer sans s'en rendre compte — transformés en «îlots dans le courant», selon la métaphore d'Hemingway. Tandis qu'un environnement comme celui-ci était si vaste, si libre, qu'il favorisait l'expansion plutôt que la contraction de soi. Il avait ressenti une telle sensation d'expansion dans la Vallée de la Mort. Non pas qu'on doive vivre là-bas pour empêcher le soi de se ratatiner. C'était la perspective qui comptait, le fait de savoir qu'il existait de tels lieux où l'on pouvait aller et qui vous aidaient à retrouver le moral.

Il commanda les pancakes avec du jambon. Il les dévora jusqu'à la dernière miette et se fit resservir du café. En réglant l'addition, il demanda à sa serveuse, une blonde à la poitrine opulente prénommée Lynette, d'après son badge, la direction de la bibliothèque.

— Première rue au sud et deuxième à l'est, sur Tungsten, dit-elle. Mais elle n'ouvre pas avant dix heures.

— Merci.

— Y a pas de quoi.

Elle avait un sourire amical, un peu enjôleur même. Mais il n'y avait rien non plus de déplacé en elle.

— Vous allez là-bas pour voir Mme Kendall ?

— Qui ça ?

— La bibliothécaire. Ada Kendall.

— Non, dit-il. Je veux rapporter un livre que j'ai trouvé.

— Oh, dit-elle, sans comprendre, comme s'il venait de s'exprimer dans une langue étrangère. Eh bien, passez une bonne journée alors. Revenez nous rendre visite.

— Je n'y manquerai pas.

Une pendule murale, tout comme sa Timex, indiquait 8 h 15. Il retourna à pied au High Desert Lodge, prit sa voiture et partit explorer le reste de Beulah.

Il n'y avait pas grand-chose à voir : la ville s'étendait tout au plus sur une douzaine de pâtés de maisons dans les rues latérales, dont les plus grands bâtiments étaient un palais de justice en pierre de deux étages et un gymnase universitaire d'allure neuve. Les propriétés privées semblaient se composer de mobile-homes et, en majorité, de maisons plus anciennes construites de planches et de lattes de bois ou de briques de cendres. Quelques-unes des rues excentrées n'étaient pas goudronnées, mais rocailleuses et inégales comme les routes du désert, recouvertes d'une matière poudreuse et blanche. De la poussière de lave, se rappela-t-il avoir lu dans un des guides. Les pneus de la Subaru la firent voler en traînées duveteuses qui semblèrent rester suspendues dans l'air à présent immobile.

Il roula jusque dans le désert en empruntant deux des chemins de terre, l'un vers l'est et l'autre vers le nord-ouest. Ce dernier le fit passer devant une mine abandonnée à flanc de colline : la partie supérieure d'une charpente décatie, deux cabanes à moitié écroulées, des monticules en forme de dunes d'anciens déchets de minerai. Il vit çà et là des petits groupes de bâtiments, du bétail en train de paître parmi les broussailles desséchées. Des endroits misérables, pour la plupart. La vie dans le coin ne devait pas être très facile pour quatre-vingt-dix pour cent des résidents. Mais il ne s'étonnait pas qu'ils restent là.

À 10 heures, il retourna à Beulah. Tungsten Way était une rue latérale non goudronnée, la bibliothèque se trouvait tout au bout, hébergée dans un mobile-home en tôle, devant lequel on avait érigé un porche en bois. À l'intérieur, on avait supprimé les parois et installé des étagères, tassées les unes contre les autres pour permettre de ranger un plus grand nombre de livres, des grands formats et des poches. Un couple de ventilateurs au plafond brassait l'air paresseusement. En été, cet espace confiné devait se transformer en véritable étuve. Même maintenant, alors que la température extérieure ne devait guère dépasser les 28 °C, avec les ventilateurs en marche et la porte grande ouverte, l'atmosphère là-dedans sentait la poussière et le renfermé.

Juste derrière la porte, une femme mince et pâle dans la soixantaine était assise à un bureau, séparée du reste de la bibliothèque par un classeur vieillot de fiches cartonnées. D'après une petite plaque posée sur le bureau, c'était Ada Kendall. Une autre femme, corpulente avec des petits yeux renfoncés, flânait dans la section «Romans historiques et sentimentaux». Elles le regardèrent toutes les deux lorsqu'il entra, d'un air indifférent d'abord, puis avec la curiosité et la vague suspicion qu'ont les habitants des petites villes envers les étrangers qui pénètrent dans un endroit où leur visite n'est pas attendue.

— Je peux vous aider?

— Eh bien, je ne sais pas, dit Messenger.

Il avait apporté avec lui l'exemplaire des *Trésors de la poésie américaine*; il le posa devant Ada Kendall.

— Serait-ce un de vos livres? Il y a le tampon de la bibliothèque de Beulah sur la dernière page.

Elle fronça les sourcils en l'observant, puis en regardant le livre. Lorsqu'elle le saisit et l'ouvrit à la dernière page, ce fut du bout des doigts, comme si elle craignait qu'il soit contaminé.

— Oui, c'est bien notre tampon. Quelqu'un a arraché la pochette où on met les fiches.

Elle prononça cette dernière phrase comme si elle pensait qu'il pouvait être le coupable.

— Donc ce n'est pas un livre que vous aviez mis au rebut?

— Il n'y a pas le tampon du rebut, dit-elle.

— Alors je me demandais si vous aviez un moyen de savoir qui est la dernière personne à l'avoir emprunté.

— Ça dépend; quand l'a-t-on emprunté en dernier?

— Je ne sais pas quand au juste. Il y a plus de six mois.

— Qui que ce soit, il n'a pas l'air de se soucier beaucoup des livres, ni des autres usagers de la bibliothèque. Ce livre est dans un état déplorable.

— Oui. Mais je…

— Cette personne va devoir payer une amende, dit Ada Kendall. Une grosse amende. Où l'avez-vous trouvé?

— À San Francisco.

— À… vous voulez bien répéter?

— San Francisco. Une femme nommée Janet Mitchell l'avait. Du moins, Janet Mitchell était le nom sous lequel je la connaissais.

Ada Kendall ouvrit la bouche, avant de la refermer; son front plissé, figé à présent, lui donnait un regard de myope. La femme aux petits yeux avait arrêté de feuilleter les livres. Immobile, elle le regardait fixement, réalisa Messenger, avec une curiosité particulièrement vive.

Il demanda à la bibliothécaire:

— Connaissez-vous quelqu'un — un ancien résident de Beulah — qui s'appelle Janet Mitchell?

— Non.

— Janet, alors. Ou Mitchell.

— Il n'y a pas de Mitchell par ici, dit la femme aux petits yeux.

Elle s'approcha de l'endroit où se trouvait Messenger, comme pour l'examiner de plus près. Cela lui permit à lui aussi de l'observer de plus près ; sa curiosité semblait motivée par le goût du commérage.

— Et pas de Janet non plus. Il n'y en a jamais eu, à ma connaissance.

— C'est ce que je craignais. C'était juste un nom d'emprunt, qu'elle avait inventé.

— Pourquoi se servait-elle d'un nom qui n'était pas le sien ?

— Eh bien, elle devait avoir ses raisons.

— Quelles raisons ?

— Je l'ignore. J'essaie de le découvrir.

— Vous pensez qu'elle vivait ici ? À cause de ce livre ?

— C'est possible. Enfin, c'est ce que je me suis dit.

— De quoi elle avait l'air, cette femme ?

— Grande, mince, les cheveux blond cendré, des yeux gris clair…

— Mon Dieu, s'exclama la femme aux petits yeux, j'en étais sûre, j'en étais *sûre* !

Ada Kendall ne dit rien, mais ses lèvres fines se serrèrent au point de ne plus former qu'une ligne tortueuse, comme une fissure dans un mur d'adobe.

Messenger eut un picotement d'excitation.

— Donc vous la connaissez ?

— San Francisco. Alors c'est là qu'elle est allée. Je n'aurais jamais pensé à un endroit pareil… et toi, Ada ? Un rat du désert comme elle ?

— Non. Non, je n'y aurais jamais pensé.

— Qu'est-ce qu'elle fait là-bas ? l'interrogea la commère. Quel rapport a-t-elle avec vous ?

— C'était… juste une connaissance.

— C'était ? Elle a quitté San Francisco, elle est partie ailleurs ?

66

— Elle est morte, dit-il.

— Morte? Vous avez dit *morte*?

— Oui, hélas. Elle…

— Comment? Comment est-elle morte?

— Elle s'est suicidée.

— Ada, tu entends ça? Elle s'est suicidée!

— J'ai entendu, dit Ada Kendall. Que le Seigneur ait pitié d'elle.

— Le Seigneur a eu Sa vengeance, tu veux dire. Comment a-t-elle fait, monsieur? Comment s'est-elle tuée?

— Elle s'est ouvert les veines avec une lame de rasoir.

— Oh là là! Attendez voir que John T. apprenne ça!

Alors la femme aux petits yeux éclata de rire — un rire ouvertement joyeux et sans retenue.

6

Messenger était choqué. Il n'avait jamais vu quelqu'un réagir avec un plaisir aussi impitoyable à l'annonce de la mort d'une autre personne. *Elles la haïssaient, toutes les deux. Une femme aussi triste, aussi brisée que Mademoiselle Solitude... qu'avait-elle bien pu faire pour susciter tant de haine ?*

La grosse femme continuait à rire d'une manière effrénée, qui frôlait presque l'hystérie. Son écho se répercutait dans l'espace confiné et poussiéreux de la bibliothèque. Un frisson parcourut la nuque de Messenger. Pour une raison indéfinissable, il sentit une appréhension monter en lui comme de la bile.

— Arrête ça tout de suite, Sally Adams, dit la bibliothécaire, sur le ton d'une maîtresse d'école grondant un vilain garnement. Qu'est-ce qui te prend ? Tu n'as donc pas le moindre respect ? C'est une bibliothèque ici, pour l'amour du ciel.

Ses paroles eurent l'effet inverse : la crise de fou rire de la commère ne fit que s'accentuer, en vagues sonores, comme les éructations d'une aliénée. Sally Adams se plia en deux, hilare et haletante, les bras croisés contre sa graisse tremblotante, comme pour l'empêcher de se détacher dans sa robe aux motifs de couleur vive. Des larmes coulèrent sur ses joues rougies comme des poivrons grillés. Visiblement, des spasmes la parcouraient ; ses fesses frémirent et tressautèrent. On aurait dit que son allégresse féroce s'était muée en jouissance sexuelle et qu'elle allait avoir un orgasme.

Cette vision, autant que les sons qu'elle produisait, incitèrent Messenger à ficher le camp.

Il ouvrit la portière de la Subaru brûlante sous le soleil. Toutes les sensations vivifiantes qu'il avait ressenties plus tôt s'étaient évanouies ; les restes non digérés de son petit déjeuner lui pesaient sur l'estomac. Il était en pleine confusion, et arrivait à peine à y croire. Le suicide de Mademoiselle Solitude avait aussi fait plaisir à Ada Kendall, pensa-t-il. Toutes les deux, deux femmes dans une ville de cette taille... ravies d'apprendre qu'une de leurs connaissances était morte. Cela lui semblait absurde. Il ne voyait aucune corrélation entre leur réaction et le peu qu'il savait, l'impression qu'il s'était faite de Mademoiselle Solitude. Une erreur ? S'agirait-il en fin de compte d'une autre femme, malgré la description ?...

— Monsieur ! Attendez, monsieur... attendez !

Il releva la tête, les yeux mi-clos à cause de la réverbération du soleil. Sally Adams était sortie sur le porche de la bibliothèque. Elle descendit les marches en se dandinant dans sa direction, tout en essuyant ses larmes de ses doigts boudinés comme des saucisses brunes.

— Ne partez pas déjà, l'appela-t-elle d'une voix essoufflée. Les détails... le reste des détails...

Il se glissa en hâte dans l'habitacle. Son moteur tournait déjà lorsqu'elle atteignit la voiture ; elle la contourna par-devant, resta là en lui bloquant la voie, sa bouche formant des mots qu'il ne pouvait — et ne voulait — pas entendre. Il

69

enclencha le levier de vitesse sur la marche arrière. Les pneus de la Subaru soulevèrent un nuage de poussière blanche lorsque la voiture recula en patinant. Il continua à conduire en marche arrière jusqu'à ce que Sally Adams ne soit plus qu'une forme floue et indistincte au milieu de la rue.

L'église du Saint-Nom se dressait sur une petite butte isolée à la bordure sud-ouest de la ville. Elle ressemblait à une boîte rectangulaire, dénuée de tout ornement, fraîchement repeinte en blanc, avec un parking en pente à l'avant, un cimetière qui s'étendait à l'arrière, ainsi qu'un bâtiment plus petit badigeonné en blanc — sans doute un presbytère — à l'écart sur un côté. On avait planté des cotonniers autour des constructions pour leur procurer de l'ombre. Quelques arbustes supplémentaires parsemaient le cimetière, mais la plupart des tombes cuisaient sans protection sous l'œil implacable du soleil.

En lieu et place du clocher se dressait une énorme croix blanche placée juste au-dessus de l'entrée de l'église, de sorte qu'à distance, avec les rayons du soleil se réfléchissant sur sa surface, elle faisait penser à un tison brûlant dans le ciel gris-bleu. C'était la croix qui l'avait conduit là. Ça, et aussi le fait qu'il avait remarqué l'église lors de ses précédentes explorations ; c'était de loin la plus imposante des trois qu'on trouvait à Beulah. Il fallait qu'il interroge quelqu'un et il ne souhaitait surtout pas voir se reproduire les débordements de la scène à la bibliothèque. Qui de plus calme qu'un homme d'Église ? Qui en savait autant sur ce qui se passait dans une petite communauté ?

Il se gara devant l'église. Il n'y avait personne en vue, même s'il aperçut un petit break Jeep rangé sous l'abri-garage attenant au presbytère ; les seuls bruits audibles provenaient de la lointaine circulation et de quelqu'un qui se servait d'une scie électrique. Les doubles portes de l'église n'étaient pas verrouillées. Il n'était pas un homme pieux, du moins pas au sens où il embrasserait un dogme religieux, et, lorsqu'il lui arrivait de se retrouver dans un lieu de culte, il se sentait toujours mal à l'aise.

Il entra. Une pièce d'un seul tenant, longue et étroite, avec un haut plafond soutenu par des poutres entrecroisées et des fenêtres à vitraux assombries par les branches des cotonniers. Deux douzaines de rangées de bancs et un autel sobre avec un crucifix de bronze accroché au mur du fond. Un plancher en bois dur légèrement usé par endroits et abîmé en d'autres par les pieds de deux ou trois générations de croyants. L'atmosphère silencieuse, l'air chaud et sec, créaient un vide apaisant. Dans le mur à droite de l'autel se trouvait une porte close qui devait donner sur la sacristie. Il marcha jusque-là et frappa. Pas de réponse.

À nouveau dehors, il se dirigea vers le presbytère. À mesure qu'il avançait, une plus grande partie du cimetière devenait visible et, simultanément, il vit bouger quelque chose et entendit du bruit de ce côté. Quelqu'un — une jeune femme en jean avec un chapeau de paille — était agenouillé sur le sol parcheminé à l'arrière de l'église, lui tournant le dos. Il hésita, puis changea de direction et s'approcha d'elle.

Le cimetière avait une allure austère en accord avec le désert alentour : il n'y avait guère d'herbe ni d'autre chose pour recouvrir le sol, les tombes étaient pour la plupart en bois et, à une exception près, toutes étaient petites et simples. L'exception était une parcelle située à proximité de l'arrière de l'église, près de l'endroit où la femme était agenouillée ;

elle était dominée par un ange de marbre blanc haut d'un mètre quatre-vingts, les ailes déployées, sa surface ternie et mouchetée par le sable déposé par le vent, qui surplombait un bloc de granite noir de plus d'un mètre vingt. Le monument paraissait si déplacé ici qu'il en était presque grotesque. Même à distance, Messenger put déchiffrer le nom gravé sur une plaque de bronze encastrée dans le granite : ROEBUCK.

La jeune femme s'affairait sur une tombe bien plus modeste, à quelques mètres de la parcelle de Roebuck, marquée seulement d'une croix de bois neuve. Derrière elle étaient disposés des outils de jardinage et une planteuse contenant un arbrisseau à fleurs blanches. Elle entaillait la terre desséchée avec un déplantoir, creusant un trou pour l'arbrisseau. Elle devait déjà être là, discrète, quand il était arrivé en voiture.

Concentrée sur sa tâche, elle ne l'avait pas entendu. Lorsqu'il la contourna pour se placer devant elle et dit : « Excusez-moi », elle eut une brusque réaction de défense ; elle se redressa en sursaut et ramena à elle le déplantoir, comme pour parer une attaque. Messenger recula d'un pas.

— Je suis désolé, dit-il, je ne voulais pas vous faire peur.

— Qui êtes-vous ?

— Je m'appelle Messenger. Je cherche le pasteur de cette église.

— Messenger ?

— Oui. Jim Messenger.

Elle resta sur ses gardes quelques secondes encore, l'observant par en dessous en protégeant ses yeux du soleil de sa main libre. Puis tout à coup elle se détendit ; elle posa le déplantoir et se remit debout d'un mouvement souple. *Une fille nerveuse*, pensa-t-il. *Et ombrageuse.* Elle devait avoir vingt-deux ou vingt-trois ans, un corps mince mais des hanches pleines, la peau très brune. Les mèches de cheveux qui dépassaient du rebord de son chapeau étaient d'un bleu noir lustré. Du sang indien ou mexicain. Les pommettes hautes et saillantes, les yeux noirs étaient aussi des indices.

— Mon père, dit-elle.

— … pardon ?

— Le pasteur. C'est mon père. Le révérend Walter Hoxie.

— Oh, je vois.

— Je suis Maria Hoxie, se présenta-t-elle, sans lui tendre la main. Il n'est pas là pour l'instant ; il est allé faire des courses. Il devrait revenir dans pas longtemps.

— J'attendrai, si ça ne vous dérange pas.

— Mieux vaut ne pas attendre sous le soleil sans chapeau.

Il acquiesça.

— Il fait chaud là-dehors, même avec un chapeau.

— Oui, mais j'y suis habituée.

— Vous vous occupez du cimetière ici ?

— Du cimetière ? Non. Enfin, parfois. Je ne supporte pas de le voir aussi désolé, sans couleur. Il devrait y avoir des fleurs, des plantes.

— Alors vous vous êtes mise à en planter.

— Quand je n'ai rien d'autre à faire. Vous n'êtes pas d'ici. Vous êtes touriste, c'est ça ?

— Un étranger, oui. Un touriste, plus ou moins.

— Vous allez jouer au Wild Horse Casino ?

— Je ne pense pas.

— Bien. Je n'aime pas le jeu, je pense que c'est un péché. John T. se moque de moi, mais c'est ce que je pense.

— John T. ?

— John T. Roebuck. Il dirige le casino. Vous pensez aussi que jouer est un péché ?

— Je n'ai pas vraiment d'opinion sur le sujet.

— Mon père prêche parfois contre le jeu, dit-elle avant de marquer une pause. La messe du dimanche est à neuf heures.

— Je ne crois pas que je serai encore là dimanche.

— Vous avez des choses à voir avec lui ? Mon père ?

— Eh bien, j'aurais des questions à lui poser.

— Quelles questions ?

— Au sujet de quelqu'un qui vivait à Beulah.

— Qui ? Je pourrais peut-être vous renseigner.

Elle le pouvait sans doute, mais sa jeunesse et la manière dont son esprit semblait bondir d'un sujet à l'autre le firent hésiter à se confier à elle.

— Merci, mais je ferais mieux d'attendre et de parler à votre père.

— D'accord.

Le regard de Messenger se posa sur l'ange de marbre surplombant le bloc de granite massif.

— Les Roebuck semblent être des gens importants dans cette communauté.

— Qu'est-ce qui vous fait dire ça ?

— La taille de ce monument.

— Les Roebuck ne sont pas importants, même si John T. pense qu'ils le sont. Personne n'est important, sauf Dieu. Vous m'excusez ? Je veux finir de planter ça avant qu'il fasse trop chaud. Le précédent que j'avais planté ici est mort.

— Trop de soleil et pas assez d'eau ?

— Il est mort, c'est tout, dit-elle.

Messenger lui dit qu'il allait attendre devant l'église et la quitta tandis que, s'agenouillant de nouveau, elle se remettait à creuser dans le sol sableux avec son déplantoir. Il s'assit à l'ombre d'un des cotonniers, adossé au tronc, à contempler la ville et le désert qui s'étendait au-delà. L'attente fut brève. Moins de cinq minutes plus tard, le grondement d'un moteur de voiture perça le silence ; un vieux break décoloré apparut sur la voie d'accès à l'église et tourna pour aller se ranger sous l'abri-garage à côté de la Jeep.

Un tout petit bonhomme sec ; ce fut sa première impression de l'homme qui sortit du break et s'avança à sa rencontre. Il ne devait pas mesurer beaucoup plus d'un mètre cinquante et était si maigre que son ombre ressemblait à un dessin d'enfant. Les tendons et les os de son cou et de ses bras ressortaient de manière prononcée ; sa pomme d'Adam avait la taille d'une noix. De minces cheveux gris — il avait l'air d'avoir la cinquantaine — étaient coiffés en croisillons sur son crâne dégarni parsemé de taches brunes. Ce n'était pas de lui que Maria tirait son ascendance indienne ou mexicaine, ni même sa beauté typée. D'ailleurs, il paraissait improbable que ses gènes aient ne serait-ce que contribué à la créer. Un beau-père ou un père adoptif, sans doute.

— Bonjour, ça va ? dit-il gaiement, avec un large sourire.

Sa voix était la seule chose qui avait de l'ampleur chez lui — une voix de baryton riche et sonore, qui détonait.

— C'est moi que vous attendiez ?

— Oui, si vous êtes le révérend Hoxie.

— En chair et en os ; enfin, le peu qu'il y a, dit-il, en gloussant à sa petite plaisanterie. Et vous êtes… ?

— Messenger. Jim Messenger.

— Qu'est-ce que je peux faire pour vous, monsieur Messenger ?

— Eh bien, c'est une affaire personnelle. Des choses que j'aimerais savoir.

— Je serais heureux de vous aider, si je le peux. Allons à l'intérieur, au frais.

L'intérieur du presbytère était excessivement frais ; un conditionneur d'air bruyant avait été réglé si fort, et laissé si longtemps, que le grand parloir spartiate à l'entrée était presque glacé.

— Ma fille, dit le révérend Hoxie comme pour s'excuser. Vous devriez voir nos factures d'électricité en été. Vous l'avez croisée ? Ma fille, Maria ?

— Oui. Elle est en train de faire du jardinage dans le cimetière.

— Ah oui ? Même pas à la maison, et l'air conditionné marche à fond, dit-il en secouant la tête. Vous avez des enfants, monsieur Messenger ?

— Non. Je ne suis pas marié.

— Une bénédiction, c'est certain. Les enfants, je veux dire. Mais ils peuvent aussi être pénibles. Non que Maria soit encore une enfant, bien sûr, même si je dirais qu'elle se comporte parfois comme telle. Bon, je vais juste le baisser avant que nous attrapions un rhume. Voulez-vous boire quelque chose ? Un verre de limonade ? J'en ai mis au frais ce matin…

— Non, merci. Rien.

— Je vais en prendre un, si vous voulez bien. Je reviens.

Messenger se jucha sur un canapé recouvert d'une espèce de tissu. Le reste de l'ameublement était dépareillé, plutôt terne, et semblait avoir été choisi au petit bonheur, sans considération pour le confort ni l'esthétique. Un crucifix en bronze était cloué sur un mur ; sur un autre, une peinture à l'huile représentant la Cène. Il y avait trois photographies encadrées de Maria à différents âges, ainsi qu'une du révérend Hoxie, plus jeune mais tout aussi décharné, portant une Maria de sept ans, tout au plus, au creux de son bras.

Hoxie réapparut avec sa limonade, s'assit dans un vieux fauteuil en mohair et se pencha en avant d'un air attentif.

— Bon, alors, dit-il, que voulez-vous savoir?

— Tout ce que vous pouvez me dire sur une femme que j'ai connue à San Francisco, brièvement et pas très bien. Elle se faisait appeler Janet Mitchell, mais ce n'était pas son vrai nom.

— Oui?

— Je pense qu'elle venait de Beulah. Je suis curieux de connaître sa véritable identité, et la raison pour laquelle elle est partie d'ici pour aller à San Francisco.

— Vous dites qu'elle utilisait un nom d'emprunt?

— Oui. Mais j'ignore pourquoi.

— Elle ne vous a rien dit sur elle?

— Non. Je ne la connaissais presque pas, comme je vous l'ai dit.

— Je ne comprends pas. Si vous ne la connaissiez presque pas, pourquoi avez-vous fait tout ce chemin pour venir ici? Essayez-vous de la retrouver pour une raison quelconque? Vous pensez qu'elle serait revenue chez elle?

— Elle ne reviendra jamais chez elle, dit Messenger. Elle s'est suicidée il y a trois semaines.

Le sourire d'Hoxie s'effaça de son visage.

— Seigneur.

— Elle n'a pas laissé de lettre, rien pour expliquer son geste. Personne n'a encore réclamé son corps. La police n'a pas été capable de l'identifier, ni de déterminer d'où elle venait; c'est un coup de chance qui m'a amené à Beulah. Si elle a encore

77

de la famille ici, ils doivent être informés de ce qu'il lui est arrivé.

— Bien sûr. Elle devrait avoir droit à des funérailles décentes.

— Il y a ça, et aussi le fait qu'elle a laissé une somme d'argent en liquide. Quatorze mille dollars.

Un ange passa. Messenger vit une lueur de compréhension briller dans les yeux du pasteur; une expression de tristesse apparut sur son visage.

— Quatorze mille dollars, répéta Hoxie.

— Il y en avait seize mille quand elle est arrivée à San Francisco.

— Oui, c'est à peu près ce qu'elle avait reçu. Quand est-elle arrivée là-bas?

— Il y a six mois.

— Décrivez-la-moi.

Messenger s'exécuta.

— Anna, dit alors Hoxie, avant de soupirer. Pauvre Anna.

— Anna?

— Anna Roebuck. J'aurais dû deviner que c'était elle dès que vous avez mentionné le suicide.

Anna Roebuck. Le nom sonnait étrangement à ses oreilles; d'une certaine façon, Janet Mitchell lui ressemblait davantage. Non, ce n'était qu'une illusion, un personnage factice inventé de toutes pièces par ses impressions sur qui et ce qu'elle avait été. Il ne l'avait pas connue — c'était tout.

— Parlez-moi d'Anna Roebuck, révérend.

— Une affaire tragique, dit Hoxie. Elle a eu la vie dure, comme tant de ranchers du désert dans le coin. Elle venait d'une famille pauvre, et elle l'est restée, même après son mariage avec Dave Roebuck. C'était un mouton noir et un

78

coureur de jupons ; elle n'aurait pas pu choisir pire. Cela dit… Une vengeance si terrible. Des actes si horribles.

— Quels actes ?

— Elle n'a jamais été jugée ni condamnée, notez, sauf aux yeux des gens. Jamais arrêtée même. Et bien sûr elle a clamé son innocence jusqu'au jour où elle a disparu.

— Révérend, quels actes ?

— Le pire de tous les péchés contre la loi de Dieu. La suppression d'une vie humaine.

— Un meurtre ?

— Un double meurtre. Son mari, d'abord. Tué dans leur étable avec un fusil de calibre douze.

— Mon Dieu. Qui d'autre a été tué ? Une femme avec qui il était ?

Hoxie secoua la tête d'un air affligé.

— Si c'était le cas, elle n'aurait pas été honnie de tous et poussée à partir. Non, le second meurtre était bien plus odieux.

— Je ne… odieux ?

— Sa fille, de huit ans. Le crâne de l'enfant a été défoncé à coups de roc et son pauvre corps brisé jeté dans le puits.

7

— Je n'arrive pas à y croire, dit Messenger.

— Oui, je sais. Il est difficile de croire que quelqu'un puisse faire une chose pareille à une enfant innocente, en particulier une mère qui paraissait toute dévouée à sa fille.

— Même si elle était devenue folle… quelle raison aurait-elle pu avoir de jeter le corps de la fillette dans le puits ensuite ? Le corps du mari n'a pas été déplacé, n'est-ce pas ?

— Non, dit Hoxie en soupirant et en secouant à nouveau la tête. Il y a aussi autre chose, d'encore plus bizarre. Tess a reçu le coup mortel près de l'étable ; on a trouvé des taches de sang à cet endroit. Mais, avant d'être transportée jusqu'au puits, on lui a apparemment changé ses vêtements.

— Ses vêtements ?

— Anna a juré que, lorsqu'elle a vu Tess pour la dernière fois, l'enfant portait un jean et un tee-shirt. Quand le corps a été sorti du puits, elle était vêtue de sa plus belle robe du dimanche.

— C'est incompréhensible.

— C'est un peu le cas avec tout ce qui s'est passé, monsieur Messenger.

Ce dernier resta silencieux. En esprit, il revoyait le vieux panda dépenaillé ; la peluche avait dû appartenir à la petite fille. Et Tess devait être l'enfant sur la photo que Del Carlo avait trouvée dans la baignoire ensanglantée. La montre de poche… *Pour Davey, ton papa.* La montre de Dave Roebuck. Une femme qui avait assassiné son mari et sa fille de sang-froid aurait-elle gardé de tels objets en souvenir ? Aurait-elle conservé un livre censé l'aider à surmonter le chagrin et le deuil ? Il ne parvenait pas à se figurer comment. La plus grande part de ce qu'il avait entendu ces dernières minutes dépassait ses capacités d'imagination.

L'une après l'autre, des questions lui vinrent, se bouscu-lant dans son esprit. S'il manquait d'imagination, il avait un esprit rationnel, méthodique, et il avait l'habitude d'antici-per, de poser des questions et d'évaluer les réponses qu'on lui donnait. Cela faisait partie de son travail à Sitwell & Cobb, dont certains clients étaient eux aussi rationnels et métho-diques, tandis que d'autres flirtaient dangereusement avec la mince frontière de la tromperie et de la fraude.

— Si Anna était une mère dévouée, demanda-t-il enfin, pourquoi les gens d'ici ont-ils été si prompts à la condamner ?

— Personne d'autre n'aurait pu commettre les crimes, dit Hoxie. Du moins, c'est ce que l'enquête a conclu à l'époque, et rien n'a changé depuis.

— Pourquoi pas une des maîtresses de Roebuck ? Vous avez dit que c'était un coureur. Une querelle d'amoureux qui aurait mal tourné, et la petite fille aurait été tuée parce qu'elle en aurait été témoin ?

— C'est possible, oui, mais il n'y avait aucun indice en ce sens. Les seules empreintes d'adulte nettes qu'on a retrouvées alentour appartenaient à Dave et Anna.

— Le mot qui compte ici, c'est *nettes*, dit Messenger. Il est toujours possible de porter des gants.

— Peut-être. Mais les enquêteurs du comté et le shérif Espinosa ont interrogé des douzaines de personnes, y compris les femmes avec qui Dave Roebuck était intime. Et Joe Hanratty, un employé de ranch qui s'était battu avec lui une semaine avant les meurtres. Ils n'ont rien trouvé qui puisse incriminer quiconque.

— Cet homme, Hanratty, n'aurait pas pu le faire ?

— Non. Il travaille pour le frère de Dave Roebuck, John T., et les autres employés ont juré qu'il n'avait pas quitté le ranch de John T. ce jour-là.

— Et un étranger, un vagabond ?

— Très peu probable, dit Hoxie. Le ranch de Dave et Anna est à l'écart de toutes les grandes routes. Quand on a retrouvé son corps, son portefeuille était intact ; il contenait cinquante-sept dollars en liquide. Et rien n'avait été déplacé ni ne manquait à l'intérieur de la maison.

— Bon, mais il ne devait pas y avoir non plus de preuves pour incriminer Anna. Sinon on l'aurait arrêtée et inculpée.

— Des preuves circonstancielles, mais pas suffisantes pour convaincre le procureur.

— Où a-t-elle dit qu'elle se trouvait au moment des meurtres ?

— À la vieille mine de Bootstrap.

— Que faisait-elle dans une mine ?

— Elle cherchait de l'or.

— ... Elle travaillait à la mine en plus de son ranch ?

— C'était un passe-temps pour elle, dit Hoxie. La mine de Bootstrap est fermée depuis trente ans, mais on y trouve toujours des traces d'or. La mine et la plus grande partie de son ranch se trouvent sur les terres du BGT, à moins de vingt kilomètres de distance.

— Le BGT?

— Des terrains publics. Propriété du Bureau de gestion du territoire. La plupart des ranchers de la région louent des pâturages au BGT et le droit d'y mettre leur bétail. C'est une pratique courante dans le Nevada.

— Donc elle s'est rendue seule à la mine ce jour-là.

— Oui.

— Et personne ne l'a vue là-bas?

— Personne.

— Combien de temps est-elle partie du ranch?

— Environ trois heures, d'après elle.

— Et elle a découvert les corps à son retour?

— Celui de son mari. Le shérif Espinosa et un de ses adjoints ont trouvé Tess. Anna n'a pas manifesté beaucoup d'émotion quand elle les a appelés, et guère plus quand on a retrouvé Tess. Aux yeux des gens, c'était un autre indice de sa culpabilité.

— Le choc, dit Messenger. Ou elle était le genre de personne qui intériorise le chagrin et le deuil.

— Peut-être.

— Pourquoi tout le monde était-il si enclin à la croire capable du pire? Était-elle détestée, pour une raison quelconque?

— Incomprise, plutôt que détestée. Anna était quelqu'un de difficile à connaître ou à comprendre. À l'exception de sa famille, elle préférait rester seule.

— Solitaire. Quelqu'un de solitaire.

— De secret, en tout cas. D'autant plus après la tragédie.

Elle a refusé de voir ou de parler à qui que ce soit, même à sa sœur.

— Sa sœur?

— Une sœur cadette. Dacy Burgess.

— Dacy Burgess vit-elle ici?

— Dans un ranch, pas loin de celui d'Anna.

— Où est-il situé, exactement?

— Salt Pan Valley, à l'ouest de la ville. Dacy et son fils vivent tous seuls là-bas à présent. Le ranch est trop grand pour qu'ils puissent s'en occuper à eux deux, mais ils n'ont plus les moyens d'embaucher un employé à plein temps pour les aider. Les temps sont durs par ici. Comme partout ailleurs, à notre époque.

— Est-elle la seule parente d'Anna encore en vie?

— Oui, confirma Hoxie, elle et le garçon. Mais si vous prévoyez d'aller la voir, je vous conseille de prendre des gants. Dacy est de la même trempe que l'était Anna. Elle n'est pas très sociable, se méfie des étrangers et n'aime pas parler de ce qui s'est passé.

— Mais elle croit en l'innocence de sa sœur?

— Dans un premier temps, oui. Mais quand Anna a disparu… non, je doute qu'elle y croie encore.

— Y a-t-il quelqu'un ici qui y croie?

— Jaime Orozco.

— Qui est-ce?

— Un employé de ranch à la retraite qui a travaillé pour les Burgess pendant pas mal d'années. De temps en temps, il donnait aussi un coup de main à Dave et Anna.

— Et c'est le seul?

— À croire qu'Anna était innocente? Je crains que oui.

— Ce qui vous inclut dans la majorité, vous aussi.

Hoxie poussa un soupir.

— J'aimerais vous dire le contraire, mais je ne trouve rien au fond de moi pour prêter foi à une autre explication. Encore moins maintenant.

— Pourquoi, maintenant?

— Le suicide d'Anna, bien sûr. Ne diriez-vous pas que c'est un aveu de culpabilité, monsieur Messenger?

— Non, dit-il, pas du tout. Il est tout aussi possible qu'elle se soit tuée parce qu'elle était innocente.

La route menant de Beulah à Salt Pan Valley était un des deux chemins de gravier qu'il avait empruntés un peu plus tôt. Il dépassa les excavations minières délabrées à flanc de colline et roula dans le désert sur plus de deux kilomètres avant d'arriver à une fourche. Hoxie lui avait dit de prendre la voie de gauche. Il avança donc en cahotant sur un terrain plus montagneux, dépassa une série de petites crêtes parsemées de yuccas. Un nuage de poussière tourbillonnait dans son sillage, de sorte qu'il ne voyait que cela lorsqu'il jetait un coup d'œil dans le rétroviseur — comme s'il traînait un parachute relié à sa voiture par des fils invisibles. Le sable et le gravier projetés par les pneus de la Subaru criblaient le châssis.

Il parcourut trois kilomètres de la sorte avant que la route se remette à descendre dans une vaste vallée en forme de cuvette, bordée de collines fauves qui lui parurent plus hautes et escarpées que celles qu'il avait vues jusqu'ici. Le sol de la vallée était plat, couvert d'une épaisse végétation d'armoise et d'arbustes caducs, parsemée de massifs de cactus, striée ici et là de petits ruisseaux. Au loin, là où le terrain s'enfonçait encore, une zone blanche miroitait en réfléchissant le soleil qui cognait : un bassin empli de dépôts salins qui avait donné son nom à la vallée. Des clôtures de fil barbelé longeaient la route ici, et des lignes électriques qui se poursuivaient vers le sud. Des têtes de bétail noires et marron, efflanquées, paissaient près des cours d'eau et aux alentours des buissons d'armoise rabougris.

Sur sa gauche, à distance, il distingua un méli-mélo de bâtiments de ferme, nichés dans un bosquet de cotonniers. Un chemin de gravier filait dans cette direction. Lorsqu'il arriva à l'intersection, il vit un portail clos enchâssé dans un portique de bois ; sur la traverse supérieure, un panneau portait l'inscription ROEBUCK carbonisée dans le bois, dans le même type de lettrage que la plaque du cimetière. Le ranch du vieux Bud Roebuck, d'après Hoxie. Le père de Dave et John T. Il avait été légué au seul John T., à cause d'une brouille quelconque intervenue entre le vieillard et son fils cadet. Hoxie ne s'était pas étendu sur le sujet.

Messenger continua de rouler. Quelques centaines de mètres après l'intersection qui menait au ranch de John T. Roebuck, l'état de la route se dégrada. Le gravier laissa place à un revêtement de sable durci et tassé, affaissé par endroits et parsemé de nids-de-poule. Il ralentit à moins de cinquante kilomètres à l'heure par crainte d'endommager quelque chose sous le châssis de la Subaru.

Au bout d'un kilomètre et demi, un chemin dénué de toute indication bifurquait sur la droite en longeant une remise où l'on stockait du bois. Il le dépassa et roula encore une cinquantaine de mètres avant de freiner sur une impulsion et de faire marche arrière à travers un panache de poussière en suspension jusqu'à l'endroit où il pouvait l'emprunter. Il resta assis quelques instants avant de prendre sa décision. Le chemin de traverse menait au ranch d'Anna Roebuck. Dacy Burgess habitait deux kilomètres et demi plus loin sur la route principale, tout au fond de la vallée, là où s'élevaient les collines fauves, leurs flancs arides et escarpés se détachant contre le ciel vaporeux.

— Il n'y aura rien à voir dans ce ranch, juste des fantômes, dit-il à voix haute. Quel intérêt ?

Mais il prit néanmoins le tournant. *Admets-le, Messenger : tu avais l'intention d'y aller depuis le début.*

Le chemin lui fit contourner un tertre sur un sol défoncé, puis traverser sur plus d'un kilomètre un canyon peu profond. Lorsqu'il émergea du canyon, il vit une clôture rouillée de fil barbelé sur sa droite. Passé un autre tournant, une autre clôture longeait la route du côté opposé ; et, au sommet d'une petite montée, la piste se terminait devant un portail clos de bois et de fil de fer. Il se gara et sortit de la voiture, dans une atmosphère où régnait un silence total. Une immobilité totale, aussi, sans un souffle de vent : il avait l'impression de se retrouver face à un hologramme du désert, une image en trois dimensions et pourtant irréelle. *Nature morte au ranch fantôme.* Ce calme était si profond que le claquement de la portière de la voiture, lorsqu'il la referma, résonna dans l'air comme s'il le brisait.

Le portail était assujetti sur toute sa longueur par une lourde chaîne et un cadenas, qui avaient tous deux l'air relativement neufs. Sur un panneau fixé au montant était inscrit à la main : ENTRÉE INTERDITE. TOUTE VIOLATION SERA PUNIE. Quelques centaines de mètres plus loin, dans une cuvette qui débouchait sur un terrain plat couvert d'armoise, il distingua le corps de ferme : une petite maison trapue à l'ombre de tamaris, un bâtiment à toiture basse clôturé de fil de fer, un appentis qui n'était guère plus grand que des toilettes d'extérieur (peut-être étaient-ce des toilettes d'extérieur), et en bordure du terrain une étable et les restes d'un corral, un moulin à vent et une énorme citerne métallique. Le moulin à vent gisait, brisé, à terre — soit il s'était écroulé ou renversé, soit on l'avait démoli. Messenger ne parvenait pas à apercevoir le puits d'où il était ; il devait se trouver derrière la maison.

L'air chaud était chargé des senteurs amères de l'armoise et du fumet de créosote des arbustes ; une sensation de brûlure envahit ses poumons. Respirant avec peine, Messenger escalada le portail et descendit la piste, ses chaussures émettant des petits bruits de raclement sur la terre dure comme de la pierre. À mi-chemin, il sursauta lorsque quelque chose surgit de l'ombre d'un yucca et se carapata aussitôt parmi les broussailles du désert. Un lièvre. Il le vit stopper net, ses grandes oreilles se dressant et retombant à moitié comme des sémaphores, puis se remettre à courir avant de disparaître.

Le terrain attenant au ranch était jonché de virevoltants et de débris rassemblés par le vent ; il s'y engagea sans se presser. La maison était construite de lattes et de planches, avec une toiture de bardeaux érodés, un porche étroit longeant la façade, à un bout duquel poussait anarchiquement un figuier de Barbarie. Si les murs avaient jamais été peints, les derniers vestiges en avaient disparu depuis longtemps. Toutes les vitres des fenêtres en façade étaient brisées. La porte d'entrée, qui ne tenait plus que par un de ses gonds, bâillait de guingois vers l'intérieur ; un de ses panneaux était éclaté, comme si on l'avait enfoncée à coups d'épaule ou de pied. La façade de la maison était criblée sur toute sa largeur de trous, mais ce n'est qu'à quelques mètres du porche qu'il les identifia comme des marques de balles. Quelqu'un — ils devaient être plusieurs — avait tiré des douzaines de salves, au revolver, au fusil, ou les deux. Comme s'il avait essayé de tuer cette maison.

Les traces de balles, le calme inquiétant, l'absence de vie du lieu firent naître en lui une étrange sensation de vide. De la sueur coula dans son œil gauche, troublant sa vision ; il l'essuya. Il sentait le soleil comme un poids sur sa tête nue et sur sa nuque. Il regrettait de n'avoir pas eu la présence d'esprit de passer dans un magasin en ville pour s'acheter un chapeau. Il n'était pas du tout habillé comme il fallait pour cette région. Étranger en terre étrangère.

Le plancher craqua lorsqu'il monta sur le porche ; les gonds rouillés grincèrent lorsqu'il entrouvrit plus grand la porte afin de pouvoir se faufiler à l'intérieur. La salle à manger ne contenait aucun meuble, le plancher de bois brut était couvert de poussière et de sable porté par le vent, de verre brisé, d'excréments de rongeurs et d'insectes morts. Il jeta un coup d'œil rapide dans chacune des quatre autres pièces et constata que la maison avait été entièrement vidée. Il ne restait guère que quelques étagères, un W.-C. chimique hors d'usage et une antique baignoire à pieds dans la salle de bains. Des vandales ? John T. Roebuck ? Dacy Burgess ?

De retour dehors, il entendit le vrombissement faible et lointain d'un moteur de voiture sur la route de la vallée. À l'exception du bruit de ses pas tandis qu'il contournait la maison vers l'arrière, c'était le seul son audible. Comme un bruit blanc qui faisait ressortir le silence ambiant plutôt qu'il ne le troublait.

Le puits se composait d'un cercle de pierres bâti entre deux arbres. Au lieu d'un treuil, on se servait d'une pompe à main ; mais la pompe avait été arrachée à son support et martelée avec une sorte de marteau jusqu'à ce qu'il n'en reste plus qu'un gros bout de ferraille difforme. Éparpillés alentour, des morceaux de pierre et de mortier avaient été arrachés au puits lui-même. Il s'approcha de quelques pas. Un couvercle de bois était toujours en place, bouchant l'ouverture du puits.

Il sentit son estomac se nouer. La cause n'en était pas ce qu'on avait fait subir au puits mais ce qu'on lui avait raconté sur le meurtre de Tess Roebuck et ses conséquences. *Odieux*, avait dit Hoxie. *Bon Dieu oui*. Odieux et inexplicable.

Il tourna les talons, traversa le terrain derrière la maison. Le bâtiment à toiture basse avait été un poulailler ; des fientes séchées et des plumes jonchaient le sol sableux derrière la clôture de fil de fer. Il arriva devant l'appentis qui ressemblait à des toilettes ; à l'intérieur, il vit une estrade surélevée et un méli-mélo de boulons et de fils électriques. Un générateur, sans doute. Ils avaient eu de l'électricité, même si les lignes électriques qui alimentaient le ranch de John T. Roebuck ne se prolongeaient pas aussi loin dans la nature. Le générateur avait disparu, comme tout le reste.

Il tenta de s'imaginer comment cela pouvait être de vivre ici, dans des conditions qui n'étaient qu'un cran ou deux au-dessus de la vie primitive. Il essaya de faire entrer Mademoiselle Solitude dans ce tableau ; de la visualiser en mère heureuse, riante, s'amusant à jouer avec une enfant sans visage de huit ans. Il n'y parvenait pas non plus. *C'était une inconnue pour toi, bon Dieu. Tout ce que tu connaissais de cette femme, c'était sa coquille extérieure, comme une figure de cire animée. Elle aurait très bien pu être un monstre, et tu le sais. Les gens bien n'ont pas le monopole de la solitude.*

Il approcha de l'étable. Le bâtiment comme ce qui restait des barrières du corral était rongé par le temps, délabré. Les

90

larges doubles portes de l'étable étaient ouvertes à tous les vents ; des marques de balles, là aussi, juste quelques-unes, comme si on les avait faites après coup. Au-delà, il distingua encore d'autres trous sur la surface métallique de la citerne d'eau. Et le moulin à vent... il semblait avoir été mis à bas avec des cordes attachées à l'arrière d'une voiture ou d'un camion ; un morceau de corde de chanvre au bout effiloché était encore accroché à une partie de la structure du moulin. Des meurtres scandaleux. Des destructions stupides d'objets inanimés qui n'avaient rien à voir avec la suppression de deux vies humaines. Des adolescents, peut-être. D'une certaine manière, c'était pire de penser que des adultes en étaient responsables.

Messenger s'arrêta à l'entrée de l'étable. Il faisait noir là-dedans, une profonde obscurité qui empestait le fumier séché, le cuir pourrissant et Dieu savait quoi d'autre. Il valait mieux ne pas entrer. Des serpents... le désert grouillait de crotales, et c'était typiquement le genre d'endroit où ils nichaient. Il n'y avait rien à voir de toute façon. Venir ici avait été une mauvaise idée, motivée par une curiosité morbide...

Quelque chose claqua contre le mur de l'étable, à hauteur de sa tête, à environ cinquante centimètres à droite de l'endroit où il se tenait.

Il se retourna tandis qu'un bruit soudain déchirait le silence, un craquement sourd comme un coup de tonnerre lointain. Mais le ciel était dégagé...

Il y eut un sifflement chantant, et un geyser de poussière jaillit du sol près de sa chaussure droite. Le son craquant retentit de nouveau, résonnant cette fois en écho. Il se raidit, dérouté, son esprit se mettant tout juste à comprendre ce qui arrivait.

Un autre sifflement, un autre jet de poussière, plus près encore, un autre craquement sourd. La compréhension pleine et entière de la situation l'envahit alors brusquement, charriant avec elle son flux d'adrénaline, de peur et d'incrédulité. Des coups de fusil.

Quelqu'un me tire dessus !

8

Le seul endroit où il pouvait s'abriter était l'étable.

Il fit volte-face, s'emmêla les pieds, trébucha et tomba à quatre pattes, en se cognant violemment le genou gauche. Il voûta les épaules ; il sentit les poils se hérisser sur son dos. Mais il n'y eut pas d'autre coup de feu tandis qu'il se carapatait à l'abri et se réfugiait derrière une des portes entrouvertes.

Il s'affala à plat ventre sur la terre nue et bosselée près de la façade du bâtiment. Il était trempé de sueur ; il sentit sa propre odeur se mêler à la puanteur âcre de l'intérieur de l'étable. Il respirait avec difficulté, de manière saccadée. Il ouvrit grand la bouche et s'efforça d'inspirer l'air par petites bouffées, afin d'éviter l'hyperventilation.

Des pensées disparates se bousculèrent dans son esprit. L'une d'elles : durant les dix-sept années qu'il avait vécues à San Francisco, avec toutes ses menaces et ses violences urbaines, pas une seule fois il ne s'était fait attaquer, agresser, cambrioler ni même embêter par quiconque de plus dangereux qu'un mendiant un peu agressif. Et voilà qu'au fin fond du désert du Nevada, dans un ranch abandonné au milieu de nulle part... une personne armée d'un fusil, *bon sang*, avait tiré si près de lui qu'il avait entendu et senti passer les balles.

Il avait l'impression que tout cela était en train d'arriver à quelqu'un d'autre. Comme si une partie de lui se tenait en retrait et regardait un autre pauvre type se blottir sur le sol d'une étable. Un décor de cinéma, une scène dans un western de John Wayne ou de Randolph Scott…

Puis s'infiltra en lui la conscience que, dehors, tout était de nouveau silencieux.

Il fit un effort considérable pour s'éclaircir les idées. Il ne pouvait pas se contenter de rester allongé ici, à attendre que son assaillant, qui qu'il soit, vienne le retrouver. Bouger — c'était la priorité. Il ramena les mains sous son torse et se souleva, prenant appui sur sa hanche. Une profonde obscurité enveloppait les coins et les chevrons du bâtiment, mais des interstices dans les murs et le plafond laissaient pénétrer suffisamment de lumière poussiéreuse pour lui permettre de discerner le plan d'ensemble de l'étable. Sur le mur du fond s'alignaient des stalles pour le bétail, tout au long desquelles courait une mangeoire. Un fenil se trouvait au-dessus, muni d'une ouverture mais sans échelle pour y accéder. Aucune fenêtre, pas d'autre porte. Il était piégé ici. Et il ne voyait rien qui aurait pu lui servir d'arme ; l'étable avait été vidée de ses machines, de ses outils et de tout ce qu'elle avait jadis pu contenir d'autre.

Le silence qui avait suivi les coups de feu demeurait total.

Il prit plusieurs profondes inspirations, puis rampa jusqu'à la façade, où une planche disjointe lui ménageait une ouverture pour regarder dehors. Sa maigre imagination, qui s'était emballée, fouettée par les événements, l'avait convaincu qu'il aurait affaire à plus d'un homme armé. Aussi ce qu'il vit le fit-il de nouveau hoqueter, à la fois de confusion et de soulagement. Une femme, seule, longeait la maison en direction de l'étable. Petite, vigoureuse, plutôt jeune, coiffée d'un chapeau de cow-boy au large bord, vêtue de kaki, chaussée de bottes usées. Elle pointait un fusil à hauteur de taille, prête à tirer, avec l'aisance et l'aplomb nés d'une longue pratique. Rien d'autre ne bougeait par ailleurs, sinon les reflets miroitants du soleil.

Il se souvint du bruit de moteur qu'il avait entendu. Il ne provenait pas de la route de la vallée ; la voiture devait alors se trouver sur le chemin d'accès, avec elle à l'intérieur. Il la regarda s'approcher lentement jusqu'à moins de trente mètres de l'étable. Lorsqu'elle s'arrêta, elle abaissa légèrement le canon de son fusil et se planta là, dans une attitude d'écoute. Puis :

— Hé! Vous, là-dedans! Sortez, que je puisse vous voir.

La voix était tranchante, pleine de colère — celle d'une femme habituée à donner des ordres et à se faire obéir. Il resta où il était, à l'observer.

— Je ne vais pas vous tirer dessus. Si je l'avais voulu, la première salve vous aurait troué la peau, pas le mur de l'étable.

Il ne fit pas un geste.

— Vous feriez mieux de sortir vos fesses de là si vous ne voulez pas avoir plus de problèmes. Il fait trop chaud pour un duel à la mexicaine.

Il ne bougea toujours pas.

— Je vous accorde encore deux minutes. Après, je mettrai votre voiture HS et j'irai chercher le shérif, et je peux vous jurer que je porterai plainte contre vous.

À présent, il était convaincu. Il se releva sur ses pieds en tremblant. Sa respiration et son pouls étaient revenus à la normale ; l'étau de la peur s'était relâché et il avait de nouveau les idées claires. Il resta debout un instant, le temps

95

de retrouver une contenance. Puis il contourna la porte et avança dans la cour en boitant.

— Pas trop tôt, dit la femme.

Il se protégea les yeux d'une main afin de mieux la distinguer.

— Pourquoi m'avez-vous tiré dessus comme ça? Vous m'avez fichu une sacrée frousse.

— C'était le but. Vous ne savez pas lire, monsieur?

— Lire?

— Le panneau à l'entrée, immanquable. Défense d'entrer. Propriété privée.

— J'ai vu le panneau.

— Mais vous êtes entré quand même. Où est votre appareil photo?

— Mon… quoi?

— Appareil photo. Touriste, hein? À la recherche d'un truc vraiment pittoresque à prendre en photo?

— Non. Je ne suis pas un touriste.

Il se baissa pour frotter son genou douloureux.

— Alors qu'est-ce que vous fichez là?

— Je suis venu… Je voulais voir cet endroit. Là où vivait Anna Roebuck.

La femme poussa un juron et fit quelques pas en avant, le canon de son fusil toujours pointé sur son torse. Elle se révéla âgée d'une petite trentaine d'années, la peau brunie et tannée par le soleil et le vent; trop maigre, toute en os et en tendons. Mais elle ne manquait pas de charme et n'avait pas l'air desséchée pour autant. Au contraire, de toute évidence, elle paraissait tout feu tout flamme. Une femme de caractère, de tempérament et de passion.

— Qu'est-ce que vous savez sur Anna Roebuck?

96

— Pas grand-chose. Je n'ai pas eu l'occasion de bien la connaître.

— Où l'avez-vous rencontrée ? Vous n'êtes pas du coin.

— San Francisco.

— Quand ça ?

— Il n'y a pas longtemps. Quelques mois.

Elle se figea, les pieds plantés au sol, la nuque raide. Une fine pellicule de sueur, comme une pâle moustache, s'était formée au-dessus de sa lèvre supérieure.

— Comment vous appelez-vous ? Qui êtes-vous ?

— Jim Messenger. Je ne suis personne en particulier, juste un homme qui s'intéresse à Anna et à son passé.

— Tout le monde est quelqu'un en particulier.

— Et vous ? Qui êtes-vous ?

— En quoi ça vous regarde ?

— Vous êtes Dacy Burgess ?

— C'est elle qui vous envoie ici, c'est ça ?

— S'il vous plaît, dit Messenger. Êtes-vous la sœur d'Anna ?

— Oui, je suis Dacy Burgess. C'est Anna qui vous a envoyé ou pas ?

— Non, personne ne m'a envoyé. Elle est… Je suis désolé, j'aurais préféré ne pas avoir à vous l'apprendre, mais Anna est morte.

— … Répétez ça.

— Votre sœur est morte, madame Burgess. Elle s'est suicidée il y a trois semaines à San Francisco.

Elle le fixait des yeux, sans bouger. Son visage bronzé était dénué de toute expression ; aucun indice ne trahissait ce qu'elle pensait ou ressentait. Elle se contenta de rester là, droite et immobile, la bouche légèrement entrouverte ; la pellicule de sueur se mit à couler en filets aux coins de sa lèvre supérieure.

— Je suis désolé, madame Burgess, sincèrement désolé. Je...

Elle tourna les talons, opérant une sorte de brusque demi-tour, et s'éloigna de lui à rapides enjambées.

Surpris, il resta cloué sur place, la suite de sa phrase coincée dans la gorge. Elle ne lui jeta pas un seul regard, accélérant le pas au point qu'elle courait presque en passant devant le carré de figuiers de Barbarie. Ses réflexes finirent par le pousser à la poursuivre. Il s'efforça de courir, mais son genou douloureux l'élançait et sa jambe menaçait de céder sous lui ; il dut se contenter de boitiller maladroitement. Le temps qu'il arrive devant la maison, elle avait déjà gravi tout le chemin jusqu'au portail.

— Madame Burgess, attendez...

Si elle l'avait entendu, elle n'en montra rien. Elle escalada prestement la barrière et disparut de son champ de vision jusqu'à ce qu'il soit à son tour monté en clopinant jusqu'en haut. Une Jeep sans porte, au toit de toile, était garée à une cinquantaine de mètres à flanc de colline ; elle était en train de se glisser derrière le volant. Le moteur vrombit, martelant ses échos à travers le désert. Elle effectua un demi-tour en déra-page contrôlé qui souleva un nuage blanc. Il entendit grincer l'embrayage lorsqu'elle passa les vitesses, puis la Jeep accéléra soudain et s'évanouit dans un entonnoir de poussière.

Il ne se demanda pas s'il devait la poursuivre — il le fit, simplement. Le sable poudreux, abrasif, dans sa bouche et sa gorge déjà desséchées le fit tousser lorsqu'il démarra la Subaru et la fit tourner. La poussière en suspension obscurcissait en partie les traces de pneus tout au long de la route de la vallée.

Il dut se résoudre à les suivre en conduisant lentement. À partir de l'intersection, le tunnel de poussière laissée par la Jeep se brisait en segments discontinus, en forme de chenilles, qui s'effilochaient à l'ouest, vers les collines brûlées. *Vers chez elle*, pensa-t-il.

Il lui fallut plus de dix minutes pour atteindre son ranch ; c'était au moins le retard qu'il avait pris sur elle. La fine poudre blanche était en train de retomber dans la cour du ranch et il put avoir un bon aperçu de l'endroit lorsqu'il franchit le portail ouvert, en passant devant un autre panneau d'avertissement : PROPRIÉTÉ PRIVÉE. ENTRÉE INTERDITE.

Le ranch des Burgess était un peu plus grand que celui d'Anna, ses bâtiments blottis au point de rencontre entre deux collines dénudées. La source qui avait justifié cette localisation devait être assez abondante ; on voyait deux fois plus d'arbres ici, des cotonniers et des tamaris, des zones herbeuses et un potager qui avait l'air d'être suffisamment irrigué. La maison était bâtie en bois et en pierre locale, avec une large cheminée à un bout et un porche couvert sur toute la façade. Le soleil tirait des reflets ardents d'un camping-car Airstream argenté, installé sur des cales, qui formait un angle entre la maison et l'étable, comme les trois pointes d'un triangle isocèle. Dans un corral attenant à l'étable, délimité par des barrières de bois, trois chevaux efflanqués se tenaient, languissants, à l'ombre du bâtiment. Au-delà on apercevait un pâturage avec des enclos à bétail. Et, derrière la maison, des poulets grattaient le sol à l'intérieur d'un poulailler grillagé tandis que le soleil faisait miroiter les pales d'un moulin à vent et une citerne métallique semblable à celle qui se trouvait sur la propriété d'Anna.

Les barrières et les bâtiments étaient tous solidement bâtis, et on en avait visiblement pris soin à une époque ; mais il remarqua des signes de négligence et d'érosion récents : des pieux affaissés qu'il aurait fallu replanter, une pale du moulin brisée, une vitre de la maison cassée et réparée avec du Scotch. Le révérend Hoxie : *Elle et son fils vivent tous seuls là-bas à présent. Le ranch est trop grand pour qu'ils puissent s'en occuper à eux deux, mais ils n'ont plus les moyens d'embaucher un employé à plein temps pour les aider.* Il se demanda si leur ancien employé, Jaime Orozco, avait habité dans le camping-car Airstream. Il n'arrivait pas à s'expliquer sa présence autrement que pour loger de la main-d'œuvre.

La Jeep était garée devant la maison. Messenger vint se ranger à son côté. Il ne voyait personne, mais entendait les aboiements furieux d'un chien à l'intérieur de la maison. Il passa devant la Jeep et avança vers le porche.

— N'avancez plus, monsieur. Restez où vous êtes.

Une voix masculine, jeune, et aussi tranchante que celle de Dacy Burgess. Messenger se figea, puis se tourna lentement en direction de la voix. Il vit apparaître au coin le plus éloigné de la maison un gamin dégingandé de quatorze ou quinze ans, coiffé d'un chapeau de cow-boy taché de sueur, remonté sur le front, dévoilant une tignasse de cheveux bruns décolorés par le soleil. Le fusil entre ses mains était semblable à celui que la femme transportait, et il le maniait avec la même aisance et la même autorité. La vue de l'arme et le fait d'être tenu en joue ne troublèrent pas Messenger autant qu'il l'aurait été avant la fusillade au ranch d'Anna. Il se dit : *Des fanas de la gâchette.* Puis il corrigea : *Non, ce n'est pas juste. Si je vivais seul dans un endroit pareil, avec leur histoire récente, je me méfierais des étrangers et je garderais une arme sous la main, moi aussi.*

100

Sur un ton de défi, le gamin lui lança :

— Qu'est-ce que vous avez à pourchasser ma mère ?

— Je ne la pourchassais pas. Je l'ai suivie jusque chez elle, c'est tout.

— Qu'est-ce qui s'est passé ? Vous lui avez fait quoi ?

— Rien. Elle ne vous a pas raconté ?

— Elle ne m'a rien dit. Elle est juste arrivée toute chamboulée et elle est rentrée dans la maison.

Sa bouche se tordit comme s'il s'apprêtait à cracher. Au lieu de cela, il déclara, comme pour expliquer quelque chose :

— Elle n'est jamais dans cet état-là.

— Je lui ai annoncé de mauvaises nouvelles.

— Ah ouais ? Quelles mauvaises nouvelles ?

— Lonnie, dit Dacy Burgess, laisse-le tranquille. Je vais m'en charger.

Elle était sortie sur le porche et se tenait là, raide comme un piquet. Elle était désarmée à présent. Elle s'était aussi délestée de son Stetson à large bord ; ses cheveux, mi-longs et ébouriffés après le trajet dans la Jeep ouverte, avaient la même teinte brun clair que ceux de son fils.

Le garçon, Lonnie, dit :

— Te charger de quoi ? Qu'est-ce qui se passe ?

— Ta tante Anna est morte.

— Quoi ?

Son visage était resté impassible.

— Quand ça ? reprit-il.

— Il y a trois semaines, à San Francisco.

— Alors c'est fini... Tant mieux, dit-il d'une voix plate.

— Lonnie. Elle s'est suicidée.

— Vraiment ? C'est qui, ce type ?

— T'occupe pas de ça. Retourne faire ce que tu as à faire.

101

— Ça va aller avec lui ?

— Oui. Vas-y maintenant. On parlera plus tard.

Lonnie obéit sans discuter. Il baissa son fusil et se dirigea d'un pas tranquille vers l'étable.

— Il doit vraiment la détester, dit Messenger.

— Eh bien, il a des raisons. Il adorait sa cousine.

— Tess.

— C'est ça, Tess.

— Vous détestez Anna, vous aussi ? Même maintenant ?

— Non. Peut-être que je devrais, mais ce n'est pas le cas.

Elle se passa une main dans les cheveux, sans parvenir à les recoiffer.

— Je n'aurais pas dû m'enfuir de cette manière, reprit-elle.

— Pas de problème. Je comprends.

— Vraiment ?

— La nouvelle vous a prise au dépourvu ; vous aviez besoin de temps pour la digérer.

De temps pour pleurer un peu, aussi : ses yeux semblaient rougis et un peu gonflés, même si elle s'était passé de l'eau sur le visage ensuite.

— Mais vous voulez sans doute connaître le reste de l'histoire. C'est pour ça que je vous ai suivie.

— C'est peut-être aussi bien, oui. Venez à l'intérieur.

Elle le fit entrer dans la maison. Un étroit couloir donnait d'un côté sur une cuisine et de l'autre sur un séjour meublé sans apprêt, avec des tapis indiens au sol et des livres rangés sur des étagères faites main ; pas de poste de télévision, mais un ordinateur sur un bureau. L'ordinateur paraissait déplacé, anachronique dans cet environnement, même si bien sûr ce n'était pas le cas. Il se demanda quel usage elle en faisait.

La chaleur était un peu moins étouffante à l'intérieur ; un

ventilateur de plafond bruyant brassait paresseusement l'air. Couvrant le bruit du ventilateur, les aboiements frénétiques du chien semblaient cogner sourdement comme des objets solides projetés contre le mur.

— C'est Buster, dit-elle. Il n'apprécie pas plus les étrangers que nous. Allez dans la cuisine. Je vais le calmer.

La cuisine avait un cachet vieillot qui lui plut ; un énorme fourneau noir en fonte dominait la pièce — le genre qui se vendait deux mille dollars dans les magasins d'antiquités de Bay Area. Un volumineux réfrigérateur avec freezer semblait le seul équipement neuf. Une petite table à manger était installée près de la fenêtre à la vitre brisée ; au moment où il tira l'une des trois chaises pour s'asseoir, les aboiements du chien se muèrent en un geignement aigu, puis laissèrent place au silence. Trente secondes plus tard, Dacy Burgess réapparut.

Elle sortit des verres d'un placard, un pichet d'eau glacée du réfrigérateur et les posa sur la table.

— Vous avez l'air assoiffé, dit-elle. Servez-vous.

— Merci.

Elle s'assit à son tour et le regarda boire avidement, sans toucher au verre qu'il lui avait rempli. Vue de près, sans le Stetson à large bord, elle partageait avec Anna une légère ressemblance. La même ossature du visage, les mêmes yeux gris pâle. Mais son regard à elle, même si les circonstances présentes l'avaient assombri, était plein de vie. Il se demanda si Anna avait été elle aussi une femme de caractère, fougueuse et passionnée, dans un passé lointain, et se dit que c'était sans doute le cas.

— Je suis désolé pour votre sœur, madame Burgess.

— Vous l'avez déjà dit.

— Je veux que vous sachiez que je suis sincère. Je suis vraiment désolé.

— Moi aussi. Maintenant, Lonnie est la seule famille qui me reste.

— Et votre mari ?

— Je n'ai pas de mari.

— Le père de Lonnie... ?

— Ah, lui. Parti depuis longtemps, et bon débarras.

Il était sur le point de dire à nouveau « Je suis désolé », mais ravala ses mots. Ils ne voulaient rien dire. Et elle ne voudrait pas les entendre de toute façon.

Elle piocha un paquet de Marlboro dans sa poche de chemise, en alluma une et se mit à tousser, expulsant la fumée en grimaçant.

— Merde, c'est dégueulasse. J'ai essayé d'arrêter, mais c'est pas facile. Surtout quand on a fumé une bonne moitié de sa vie.

— Oui, j'imagine que c'est dur.

— Et vous, vous ne fumez pas ?

— Non, je n'ai jamais fumé.

— Futé, commenta-t-elle, puis : Anna, elle représentait quoi pour vous ?

— Quelqu'un que j'aurais aimé mieux connaître.

— Elle n'était pas très liante.

— Nous n'étions pas amis.

— Amants ?

— Non, non plus.

— Non, vous n'êtes pas son type. Le seul homme qui lui ait jamais plu, c'est ce fils de pute qu'elle a épousé.

— Dave Roebuck.

— Un don de Dieu fait aux femmes, à l'écouter fanfaronner. Ça, on avait le chic pour les choisir, Anna et moi.

Elle tira sur sa cigarette, fit de nouveau la grimace et exhala la fumée en soufflant.

— Donc, vous l'avez rencontrée à San Francisco.

— On vivait dans le même quartier. Et on mangeait tous les soirs dans le même café.

— Au début, ça m'a surpris d'apprendre que c'est là qu'elle était allée.

— Vous ne saviez pas du tout qu'elle vivait là-bas?

— Avant que vous me le disiez? Non. Je n'ai eu aucune nouvelle depuis qu'elle est partie d'ici, du jour au lendemain. J'ai imaginé qu'elle était allée s'installer quelque part dans l'Arizona ou le Nevada. Née et élevée dans le désert — et les rats du désert ne s'en éloignent pas trop, en général. Mais plus j'y pense... moins ça m'étonne qu'elle ait opté pour une ville. Qu'elle ait cherché à prendre le plus de distance possible, en kilomètres, dans son environnement. Des villes qu'elle avait visitées, San Francisco était la seule qu'elle avait aimée.

Ce n'était pas la raison pour laquelle elle s'était rendue là-bas, se dit soudain Messenger, saisi d'une intuition si limpide qu'il sut aussitôt qu'il avait raison. Le renfermement sur soi dans la ville: il était beaucoup plus facile de s'y envelopper dans la solitude, le désespoir et la résignation, de s'emmitoufler dans son cocon; plus facile alors de mettre fin à la souffrance. Soit Anna y avait pensé, soit elle l'avait pressenti d'une certaine manière. Dans tous les cas, elle était allée à San Francisco pour y mourir.

— Jusqu'à quel point la connaissiez-vous, Jim?

— À peine, admit-il. J'ai essayé de lui parler une fois, mais elle ne voulait rien entendre, de moi ni de personne d'autre. Elle s'était coupée de tout contact humain.

— Vous n'avez même pas eu de conversation avec elle? fit Dacy Burgess, le fixant d'un œil plissé; l'autre était fermé à cause de la fumée de cigarette. Alors pourquoi êtes-vous venu jusqu'ici? C'est une longue route de San Francisco.

— C'est sur le trajet de Las Vegas. Je suis en vacances et j'ai pensé... Je voulais trouver qui elle était, son vrai nom, peut-être aussi comprendre pourquoi elle s'était suicidée. Et savoir si elle avait de la famille.

— Son vrai nom... que voulez-vous dire?

— Elle vivait sous un nom d'emprunt. Elle est morte seule, sans laisser le moindre message, aucune explication du tout, et la police a été incapable de l'identifier. C'est pour ça qu'on ne vous a pas informés de sa mort.

— Mais vous, comment l'avez-vous identifiée, si la police n'a pas réussi?

— Il y avait un livre avec le tampon de la bibliothèque de Beulah dans ses affaires.

— Ah oui? Et comment avez-vous eu accès à ses affaires?

— Si je vous le dis, vous allez penser que je suis cinglé.

— Je le suspecte déjà à moitié.

— Elle me fascinait, dit-il, depuis le premier jour où j'ai posé les yeux sur elle. Je n'avais jamais vu quelqu'un d'aussi triste ni aussi solitaire.

— Et vous vouliez juste découvrir ce qui l'avait rendue comme ça.

— Oui. Sa mort m'a bouleversé bien plus qu'elle aurait dû. J'ai parlé à la police, et puis je suis allé voir la gérante de l'immeuble où elle habitait. Ses affaires sont entreposées là-bas. J'ai... j'ai payé pour pouvoir fouiller dedans.

— Payé ?

— Je vous avais dit que vous alliez me prendre pour un cinglé.

Elle l'étudia un petit moment.

— Pas marié, hein ? Pas d'enfants, pas de femme ?

— Quel rapport avec...

— La solitude... qui se ressemble s'assemble, dit-elle.

Oui, c'est vrai, se dit-il. *Et nous sommes tous les deux assis là à contempler la solitude, n'est-ce pas ?* Elle était la sœur d'Anna de différentes manières.

— Eh bien, maintenant vous savez la vérité à son sujet, dit Dacy Burgess. Enfin, une partie au moins. Les gens en ville ont dû tout vous raconter sur les meurtres, pas vrai ? C'est comme ça que vous avez pu trouver le chemin jusqu'à ce qui reste de son ranch.

— Je suis allé voir le révérend Hoxie, à l'église du Saint-Nom.

Un sourire sans joie se forma aux commissures des lèvres de Dacy.

— Ce bon révérend. Il ne connaît pas toute l'histoire. Bah, ça vaut mieux pour lui qu'il se balade avec des œillères la moitié du temps.

— Que voulez-vous dire ?

— Vous avez rencontré sa fille ? Maria ?

— Oui, je l'ai croisée.

— Un joli petit lot, hein ?

— Oui, elle est...

— Dave Roebuck le pensait aussi.

— Oh, fit Messenger. Alors c'était comme ça.

— Exactement comme ça. Maria Hoxie et une bonne demi-douzaine d'autres à ma connaissance. Ce salopard se serait tapé un serpent si quelqu'un le lui avait tenu par les ouïes. On ne peut pas en vouloir à Anna de lui avoir fait sauter le caisson avec une décharge de numéro deux. Dans son cas à lui, rien à redire. Tess, c'est une autre histoire. Ce qu'elle a fait à Tess… elle brûlera en enfer pour ça.

— Vous êtes convaincue qu'elle est coupable des deux meurtres ?

— Comme le péché.

— Mais elle a toujours clamé son innocence.

— Oui. Elle me l'a juré, sur la Bible.

— Jaime Orozco la croyait. Pourquoi pas vous ?

— Vous avez parlé à Jaime ?

— Non.

— Vous savez quoi sur lui ?

— Seulement ce que m'en a dit le révérend Hoxie.

— Ce qui se résume à quoi ? Que Jaime est la seule personne de tout Beulah qui n'a pas douté d'elle une seule seconde ? Eh bien, c'est le cas. Il a un grand cœur et il n'a jamais pensé de mal de quiconque, excepté de Dave Roebuck. Il nous a toujours connues, Anna et moi. Il n'a pas cru qu'elle ait pu le faire parce qu'il ne voulait pas le croire. Tout comme vous, d'ailleurs, non ?

— Ce que je n'arrive pas à croire, dit Messenger, c'est qu'une mère, une mère aimante, puisse défoncer le crâne de sa fille avec un roc. Et ensuite lui changer ses vêtements et jeter le corps dans le puits. Et après ça jurer qu'elle est innocente et souffrir de cette mort au point de ne plus être capable de continuer à vivre.

— C'est peut-être que vous n'avez jamais entendu parler de crise catathymique.

— Non. C'est quoi ?

— Un terme de psychologie criminelle. Pour caractériser quelqu'un qui assassine un proche et pleure la mort de cette personne, exactement comme le ferait un innocent. C'est un médecin que je connais à Tonopah qui m'en a parlé. Les épisodes catathymiques débutent en général par une phase d'anxiété et de dépression liée à des relations émotionnelles conflictuelles, et aboutissent à se persuader que la seule issue est le meurtre. C'est peut-être ce qui s'est passé pour Anna.

— Pour le meurtre de son mari, oui, je reconnais que c'est possible. Mais sa fille ? Sa relation avec Tess n'était pas conflictuelle, je me trompe ?

— Oh, zut, elle a pu l'imaginer. Ça relève de la même psychose.

— Ça ne me semble toujours pas coller.

Dacy Burgess écrasa le mégot de sa cigarette avec une telle force qu'elle fit voler des étincelles et de la cendre.

— OK, alors voici une autre explication. Elle nous a fait une bonne vieille crise de folie, et ensuite elle a refoulé tout ce qui s'était passé. Elle était incapable de faire face à ses actes, de s'en souvenir même, alors elle s'est persuadée qu'elle n'avait rien fait.

— C'est encore votre ami médecin qui vous a exposé cette théorie ?

— Exact. Et si c'est bien ce qui est arrivé à Anna, peut-être que tout lui est revenu en mémoire à San Francisco. Elle n'a pas pu vivre avec, alors elle s'est tuée.

— J'ai envisagé une autre possibilité, dit-il.

— Pour son suicide ? Quel autre motif y aurait-il, à part la culpabilité ?

— L'innocence. Elle ne pouvait plus supporter la souffrance

d'avoir perdu sa famille, ou la pensée que le véritable meurtrier de son mari et de sa fille resterait impuni.

— Alors pourquoi s'est-elle enfuie, d'abord ?

— La culpabilité n'est pas la seule motivation qui fait fuir les gens.

— C'est vrai. La lâcheté en est une autre.

— Et le désespoir une troisième, dit Messenger. Elle peut n'avoir vu aucune issue à rester ici et à se battre seule. D'après ce que j'ai pu constater, les gens du coin ne lui ont pas vraiment apporté leur soutien.

— J'en fais partie.

— Je n'essaie pas d'accuser qui que ce soit, madame Burgess. Je fais juste la même chose que vous : je propose une explication plausible.

— Si vous voulez mon avis, c'est un ramassis de conneries.

Elle était de nouveau en colère ; l'ardeur qui brûlait en elle fit briller et étinceler ses yeux, comme le reflet du soleil sur le verre.

— Anna était coupable, reprit-elle, et le fait que vous débarquiez en prétendant le contraire n'y changera rien. Vous ne savez rien sur elle, ni sur moi, ni sur ce que c'est de vivre et de mourir dans cette région. Retournez en ville… c'est là-bas que vous êtes à votre place.

— Je ne voulais pas vous blesser…

— Eh bien, vous avez réussi, que vous le vouliez ou non. Partez, sortez d'ici. Vous et moi, on a fini de discuter.

— Pas tout à fait. Il y a autre chose que vous devez savoir.

— Ah oui ? Et quoi donc ?

— Votre sœur avait une grosse somme d'argent quand elle est morte. Quatorze mille dollars. Les autorités l'ont saisie lorsqu'ils n'ont pas réussi à retrouver ses proches.

— L'argent du crime, dit Dacy Burgess. Les polices d'assurance de Dave et Tess. Les compagnies ont dû les verser quand aucune charge n'a pu être retenue contre Anna. Et maintenant, vous allez me dire que cet argent me revient, c'est ça?

— C'est exact.

— Eh bien, je n'en veux pas. Lonnie et moi, on n'en veut pas, vous m'entendez?

Elle s'était levée, les tendons palpitant sur son cou, les os sur son torse aussi saillants que des pointes de hache.

— Dites aux autorités de le garder, de le donner aux sans-abri, d'en faire ce qu'ils veulent. Dites-leur que Lonnie et Dacy Burgess ne veulent pas un centime de la saleté d'argent d'Anna Roebuck!

9

Le trajet de retour vers Beulah fut lent et étouffant. Il le passa à ruminer de sombres pensées au sujet d'Anna, de Dacy Burgess et de la situation dans laquelle il s'était mis. Logiquement, ce qu'il devait faire maintenant, c'était donner son congé au High Desert Lodge, puis reprendre la route en direction de Las Vegas; il arriverait là-bas assez tôt pour s'offrir une partie de black-jack, un bon dîner, et peut-être un spectacle. Que pouvait-il faire de plus à Beulah? Il avait trouvé ce qu'il était venu chercher, accompli son devoir de bon citoyen envers la famille d'Anna. La seule responsabilité qu'il lui restait était d'informer l'inspecteur Del Carlo de la véritable identité de sa suicidée anonyme; mais il pourrait donner ce coup de fil de Vegas plus tard dans la journée ou le lendemain.

Cependant quelque chose en lui rechignait à se contenter de tourner le dos à ce qu'il avait appris. Sa curiosité était loin d'être satisfaite. Trop de questions demeuraient en suspens, trop d'éléments déconcertants; ils présentaient le même genre de défi pour lui qu'un problème fiscal particulièrement embrouillé, stimulaient son envie d'avancer vers une solution, de mettre de l'ordre dans une situation chaotique. Les faits étaient comme les nombres — il suffisait de les déplacer, de les additionner et de les soustraire, de les multiplier et de les diviser, de tester différentes équations ; tôt ou tard, on finissait par trouver la réponse correcte.

Anna Roebuck était-elle coupable ou innocente d'un double meurtre ? C'était la question centrale, le problème central. Son sentiment que presque tout le monde à Beulah se trompait sur sa culpabilité était sans fondement, insensé même ; il ne disposait que de minces informations et ne connaissait que peu ou pas du tout les personnes impliquées. Pourtant sa conviction restait fortement ancrée en lui. Dix-sept années comme comptable lui avaient appris à se fier à son intuition face à une situation donnée ; en matière de fiscalité et de finances, du moins, cette méthode lui avait rarement fait défaut.

Le corps de l'enfant dans le puits était au cœur de sa conviction. Il pouvait accepter le meurtre brutal d'une fillette de huit ans, un genre d'atrocité qui ne se produisait que trop souvent en ces temps de violence ; il pouvait accepter l'idée qu'une mère commette un tel acte au cours d'un épisode psychotique déclenché par l'assassinat d'un mari infidèle à coups de fusil. Mais le reste ne concordait tout simplement pas avec le crime d'une mère, selon lui. Tuer son mari et le laisser baigner dans son propre sang, oui ; tuer sa fille, puis la rhabiller et ensuite jeter son corps dans un puits, non. Quelqu'un avait accompli ces actes, quelqu'un avait eu une raison de le faire, si bizarre ou démente soit-elle, mais pas la femme qui conservait précieusement un panda en peluche borgne, la montre d'enfant de son mari et un livre sur la gestion du deuil. Au diable les crises catathymiques ; au diable les souvenirs refoulés. Pas Mademoiselle Solitude.

D'accord. Alors quel mal pourrait-il y avoir à rester un jour ou deux de plus à Beulah, afin de parler à d'autres personnes qui avaient connu Anna et les circonstances du drame? Parler de nouveau à Dacy Burgess, ou du moins essayer. En dépit du fait qu'elle lui avait tiré dessus avant même de savoir qui il était, il la trouvait presque aussi attirante que sa sœur, et en partie pour les mêmes raisons. Elle était le produit d'un lieu et d'un mode de vie si éloignés des siens qu'ils auraient tout aussi bien pu appartenir à différentes cultures; et pourtant ils avaient des points communs, qui leur permettaient de se comprendre l'un l'autre. La solitude en était un, mais il en devinait aussi d'autres. Il sentit qu'il avait envie de mieux la connaître. Alors pourquoi ne pas rester et faire l'effort? Au pire, ça ne pouvait pas être plus insatisfaisant que gaspiller de l'argent à une table de black-jack, mater des danseuses aux seins nus sur une scène ou tenter de lever une fille pour une nuit, qui ne ferait que rendre encore plus aiguë sa solitude, qu'il arrive ou pas à ses fins.

Une fois sa décision prise, il se sentit mieux. Le fait d'avoir un but lui redonnait toujours de l'allant. De retour en ville, il s'arrêta à une boutique de vêtements western et acheta deux chemises, un jean Levi's, une paire de bottes de randonnée pas chère, et un Stetson brun-gris à fond plat. *À Rome, fais comme les Romains...* Il se sentait déjà suffisamment étranger ici sans avoir besoin de continuer à avoir l'air d'en être un. De toute manière, il aurait eu besoin de vêtements appropriés s'il voulait retourner dans la Vallée de la Mort et aller se balader dans d'autres endroits du désert.

Sa soif se réveilla lorsqu'il sortit de la boutique. Il y avait deux bars le long de ce pâté de maisons, mais il préféra entrer dans un magasin de spiritueux et acheter deux canettes glacées de Budweiser. Une douche rafraîchissante et l'intimité de sa chambre de motel à air conditionné lui faisaient plus envie que la compagnie d'étrangers.

Une petite lueur rouge clignotait dans la pénombre de la chambre lorsqu'il ouvrit la porte : le signal de la messagerie sur le téléphone de chevet. Il en fut surpris, mais pas tant que cela. L'air conditionné était réglé au minimum et la pièce sentait le renfermé ; il le monta au maximum, puis ouvrit une des canettes et en but un bon tiers avant d'appeler la réception.

Mme Padgett répondit :

— Oh oui, monsieur Messenger. Oui, j'ai un message pour vous. Un message pour Messenger, dit-elle d'un ton affecté, comme si elle était nerveuse ou crispée. C'est de M. John T. Roebuck. Vous savez qui c'est, n'est-ce pas ?

— J'ai entendu son nom.

— Eh bien, il a appelé vers une heure. Il aimerait vous voir au Wild Horse. C'est le casino sur la grand-rue…

— Oui, je sais, j'ai vu l'enseigne.

— Il sera à son bureau jusqu'à cinq heures.

— Merci, madame Padgett.

— Mais de rien. Ah, monsieur Messenger… ?

— Oui ?

— C'est vrai ce qu'on dit sur Anna Roebuck ? Qu'elle s'est suicidée à San Francisco ?

— C'est vrai.

— Elle s'est vraiment ouvert les veines avec un couteau de boucher ? C'est ce qu'on m'a raconté. C'est bien comme ça qu'elle s'est tuée ?

Le ton de sa voix lui fit penser à un vautour posé sur la carcasse d'une charogne. Il dit, en gardant un ton égal, avant de rompre la communication :

115

— Non, vous avez compris de travers.

Ils haïssaient vraiment Anna, pensa-t-il, aussi bien morte que vivante. Toute la ville. Il pouvait difficilement le leur reprocher si elle était coupable ; or elle n'avait jamais été arrêtée, encore moins mise en accusation pour ces crimes. Pourtant, elle avait été jugée et reconnue coupable par tous ses voisins, à l'exception d'un seul, sans même avoir droit à une audience. Condamnée aussi, en pensée sinon en actes, et maintenant que sa sentence de mort avait été exécutée de sa propre main, ils se délectaient des restes de son cadavre. Comme les tricoteuses qui souriaient en regardant les têtes rouler à terre dans *Un conte des deux villes*.

Il finit sa bière, jeta la canette vide dans la poubelle. Sa montre indiquait 15 heures passées. Il avait largement le temps : inutile de se précipiter pour aller voir John T. Roebuck. Il était presque sûr de savoir ce que Roebuck lui voulait — la même chose que Mme Padgett, Sally Adams, Ada Kendall et tous les autres. Il irait le lui donner tôt ou tard, avant 17 heures ; il était curieux d'en apprendre plus sur la famille Roebuck, et sur John T., le grand homme local. Mais il voulait d'abord parler à quelqu'un d'autre : le seul autre défenseur d'Anna, Jaime Orozco.

Sous la douche, il fit couler l'eau jusqu'à obtenir une température à sa convenance. Il passa dix minutes dessous, à rincer le sable du désert et à tenter d'atténuer la douleur dans son genou. Une fois rhabillé avec ses vêtements neufs, il se regarda dans le miroir de la salle de bains. Pas trop mal. Même mieux que ce à quoi il s'était attendu. En général, la plupart des citadins qui s'habillaient dans le style western avaient l'air de sortir tout droit d'un ranch-hôtel, ou simplement ridicules, ou les deux.

116

Après un bref débat avec lui-même, il laissa le Stetson dans la chambre et sortit. Il était inutile d'en faire trop.

La localisation de Jaime Orozco lui prit un peu de temps et d'efforts. Il n'était pas répertorié dans l'annuaire local. Mme Padgett aurait pu savoir où il habitait, mais Messenger n'avait pas très envie de s'adresser à elle après leur conversation téléphonique ; il pensa qu'il valait mieux demander à des inconnus. Le premier qu'il sollicita, un pompiste revêche dans une station d'essence toute proche, soit n'en savait rien, soit ne voulait pas se fatiguer à le lui dire. Il fit une seconde tentative à une *taquería*, mais la serveuse et le cuisinier se révélèrent tout aussi peu communicatifs — sans doute parce qu'il était étranger, et blanc par-dessus le marché.

Ce fut le vendeur du magasin de vêtements western où il avait acheté sa nouvelle tenue qui finit par lui dire : Jaime Orozco vivait avec sa fille, Carmelita Ramirez, et sa famille sur Dolomite Street.

— C'est dans les quartiers sud, dit le vendeur. Juste après le nouveau lycée. Je ne connais pas le numéro. Il faudra que vous demandiez aux gens là-bas.

Messenger trouva la rue assez facilement. Elle n'était pas goudronnée, mais composée d'un mélange de gravier et de terre battue sillonnée d'ornières, et bordée d'un assemblage disparate de maisons en bois et de petits mobile-homes, tous abîmés par le soleil et respirant la pauvreté. On apercevait des poulets, des chèvres et des chiens dans la plupart des cours. Tous les visages qu'il croisa étaient mexicains. C'est un quartier qui aurait jadis — il n'y a pas si longtemps — été surnommé «Mextown» ou «Spicetown» par l'establishment blanc. À présent, le racisme étant contraint de s'exprimer par euphémisme, c'était «les quartiers sud, juste après le nouveau lycée» et «les gens là-bas».

Une femme portant un panier à commissions lui désigna le domicile des Ramirez : c'était un des mobile-homes d'allure récente, installé sur un terrain proprement clôturé ; un abri couvert s'étendait à l'arrière. Dans la propriété, un garçon potelé de six ou sept ans s'amusait à lancer une balle à un chiot bâtard noir et marron clair. Il interrompit son jeu lorsque Messenger ouvrit le portail et marcha à sa rencontre ; il resta à le suivre de ses yeux ronds, la balle de tennis toute mâchouillée dans le poing.

Messenger lui sourit.

— Salut. Tu peux me dire si Jaime Orozco habite ici ?

Le garçon se contenta de le regarder.

Se pourrait-il qu'il ne parle pas anglais ? Non, il était sans doute juste timide. Ce serait plus facile s'il lui parlait en espagnol. Messenger avait suivi un cours optionnel d'espagnol durant deux ans à Berkeley ; il fouilla dans sa mémoire pour en ressortir des mots et des phrases entreposés là depuis longtemps.

— *Por favor, niño. Es esta la casa de Jaime Orozco ?*

Il déclencha un sourire hésitant.

— *Sí. Mi abuelo.*

— *Esta aquí ahora ?*

— *Por ahi fuera*, dit le garçon avec un geste de la main : *En el patio.*

— *Gracias, niño. Muchas gracias.*

Messenger fit le tour du mobile-home pour se rendre à l'arrière. Une paire de tables de pique-nique abîmées par les intempéries, avec des bancs attenants et deux fauteuils dépareillés, avaient été disposés sous l'abri. Un homme était calé

118

dans un des fauteuils, en train de lire un journal ; il semblait seul. Lorsqu'il vit Messenger, il baissa le journal, le replia avec soin et le posa sur une table proche — tout cela sans détacher ses yeux noirs et tristes du visiteur.

— Señor Orozco ? Jaime Orozco ?

— Oui, c'est moi.

Messenger s'était attendu à un homme plus âgé — le mot « retraité » prononcé par le révérend Hoxie, le petit garçon potelé disant qu'Orozco était son grand-père. Or l'homme dans le fauteuil ne devait pas avoir plus de cinquante-cinq ans, il était mince et semblait en pleine forme, avec d'épais sourcils broussailleux, les joues et le front sillonnés de douzaines de rides, comme si on avait gravé là une carte en bas-relief d'une section du désert.

— Asseyez-vous, señor Messenger.

Messenger se dirigea vers un des bancs attenants à une des tables de pique-nique.

— J'imagine que je commence à être bien connu à Beulah. Même habillé comme un autochtone.

— J'ai pensé que vous viendriez peut-être, dit Orozco d'un ton grave. Anna Roebuck n'avait pas d'autre ami ici.

— C'est ce qu'on m'a dit, en effet.

— Étiez-vous son ami ?

— Je voulais l'être. J'ai essayé.

— Mais il était trop tard quand vous l'avez rencontrée.

— Beaucoup trop tard.

La porte arrière du mobile-home s'ouvrit, laissant échapper un arôme de cuisine et d'épices en train de mijoter ; une femme de forte corpulence, à l'orée de la trentaine, fit un pas à l'extérieur sur une petite marche. Orozco la lui présenta comme sa fille, Carmelita. Elle salua Messenger en gardant les lèvres serrées avec un tel air de désapprobation qu'il comprit qu'elle les avait épiés et écoutés depuis le début, dissimulée derrière le rideau de la fenêtre, près de la porte du mobile-home.

— Une boisson fraîche ? lui demanda-t-elle. De la bière, de l'eau ?

— Rien, merci.

— Papa ?

— Non.

Lorsque la femme fut retournée à l'intérieur, en claquant la porte plus fort que nécessaire, Orozco secoua la tête et dit :

— Même pas Carmelita.

— Même pas… oh. Elle ne partage pas votre avis sur l'innocence d'Anna.

— On s'est disputés.

Orozco changea de position en grimaçant légèrement, et Messenger réalisa que sa jambe droite était raide, le pied — chaussé d'une pantoufle — tordu vers l'intérieur, avec un drôle d'angle au niveau de la cheville. Lorsque Orozco le vit regarder sa jambe, il se pencha pour la frotter avec ses doigts.

— Personne ne vous en a parlé, hein ?

— Non. Que s'est-il passé ?

— Un accident. Ça fera bientôt deux ans. Mon cheval a marché dans un terrier pendant que je poursuivais une vache égarée. Il s'est cassé une jambe, je me suis cassé une cheville. Il a eu plus de chance, j'imagine.

— De chance ?

— Ils l'ont abattu. Moi, ils m'ont emmené à l'hôpital.

— Je suis désolé.

— La volonté de Dieu, dit Orozco en haussant les épaules. Vous avez parlé à Dacy Burgess ?

— Cet après-midi. Elle n'est pas non plus du même avis que vous.

— Oui, je sais. Mais au moins son cœur n'est pas plein de haine. A-t-elle pleuré pour Anna?

— Elle a pleuré. Un peu, en tout cas.

— Bien. J'ai pleuré aussi, un peu.

— Pourquoi êtes-vous le seul qui continue à la soutenir, señor Orozco? Qu'est-ce qui vous rend si sûr de son innocence?

— Elle est venue me voir après ce qui s'est passé. Elle a juré qu'elle était innocente, avec la main posée sur la Bible. Sous le regard de Dieu, dans l'enceinte sacrée de Son église, elle a juré. Elle n'aurait pas menti à Dieu.

J'aimerais tant pouvoir croire en Dieu, en l'innocence d'Anna, en quoi que ce soit d'autre avec la même absolue certitude.

— Ça vous surprend peut-être d'apprendre qu'elle était croyante. Elle l'était, à sa manière, même si elle n'allait pas à l'église. Même si elle…

Orozco secoua la tête et laissa sa phrase en suspens.

Messenger la compléta en pensée: *même si elle s'est suicidée.* Un péché mortel au regard de la foi catholique. Supprimer sa propre vie revient à s'interdire l'entrée du royaume des cieux pour l'éternité. S'il y avait vraiment quelque chose après la mort, il espérait que les catholiques se trompaient et que Dieu était assez miséricordieux pour pardonner l'acte de désespoir d'une âme déjà tourmentée.

— Alors qui est le coupable? demanda-t-il. Qui a assassiné sa famille?

Orozco haussa les épaules.

— Dave Roebuck avait pas mal d'ennemis, plus que la plupart des gens.

— Les femmes avec qui il couchait?

— Des hommes aussi bien que des femmes. C'était quelqu'un de mauvais.

— Mauvais comment? Il buvait, il se battait?

— Et il volait.

— Que volait-il?

— Des chevaux, du bétail. Deux cents dollars en liquide, une fois.

— Il s'était déjà fait arrêter? Poursuivre en justice?

— Arrêter, oui, à plusieurs reprises. Puni, non.

— Qui avait le plus de ressentiment contre lui, le meilleur motif pour souhaiter sa mort?

Avec un autre haussement d'épaules, Orozco leva les mains, paumes en l'air.

— Et Joe Hanratty? demanda Messenger. On m'a dit que Roebuck et lui en étaient venus aux poings une semaine avant les meurtres.

— Hanratty est un homme violent quand il a bu trop de whisky. Mais il était au ranch de John T. ce jour-là, il travaillait avec Tom Spears.

— Spears, et combien d'autres en ont témoigné?

— Seulement Tom Spears.

Ce qui n'était pas tout à fait ce que le révérend Hoxie lui avait dit.

— Et je parie que ces deux-là sont amis.

— Oui. Mais le shérif et la police d'État étaient persuadés qu'ils disaient la vérité.

— Quel était le motif de la bagarre? Une femme?

— La sœur d'Hanratty.

— Une des conquêtes de Roebuck?

122

— Oui, dit Orozco, mais Hanratty était au courant depuis des semaines. Lynette ne s'en était pas cachée.

— Lynette? Il y a une Lynette qui travaille comme serveuse au Goldtown Café.

— Lynette Carey. C'est la sœur d'Hanratty.

— C'est Hanratty qui a déclenché la bagarre avec Roebuck?

— D'après les témoins, oui.

— Qu'est-ce qui l'a fait sortir de ses gonds?

— Personne ne le sait. Il est entré dans le Hardrock Tavern, a traité Dave Roebuck de sale fils de pute et lui a balancé un coup de poing dans la figure.

— Hanratty n'a pas dit pourquoi?

— Non.

— Même pas à la police?

— Il a déclaré qu'il protégeait sa sœur.

— De quoi, si leur liaison était connue de tous?

Orozco ouvrit de nouveau les mains.

— C'était déjà de l'histoire ancienne. Lynette avait arrêté de voir Dave Roebuck.

— Pourquoi?

— Elle ne l'a pas dit.

— N'aurait-elle pas pu les tuer, lui et Tess?

— Non, pas Lynette. Elle a elle-même un enfant, d'un an de plus. Elle ne ferait jamais de mal à un enfant.

— Alors une des autres maîtresses de Roebuck. Maria Hoxie?

— La fille d'un homme de Dieu? Non.

— Maria avait bien une liaison avec Roebuck?

— C'est ce qu'il prétendait. Il mentait peut-être. Cette fille est une bonne chrétienne. Le révérend Hoxie lui a enseigné l'amour de Dieu depuis le premier jour où il l'a amenée ici.

— Amenée?

— C'était une orpheline. Et la femme du révérend ne pouvait pas avoir d'enfant, une grande tristesse dans sa vie. Quand elle est morte, il a ramené Maria de l'école paiute de Tonopah et l'a élevée comme sa propre fille.

Messenger regarda Orozco changer une nouvelle fois de position. Puis il dit :

— Vous ne pensez pas qu'il s'agit d'une femme, n'est-ce pas?

— Non. Pas une femme.

— Pourquoi? À cause de ce qu'on a fait à Tess?

— C'est une raison.

— Mais si Roebuck a été assassiné par une maîtresse furieuse et que Tess était un témoin…

— Des femmes avaient des raisons de lui cracher dessus, mais pas de lui prendre la vie. Il ne leur promettait rien — et il s'en vantait. Il disait toujours : « Je n'ai pas besoin de faire des promesses à une femme pour la baiser. Elle sait dès le début dans quoi elle s'engage, et moi aussi. »

— Malgré tout, il est possible que l'une d'entre elles ait voulu plus de lui qu'une relation sexuelle.

— Il n'avait rien de plus à offrir, dit Orozco. Pas d'amour, pas d'amitié, pas d'argent — rien.

— Pourquoi Anna est-elle restée avec lui alors?

— Elle n'avait nulle part où aller, selon elle.

— Elle et Tess auraient pu aller habiter chez les Burgess.

— Dacy lui a proposé plusieurs fois. Anna ne voulait pas partir. Elle croyait que Dave Roebuck finirait par changer, par s'assagir, par devenir un mari et un père respectables. Jusqu'à sa mort, elle y a cru.

Elle se faisait des illusions.

— Elle doit l'avoir aimé en dépit de tout ça.

— C'est le cas. Anna était…

Il fut interrompu par la porte du mobile-home qui s'ouvrit à nouveau et Carmelita qui sortit la tête. L'arôme de viande épicée était plus fort à présent — suffisamment pour rappeler à Messenger qu'il n'avait rien mangé depuis le petit déjeuner.

— Papa, dit-elle, Henry sera là d'une minute à l'autre. On mangera dès qu'il arrivera.

— Oui, Carmelita.

— Préviens Juanito. Et n'oublie pas d'attacher le chien.

— Je n'oublierai pas.

Orozco attendit qu'elle ait refermé la porte avant de se dresser avec raideur sur ses jambes. Il demanda :

— Voulez-vous dîner avec nous, señor Messenger ?

— Merci, mais je ne pense pas que votre fille aimerait m'avoir comme invité à sa table.

— Il y a beaucoup de choses que ma fille n'aime pas. J'ai de la chance qu'elle m'apprécie encore… Jusqu'au jour où j'oublierai une fois de trop d'attacher mon petit-fils et d'appeler le chien à dîner, ajouta-t-il avec une grimace ironique.

Messenger se rendit alors compte — avec un temps de retard — de ce qu'il aurait dû deviner après deux minutes de conversation. Jaime Orozco était un autre membre de la confrérie. Jaime Orozco était lui aussi un homme très seul.

10

Le Wild Horse Casino se présentait comme une tourte carrée coupée en trois portions plus ou moins égales. Une portion était un restaurant baptisé le Wild Horse Grill («Bœuf premier choix du Nevada — Notre spécialité : le steak de 700 g») ; une deuxième était un salon-bar ouvert équipé d'une petite scène et d'une piste de danse («Actuellement : Jeri Lou Porter de Beulah, la Nouvelle Reine du Country») ; et la troisième était le casino proprement dit, tout en machines bruyantes et néons aveuglants, qui à cette heure n'était peuplé que d'une dizaine de petits joueurs. Messenger se fraya un chemin parmi les rangées de bandits manchots, dans leur version électronique moderne : machines à sous à jackpots progressifs, Video 21 et pokers Joker Is Wild. C'étaient les jeux plus fréquentés. La douzaine de tables traditionnelles de black-jack, de roulette et de craps étaient désertées, les trois quarts d'entre elles recouvertes de housses pour les protéger de la poussière.

La cabine des caissiers était située tout au fond. Il demanda à l'une des femmes à l'intérieur le bureau de John T. Roebuck ; elle lui indiqua une porte verrouillée et gardée à proximité. Un agent de sécurité prit son nom, le fit patienter pendant qu'il téléphonait, puis le laissa entrer ; il le conduisit en haut d'un escalier et lui fit prendre un couloir jusqu'à une porte ouverte tout au fond.

Le bureau dans lequel il pénétra faisait bizarrement voisiner fonctionnalité et confort décontracté. Une paire de bureaux gris métallisé, supportant chacun un terminal d'ordinateur, et un assemblage de placards à dossiers de la même teinte partageaient l'espace avec un bar massif tout en bois et cuir, un groupe de fauteuils en cuir et un canapé presque aussi large qu'un lit deux places. Un homme et une femme se tenaient debout, l'un près de l'autre, devant le bar à alcools, chacun un verre à la main. Ils ne bougèrent pas, attendant qu'il vienne à leur rencontre, en le jaugeant à mesure qu'il approchait. John T. Roebuck et sa femme, Lizbeth. Aucun d'eux ne sourit lorsqu'on fit les présentations. Ce qui ne dérangea pas Messenger ; il garda une expression aussi neutre que la leur.

Les Roebuck paraissaient aussi mal assortis que le reste de la pièce. Elle était grande, sculpturale presque, n'avait pas plus de trente ans, avec des cheveux blond platine et une poitrine généreuse moulée par la courte robe jaune qu'elle portait. Ses yeux avaient une teinte mauve et brillaient d'une lueur incisive et sagace ; d'un seul regard, Messenger comprit que son apparence de potiche blonde était une pure façade. John T. avait dix bons centimètres de moins qu'elle et une quinzaine d'années de plus — mince, les cheveux poivre et sel coupés court pour minimiser le fait qu'il devenait chauve. Ses yeux noirs étaient encore plus pénétrants que ceux de sa femme, enfoncés sous de gros sourcils. Ils ne clignaient presque pas. Sa posture et ses manières, comme souvent chez les hommes petits, étaient agressifs. Le genre dominateur, qui allait droit au but. Sa poignée de main était un étau. Le genre qui avait des choses à prouver, aussi.

— On vous attendait plus tôt, Jim, dit-il. Lizbeth et moi, on s'apprêtait à aller dîner.

— Je n'ai eu votre message qu'après quatre heures. Et j'avais encore des choses à faire.

— C'est ce que j'ai compris. Comment se porte Jaime en ce moment? Ça fait un moment que je ne l'ai pas vu.

— Plutôt bien, pour un homme dans son état.

— Vous ne semblez pas surpris que je sois au courant de votre visite au mobile-home de sa fille.

— Non, dit Messenger. D'après ce que j'ai entendu, il ne se passe pas grand-chose à Beulah dont vous ne soyez pas informé.

— C'est exact, Jim, pas grand-chose. Pas grand-chose du tout. Un verre?

— Pas pour moi, merci.

— Un scotch pur malt, un vieux bourbon? J'ai même du soda, si vous préférez.

— Rien.

— Vous n'êtes pas un buveur, Jim? demanda Lizbeth Roebuck — sa voix était sexy, rauque et suggestive; et juste un peu saoule.

— Pas trop, non.

— Dommage. L'alcool est un bon moyen d'apaiser nos souffrances, idéal pour les célébrations. Et ce soir, on ne va pas manquer de faire la fête.

— Vous fêtez quelque chose de spécial?

— De très spécial, dit-elle. La mort longtemps attendue d'une salope meurtrière, précisa-t-elle en levant son verre: À l'âme d'Anna Roebuck, qu'elle pourrisse en enfer.

Il y eut un silence.

— Vous n'appréciez pas ce toast, hein, Jim? dit John T.

— C'est exact, je n'apprécie pas.

— Comment se fait-il? Parce que c'est exactement ce qu'était Anna, vous savez. Une salope meurtrière.

— Ça semble être le consensus.

— Mais vous ne le partagez pas.

— J'ai mes réserves.

— Pourquoi ça? Anna vous a dit qu'elle n'avait rien fait? Elle a pleuré sur votre épaule?

— Je ne la connaissais pas si bien que ça. C'est juste une impression.

— Une impression, dit John T.

Il sortit de sa poche une boîte à cigares en cuir repoussé, en tira un cigarillo mexicain long et fin. Il le renifla d'un air appréciateur avant de reprendre la parole:

— Vous avez fait tout ce chemin de San Francisco à Beulah, passé une journée entière à harceler des gens à cause d'une *impression*?

— Non, ce n'est pas ce que je suis venu faire. Et je ne harcèle personne.

— Je vous écoute, Jim.

— Je suis venu pour découvrir qui elle était. Et si elle avait de la famille, pour les informer de sa mort.

Roebuck alluma son cigarillo, envoyant une fumée odorante en direction de Messenger, sans le faire délibérément.

— C'est le travail de la police, non?

— La police n'a pas été capable de l'identifier. Elle se servait d'un nom d'emprunt.

— Mais vous, vous l'avez identifiée. Comment ça se fait, Jim?

129

— La chance, dit Messenger. Juste la chance.

— Que vous a dit Dacy quand vous lui avez parlé?

— Je pense que vous le savez aussi bien que moi.

— Et ça ne vous suffit pas? Que la propre sœur d'Anna soit convaincue de sa culpabilité?

— Ce n'est pas suffisant pour Jaime Orozco.

— Jaime est un vieux fou sentimental. Vous connaissez l'histoire des trois singes, Jim? Je ne vois pas le mal, je n'entends pas le mal, je ne dis pas de mal. Eh bien, c'est Jaime tout craché.

En se rendant au casino, Messenger avait pensé informer John T. Roebuck des quatorze mille dollars conservés à San Francisco. Si Dacy Burgess n'en voulait vraiment pas, alors le frère du défunt mari d'Anna était le suivant à pouvoir en bénéficier. Mais à présent qu'il avait rencontré le gros ponte de Beulah, il n'avait plus l'intention de lui dire quoi que ce soit au sujet de l'argent. Il n'aimait pas John T. Ni sa femme, d'ailleurs. Il laisserait Dacy les informer, si tel était son souhait. Ou l'inspecteur Del Carlo, une fois qu'il serait au courant.

— Le fait est, Jim, que les meurtres de mon frère et de sa petite fille sont la pire chose qui se soit jamais produite dans cette ville, dit Roebuck. Même à l'époque sauvage des mines, on n'a rien connu d'aussi horrible. On a tous été choqués et profondément blessés. Vous pouvez comprendre ça, n'est-ce pas?

— Bien sûr.

— Alors il est tout à fait naturel qu'on se réjouisse de la mort de la femme qui en est responsable, et qu'elle brûle en enfer, où est sa place. Tout ce qu'on souhaite maintenant, c'est laisser cette affaire ignoble derrière nous et tenter de l'oublier, autant qu'on le peut. Mais ce ne sera pas possible tant qu'un homme, qui ne sait d'ailleurs pas grand-chose sur les crimes, et rien du tout sur notre communauté et notre façon de faire, n'arrête pas d'aller raconter n'importe quoi, en prétendant qu'Anna est innocente.

— Mais supposez qu'elle ait été innocente, dit Messenger.

— Oh, allez vous faire foutre, on sait que c'est elle, intervint Lizbeth Roebuck. On le sait, vous entendez?

Elle finit son verre, retourna au bar et s'en servit un autre.

— C'est vrai, dit John T. Anna est coupable, aucun doute. C'est pour ça qu'elle s'est tuée. Les gens innocents ne s'ouvrent pas les veines.

— Sauf si on les pousse à le faire.

— Vous voulez dire nous, ses amis et ses voisins? On l'a poussée à quitter la ville, poussée à se suicider? J'espère bien que oui. D'ailleurs, c'est préférable à ce qui aurait pu se passer si elle était restée.

— Et que se serait-il passé? demanda Messenger, en colère à présent, l'autosatisfaction glaciale et acerbe des Roebuck lui tapant sur les nerfs. Vous vous seriez fait justice vous-mêmes? Vous seriez allés une nuit à son ranch et vous l'auriez lynchée?

— Vous avez regardé trop de westerns, Jim. Nous sommes tout à fait civilisés de nos jours. On a des toilettes à l'intérieur et tout ce qui va avec. Le dernier lynchage dans ce comté remonte à plus de quatre-vingt-dix ans.

— Et la dernière mort accidentelle par arme à feu alors? La dernière disparition inexpliquée?

John T. n'apprécia pas la remarque. Il pointa son cigarillo sur Messenger et dit sur un ton lourd de sous-entendus:

— C'est exactement ce dont je parlais tout à l'heure. Sur le fait de harceler les gens, d'affirmer n'importe quoi.

— Je n'affirme rien. Seulement, je ne crois pas qu'Anna ait

tué votre frère et sa fille. Je suis désolé si ça vous ennuie, mais je ne vois aucune raison de me taire.

— Tout homme a le droit d'avoir son opinion. Mais la question, c'est ce que vous prévoyez de faire à ce sujet.

— Je ne sais pas. Peut-être rien.

— Et peut-être quelque chose. Combien de temps pensez-vous rester à Beulah ?

— Je ne sais pas non plus.

— Je ne traînerais pas trop longtemps si j'étais vous. C'est une toute petite ville, et ça pourrait devenir assez vite inconfortable pour un étranger qui s'obstine à venir remuer le couteau dans une plaie encore sensible.

— Est-ce une menace, John T. ?

— Une menace ? Lizbeth, tu m'as entendu menacer quelqu'un ?

— Non.

Les glaçons s'entrechoquèrent dans le verre de Lizbeth Roebuck ; sa main n'était plus très ferme à présent.

— Tu lui as seulement conseillé d'arrêter de pisser contre le vent parce que ça risquait de lui revenir en pleine figure.

— Elle a le sens de la formule, pas vrai ? dit Roebuck. Je vais vous dire, Jim. Prenez-vous un steak et quelques verres au Grill, offerts par la maison. Et ensuite retournez à votre motel, réfléchissez là-dessus, et vous verrez sans doute que la meilleure chose à faire, pour tout le monde, serait que vous partiez demain matin. Allez faire un tour à Vegas. Il y a sacrément plus d'attractions là-bas, c'est sans comparaison. Et c'est aussi un endroit plus accueillant.

— Je n'en doute pas.

— Alors, qu'en dites-vous ?

— Je n'ai pas très envie d'un steak ce soir, dit Messenger,

et ça m'étonnerait que j'aie envie de partir à Vegas demain. Beulah dispose de toutes les attractions qui m'intéressent pour le moment.

— Alors vous feriez bien d'apprendre à esquiver. C'est mon meilleur conseil, Jim : apprenez à esquiver très vite.

Sur le chemin du retour vers le High Desert Lodge, il se demanda s'il avait été imprudent de provoquer John T. Roebuck de la sorte. S'il ne s'était pas mis lui-même dans une situation épineuse. Les petites villes n'étaient pas l'endroit idéal pour se faire des ennemis, en particulier le boss local ; il le savait pour avoir grandi dans l'une d'elles. Et les menaces à peine voilées de John T. ne lui avaient pas paru gratuites. En restant dans le coin, en s'obstinant à poser des questions, il risquait fort de s'attirer des ennuis qu'il n'était pas en mesure de gérer.

Peut-être ferait-il mieux en effet de partir le lendemain matin. Qu'est-ce qui lui prenait de jouer au détective ou au héros imperturbable ? Un homme seul contre une ville entière — c'était un thème rebattu de polar aussi bien que de western, mais certainement pas un rôle que pouvait endosser quelqu'un comme lui. Il était comptable, bon sang. Il menait une existence tranquille, disciplinée, pacifique. Il était si peu dans son élément à Beulah, Nevada, qu'il pouvait très bien tourner en rond pendant les deux prochaines semaines et, même s'il s'en sortait indemne, ne pas découvrir grand-chose de plus que ce qu'il savait déjà.

Malgré tout, il avait des réticences à laisser filer cette opportunité. Peut-être bien qu'il était un individu passif, mais il n'acceptait pas pour autant que des hommes tels que John T. Roebuck lui marchent sur les pieds. Cependant l'enjeu allait bien au-delà. Il dépassait même la question de l'innocence ou de la culpabilité d'Anna, le défi de trouver par tous les moyens la solution d'une équation. Ce qui s'était développé en lui était presque une compulsion, comme s'il était contraint, qu'il le veuille ou non, de finir ce qu'il avait commencé. Non par des forces extérieures, mais par des forces à l'intérieur de lui-même — les mêmes forces qui l'avaient déjà conduit jusque-là.

La ménopause masculine, se dit-il. Les bouffées de chaleur intimes de Jim Messenger. Mais ce n'était pas drôle. D'une certaine manière, c'était même crucial. Une sorte de rébellion, peut-être, contre la même spirale descendante de résignation et de désespoir qui avait emporté Mademoiselle Solitude, et qui un jour, s'il se laissait faire, l'emporterait aussi.

Dans la fraîcheur de l'heure qui précédait l'aube, il fut réveillé par le gémissement mélodieux d'un puissant vent du désert qui soufflait dehors. Les riffs des bourrasques, chargés de notes graves et aiguës, évoquaient les improvisations d'un trompettiste lancé dans une jam session jusqu'au bout de la nuit. Il avait rêvé de Doris, et il resta allongé à penser à elle — deux choses qui ne lui étaient pas arrivées depuis des années. À se souvenir d'une autre nuit froide et venteuse quatre mois après leur mariage : Candlestick Park, Giants contre Astros, début mai.

Doris adorait le base-ball. Elle avait un enthousiasme d'homme pour ce jeu, un intérêt passionné pour la stratégie et les statistiques aussi bien que pour ses subtilités, sa fluidité et sa grâce. Lorsqu'il lui avait exprimé tout haut ce point de vue, elle l'avait mal pris et l'avait accusé d'être sexiste ; mais il ne le pensait pas dans ce sens-là. Son propre intérêt pour le base-ball n'était pas aussi fervent que le sien, en particulier lorsqu'il fallait aller au Candlestick ou à l'Oakland Coliseum pour assister aux matchs ; lui se satisfaisait de les suivre en téléspectateur, affalé sur son canapé. Mais elle ne jurait que par l'atmosphère authentique du stade. Les matchs étaient plus excitants en vrai, disait-elle. En outre, elle adorait les hot-dogs, les cacahuètes et autres attractions qui animaient le stade. Ils allèrent ainsi à un grand nombre de matchs des Giants et de l'American League la première année — une bonne trentaine.

Il n'avait pas eu envie d'y aller ce soir de mai à cause du temps. Doris l'avait harcelé jusqu'à ce qu'il accepte. À cette époque, lui faire plaisir était important pour lui ; cela lui avait toujours importé d'ailleurs, jusqu'à ce fameux jour où elle lui avait dit : «Ça ne marche pas, Jimmy, c'est tout. Je pense qu'on ferait mieux d'arrêter tout de suite, avant que les choses n'empirent entre nous. »

Le vent qui soufflait sur le Candlestick avait dû faire tomber la température à zéro — un vent si frigorifiant qu'il semblait descendre directement des étendues glacées de l'Arctique. Moins de deux mille cinq cents autres courageux parsemaient le stade, la plupart rassemblés sur la tribune basse, derrière le marbre. Doris préférait s'asseoir sur la tribune supérieure, le plus haut possible, du côté de la première base ; selon elle, on avait un meilleur point de vue sur le terrain entier de là-haut. Vide comme était le stade, ils disposaient d'une section entière pour eux seuls : personne au-dessus d'eux, personne à moins de vingt rangées en dessous. Deux naufragés perdus sur une île de sièges vides, qui se blottissaient en tremblant sous une lourde couverture de laine… Il se souvint de cette image qui lui avait traversé l'esprit à un moment de la soirée.

Le match n'était pas palpitant. Les Giants marquèrent six points à l'issue de la première manche, mais ensuite le jeu se réduisit à un monotone duel de lanceurs. Arrivé à la sixième manche, il s'ennuyait ferme et était transi de froid. Le vent pénétrait les manteaux, les pulls, les moufles, la couverture ; ni la chaleur corporelle ni même le café chaud de la grande Thermos qu'ils avaient apportée ne suffisaient à maintenir le froid à distance. À deux reprises, il suggéra de partir. Mais c'était une fan tellement pure et dure qu'elle ne voulait pas en entendre parler.

— Je ne veux rien rater, Jimmy. On ne sait jamais ce qui peut se passer.

Lors de la septième manche, une rafale de vent chargé de bouillard fit claquer ses dents assez fort pour que Doris l'entende. Elle se pelotonna contre lui.

— Tu as vraiment froid à ce point ? demanda-t-elle.

— Ben, mon nez s'est arrêté de couler il y a dix minutes, mais maintenant j'ai des stalactites qui se forment.

— Je parie que je peux te réchauffer.

— À ce stade, à part une douche chaude, je ne vois pas ce qui pourrait marcher.

— Je connais un moyen encore meilleur.

— Quel moyen ?

La main de Doris se glissa le long de sa cuisse et se referma sur son entrejambe.

— Hé ! Qu'est-ce que tu fais ?

— À ton avis ?

— Arrête ça, Doris.

— Pourquoi ? Tu n'aimes pas ça ?

— Tu sais bien que si. Mais on n'est pas chez nous.

— Sans blague.

— Je veux dire, c'est un lieu public…

— Et on est cachés sous une couverture, avec personne autour.

Il tenta de repousser sa main. Elle résista. Elle avait réussi à enlever sa moufle ; il sentit ses doigts fins tirer, entendit le zip de sa fermeture Éclair. Les doigts s'insinuèrent à l'intérieur, froids comme de la glace, et le firent bondir lorsqu'ils touchèrent sa peau nue.

— Mmm, il y a un endroit où tu as chaud.

— Doris…

— Et si je descendais sous la couverture et que je te réchauffais pour de bon, qu'en dis-tu ?

— Non.

— La main ou la bouche, mon grand, à toi de voir.

— Non !

La respiration de Doris s'était accélérée ; il sentait son souffle chaud et doux contre son oreille. Dans l'intimité de leur appartement, tout cela l'aurait excité. Dans l'intimité de leur appartement, les gestes et le toucher de sa main auraient provoqué chez lui une érection immédiate. Mais ici, il ne ressentait pas le moindre début d'envie. Il ne sentait rien, sinon de la gêne et de la nervosité. Il tenta de nouveau de déloger ses doigts, tout en jetant des regards alentour.

— Doris, bon Dieu…

— Qu'est-ce qu'il y a ?

Il s'entendit répondre :

— Des caméras de télé.

— Quoi ?

— Le match est retransmis à Houston. Il y a des caméras tout autour du stade.

137

— Et alors ? Ils filment ce qui se passe sur le terrain, pas nous.

— Parfois ils font des panoramiques sur les tribunes, tu sais bien. Une des caméras est peut-être en train de nous filmer en ce moment… avec tous ces gens qui regardent…

— Oh, c'est pas vrai, fit-elle.

— Quand on rentrera à la maison… tu peux attendre jusque-là ?

Elle s'écarta de lui, ramenant sa main en même temps.

— Ça m'étonnerait que je sois d'humeur quand on rentrera, dit-elle. Tu as réussi à me couper l'envie. Ça m'excitait aussi, tu sais.

— Un endroit public, un stade de base-ball…

— C'est justement ce qui m'excitait.

— Je ne comprends pas ça.

— Non, j'imagine que non. Pas toi, Jimmy.

— Ça veut dire quoi ?

Elle ne lui répondit pas à ce moment-là ; elle resta assise avec raideur tout le reste du match, fixant le terrain sans dire un mot. Ce n'est que plus tard, alors qu'ils rentraient en voiture et traversaient le Bay Bridge, qu'elle lui dit :

— Le problème avec toi, Jimmy, c'est que tu as peur de prendre des risques. Tu veux que tout soit rassurant et bien à sa place.

— Ce n'est pas vrai…

— Si, c'est vrai. Pas de hasard, pas de risques — même pas des petits comme ce soir, le genre qui rend la vie plus intéressante, qui lui donne du piquant. Une vie rassurante, c'est une vie sans intérêt, tu sais ? Je ne crois pas que les gens soient censés vivre de cette façon.

Tu veux que tout soit rassurant et bien à sa place. Pas de

hasard, pas de risques — même pas des petits. Une vie rassu-
rante, c'est une vie sans intérêt, Jimmy.

Il n'avait pas compris à l'époque, ni dans les années qui avaient suivi. Mais il comprenait à présent, ici dans sa chambre de motel à Beulah, Nevada. Ce que Doris lui avait dit cette nuit-là était en partie la raison — peut-être même la raison principale — pour laquelle elle avait entamé cette liaison avec la vedette des pistes d'athlétisme, puis mis un terme à leur mariage. C'était aussi la raison pour laquelle il était un homme solitaire. Et cette raison, c'était que sa vie manquait tellement de substance... sa vie bien rangée, rassurante, vide et sans intérêt. Et enfin c'était en partie la raison de sa compulsion, de la rébellion qui avait pris racine et grandi en lui.

Le moment était venu de prendre des risques.

Le moment était venu de donner du piquant à sa vie, quitte à se blesser à une des épines.

11

Il se dirigeait vers le Goldtown Café, à pied comme le matin précédent, lorsque la voiture passa juste à côté de lui. D'abord, il ne l'entendit pas, à cause des bourrasques assourdissantes du vent sec qui soufflait toujours ; il ne la vit pas non plus parce qu'il marchait tête baissée afin d'éviter les rafales de sable dans les yeux. Le bruit du klaxon — un seul coup aigu — lui fit prendre conscience du véhicule qui se garait dans le tournant juste devant lui. Une voiture de patrouille bleue et blanche, avec rampe de gyrophares sur le toit et emblème du shérif sur la portière.

Il s'immobilisa, toujours penché contre le vent. L'homme qui descendit côté conducteur était grand et imposant dans son uniforme kaki. Il fit signe à Messenger de s'approcher de la voiture et lui dit, lorsqu'il l'eut rejoint :

— Monsieur Messenger ? Je suis le shérif Espinosa, Ben Espinosa. J'aimerais vous parler une minute.

— Très bien.

— On sera mieux dans la voiture pour parler, avec ce vent. Montez.

Messenger monta. L'intérieur de la voiture sentait la sueur, le cuir, la graisse de revolver et un parfum douceâtre de tabac

140

à pipe. Le même arôme de tabac émanait du shérif Espinosa; un fourneau de pipe noirci dépassait d'une poche de sa chemise, comme un rongeur cyclopéen en train d'épier. L'homme avait dans les trente-cinq ans, des pommettes saillantes et des yeux impassibles. La moustache taillée qu'il arborait surmontait sa lèvre supérieure comme une barre noir anthracite. Le regard impassible était posé et calculateur. Il n'offrit pas de lui serrer la main.

— J'avais prévu de passer vous voir plus tard dans la matinée, dit Messenger.

— C'est vrai? dit-il, sans mettre d'inflexion particulière dans ses mots, mais Messenger sentit quand même l'hostilité dans son ton. Et pourquoi vous n'êtes pas passé hier?

— Je n'ai pas vu d'urgence officielle, shérif.

— Vous, peut-être pas, dit le shérif Espinosa. Mais j'aurais préféré être informé du suicide d'Anna Roebuck par vous, plutôt que par une demi-douzaine de gens du coin.

— Désolé. Mais ce n'était pas non plus une fugitive.

— J'en jurerais pas, vu la manière qu'elle a eue de disparaître. Ça m'a laissé un sale goût dans la bouche.

— Pourquoi ça?

— À votre avis? On enquêtait toujours sur les meurtres. Et on enquêtait toujours sur elle.

— Vous lui aviez interdit de quitter Beulah?

— Non. Trop de temps était passé pour ça.

— Alors elle avait tout à fait le droit de partir, non?

Le regard impassible semblait s'être éveillé à présent; Messenger le soutint sans sourciller.

— Pourquoi vous prenez sa défense, monsieur Messenger? D'après ce que j'ai entendu, vous dites l'avoir à peine connue là-bas à San Francisco.

141

— Je l'ai vue suffisamment de fois. Elle souffrait énormément et je ne pense pas que c'était à cause de la culpabilité.

— Vous ne pensez pas. C'est juste une intuition, alors.

— Oui, juste ça.

— Vous étiez au courant des meurtres avant de venir ici ?

— Non, pas avant hier.

— Rien du tout sur son passé ?

— Non.

— Pourquoi venir ici alors ? Qu'est-ce que vous imaginiez en tirer ?

— Rien, à part satisfaire ma curiosité.

— Vous êtes sûr de ne pas courir après l'argent ?

— Quel argent ?

— L'argent de l'assurance, ce qu'il en reste. Quatorze mille dollars, c'est bien ça ?

— Si vous pensez que j'espère une récompense, vous vous trompez. J'ai parlé de l'argent à Dacy Burgess hier parce qu'elle avait le droit d'en être informée, en tant que parent proche. Elle a dit qu'elle ne voulait rien de tout ça, et moi non plus.

— Vous n'avez pas parlé de l'argent à John T.

— Non, en effet.

— Pourquoi pas ?

— On ne s'est pas bien entendus. Et il n'est pas de la famille d'Anna Roebuck, sinon par alliance.

— Vous auriez quand même dû lui dire. Il a fallu qu'il l'apprenne plus tard par Dacy.

— Et vous l'avez appris par lui aussitôt après.

Des plis musculeux se formèrent sur la mâchoire d'Espinosa.

— Je vais vous dire, monsieur Messenger. Je ne crois pas

142

qu'on va s'entendre beaucoup mieux, tous les deux, que vous avec John T.

— Désolé de l'apprendre. Je n'essaie pas de me faire des ennemis.

— Non ? Eh bien, je crois que vous mijotez quelque chose et je n'aime pas ça. Je ne sais pas quoi, mais je n'aime pas ça.

— Et là, vous allez me dire de quitter la ville avant la tombée de la nuit ?

— Vous essayez de faire le malin ?

— Non, monsieur. J'ai juste posé une question.

— Vous n'avez rien fait qui m'oblige à vous tomber dessus. Pas encore. Mais je vous garderai à l'œil. Toute la ville vous aura à l'œil. Si j'étais vous, je me tiendrais à carreau. Je ne traverserais pas en dehors des clous et je ne cracherais pas sur le trottoir. Et je ne continuerais pas non plus à pisser contre le vent.

— Vous vous êtes fait comprendre, shérif.

— J'espère bien que oui. Bon, allez, reprenez vos occupations.

Messenger resta debout à regarder s'éloigner la voiture de patrouille d'Espinosa. Deux avertissements en moins de dix-huit heures. Non — c'était le même avertissement qui lui avait été adressé deux fois, pratiquement dans les mêmes termes. John T. Roebuck ne dirigeait pas seulement les affaires de Beulah, il semblait aussi avoir la haute main sur les autorités locales.

Des têtes se tournèrent lorsqu'il entra dans la salle bondée du Goldtown Café. On le dévora du regard ; des voix murmurèrent. Il restait un seul box vacant dans la partie où officiait Lynette Carey. Il alla s'y installer et fit mine d'étudier le menu, en prétendant ignorer les regards inquisiteurs même s'il pouvait les sentir ramper sur sa peau comme des insectes.

Lynette Carey ne perdit pas de temps à venir le servir. Ses hanches larges et sa poitrine rebondie emplissaient son uniforme beige de serveuse, les cheveux blond vénitien coiffés avec du spray dans un style démodé depuis deux bonnes décennies. Environ la trentaine, et assez jolie dans le genre gironde et cynique. Ses yeux couleur de bleuet étaient ce qu'elle avait de mieux ; il y chercha un signe d'hostilité et n'en trouva aucun. Juste une prudence naturelle, et une curiosité presque avide.

— Qu'est-ce que ce sera ?

— Des pancakes et du café.

— Un jus ? Une assiette de jambon ou de bacon ?

— Juste des pancakes et du café, Lynette. Lynette Carey, c'est ça ?

— Comment vous connaissez mon nom de famille ?

— Jaime Orozco l'a mentionné.

— Jaime, hein ? Et qu'a-t-il dit sur moi ?

— Rien de mal. J'imagine que vous savez qui je suis.

Elle jeta un coup d'œil à la ronde aux regards qui les observaient, mais sans qu'ils aient l'air de la déranger ; elle semblait se moquer d'être au centre de l'attention. Elle se pencha un peu plus près.

— À part les touristes, tout le monde ici sait qui vous êtes. Comment se fait-il que vous soyez toujours dans le coin ?

— Une affaire à régler.

— Si vous voulez mon avis, vous perdez votre temps. Anna Roebuck était coupable à cent pour cent. Personne ne lui en aurait voulu plus que ça si elle s'était contentée de descendre son salaud de mari. Mais la petite Tess… qui pourrait pardonner un truc pareil?

— J'aimerais vous parler, Lynette. Vous seriez d'accord?

— Parler? C'est pas ce qu'on est en train de faire?

— Je veux dire en privé. Plus tard dans la journée.

— Pourquoi? demanda-t-elle, la prudence reprenant le dessus. Je n'ai rien d'autre à dire.

— J'aimerais quand même avoir une discussion. Ce ne sera pas long.

— Ben, je ne sais pas…

— Je pourrais venir chez vous, ou…

— Non. Je ne vous connais pas, monsieur, et j'ai un enfant chez moi.

— Un lieu public alors. Où vous voudrez.

Elle fit courir le bout de sa langue autour de ses lèvres humides.

— Laissez-moi y penser.

Lorsqu'elle revint en apportant le café, elle n'avait pas pris de décision.

— Je ne suis pas sûre que ce soit une bonne idée d'être vue en public avec vous.

Elle n'avait pas tranché mais penchait légèrement dans son sens.

— Vous ne me donnez pas l'impression d'être quelqu'un qui s'inquiète de ce que peuvent penser les gens.

— C'est vrai, ce n'est pas mon genre. De toute façon, ils penseront toujours ce qu'ils veulent.

— Dix minutes de votre temps, c'est tout.

Soudain, elle sourit. Elle avait un beau sourire, franc et chaleureux; il adoucissait son cynisme au point de presque l'effacer.

145

— Voilà ce que je vous propose. Je finis mon boulot à quatre heures et j'aime bien prendre une bière fraîche après. Au Saddle Bar en général, à un pâté de maisons d'ici.

— Quel genre de bière vous buvez?

— Heineken à la pression, sauf quand c'est moi qui dois payer.

— Il y en aura une qui vous attendra.

Il posa pour la première fois les yeux sur Buster en pénétrant dans la cour du ranch des Burgess. Trente-cinq kilos de chair grondante noire et marron, attachée à une longue chaîne qui permettait à l'animal de sillonner les alentours de l'étable jusqu'à l'avant de la maison. Il ne connaissait pas grand-chose aux races de chiens, mais supposa que celui-ci devait être un rottweiler ou un croisement de rottweiler.

Buster se précipita jusqu'à tendre la chaîne, en aboyant furieusement, tandis que Messenger se garait à une vingtaine de mètres hors de sa portée. Ses crocs et sa bave écumante étincelaient sous le soleil implacable. Il n'y avait aucun autre signe de vie, et il ne vit nulle part la Jeep au toit de toile. Lorsqu'il descendit de sa voiture, une brusque rafale de vent lui envoya du sable dans les yeux. Il dut baisser la tête et se frotter les yeux pour l'en déloger. Le vent se comportait bizarrement ce jour-là : il soufflait par à-coups, en brèves bourrasques, et il avait aperçu une demi-douzaine de tourbillons de poussière se mettre à filer sur la plaine désertique avant de stopper tout aussi soudainement, comme si quelqu'un avait arrêté une soufflerie, laissant place à un calme de mort jusqu'à la prochaine bourrasque. Ce phénomène demandait un certain temps d'adaptation.

Plissant les yeux, il vit que Lonnie Burgess avait émergé

d'une remise accolée à l'étable. Il tenait dans sa main un long objet métallique. Alors que Lonnie venait à sa rencontre, en criant à Buster de la fermer, Messenger reconnut dans l'objet une clé tachée de graisse. De la graisse maculait aussi les mains, les bras et le bleu de travail du garçon.

Le chien s'apaisa en continuant à gémir et à japper, s'assit sur son arrière-train et se tut quand Lonnie arriva à sa hauteur et tendit la main pour lui attraper les oreilles et les caresser. Mais Messenger voyait l'animal trembler tout en regardant Lonnie s'éloigner. Il ne doutait pas un instant qu'au premier signe de menace envers ses maîtres le rottweiler trouverait la force de se libérer de sa chaîne et qu'il était dans sa nature de sauter à la gorge d'un ennemi pour le déchiqueter.

— Encore vous, dit Lonnie, mais sans animosité dans son ton ni son expression — factuel et réservé, sans plus.

— Encore moi.

— Vous vous êtes acheté des fringues.

— De quoi j'ai l'air ?

— D'un type de la ville déguisé en cow-boy.

— C'est ce que je craignais. Ta mère est là ?

— Partie réparer des clôtures.

— Sacré boulot avec ce vent et cette chaleur.

— Ben, j'aurais dû le faire, mais ce satané pick-up est encore en panne. Et je m'y connais mieux qu'elle en mécanique.

Il haussa les épaules, puis cracha dans la poussière.

— Les camions, les clôtures, dit-il. Il y a toujours quelque chose.

— Tu ne vas pas au lycée.

— Pas ce trimestre. Le prochain peut-être, si maman s'en sort.

— Tu es en quelle classe ?

147

— Première. Elle veut que j'aie mon diplôme, que j'aille à l'université du Nevada, à Las Vegas.

— Mais ça t'est égal ?

— Bien sûr que non. J'ai toujours voulu faire des études vétérinaires.

— Pourquoi tu ne le fais pas ?

Lonnie haussa de nouveau les épaules.

— Manque d'argent. Et de temps. Il y a trop de choses à faire ici.

— On dirait que vous auriez besoin d'un coup de main.

— On ne peut pas se le permettre non plus, pour l'instant. Pas avec les nouveaux quotas du BGT.

— Le Bureau de gestion du territoire, c'est ça ?

— Ouais. La plus grande part de nos pâturages, c'est à eux qu'on les loue. Ils nous disent combien de têtes de bétail on peut élever, combien de temps ils peuvent rester sur leurs terres, combien de veaux on peut ajouter chaque année.

— Pour des motifs écologiques ?

— Trop d'espèces sauvages sont en voie d'extinction à cause des troupeaux de bétail qui paissent sur les terres fédérales — c'est ce qu'ils prétendent en tout cas. Alors pour réguler ils calculent le nombre de vaches sur une parcelle donnée en estimant eux-mêmes combien de bêtes les pâturages peuvent nourrir — bien sûr, sans jamais nous consulter. Merde, c'est un désert d'armoise. Le bétail ne pourrait causer aucun dommage écologique dans une région pareille, même si chaque éleveur du coin avait cinq fois plus de têtes.

— Le BGT doit savoir ce qu'il fait.

— C'est vous qui le dites.

Le sujet était sensible ; Lonnie en changea en posant une question :

148

— Alors qu'est-ce que vous voulez cette fois?

— Ce que je veux?

— À ma mère.

— Discuter encore un peu, c'est tout. J'imagine qu'elle t'a parlé de notre conversation d'hier.

— Elle m'a raconté, dit Lonnie. Vous l'avez encore une fois mise dans tous ses états avant de partir.

— Ce n'était pas mon intention. C'est aussi pour cette raison que je suis là; je voulais m'excuser auprès d'elle.

— Ouais, bon, la meilleure manière de le faire serait de vous en aller et de nous laisser tranquilles. On a eu suffisamment de peine comme ça.

— Je ne cherche pas du tout à vous faire plus de peine, Lonnie.

— Peut-être bien, mais le résultat est le même. Elle les a tués, un point c'est tout. Pourquoi voulez-vous faire comme si ce n'était pas le cas?

— Qu'est-ce qui te rend si sûr que ta tante est coupable?

— Elle était la seule à avoir assez de raisons pour le faire. Mon oncle méritait ce qui lui est arrivé, y a pas à revenir là-dessus, mais rien ne l'obligeait à s'en prendre aussi à Tess. Ce n'était pas la faute de Tess.

— Qu'est-ce qui n'était pas la faute de Tess?

— D'avoir un fils de pute comme père.

— Tu le détestais, constata Messenger. Pourquoi? À cause de toutes ces femmes avec qui il couchait?

— C'est une raison.

— Et quelle autre?

— Je n'ai pas envie d'en parler. Il est mort. Ils sont tous morts maintenant, et maman et moi on veut juste oublier toute cette histoire. Pourquoi ne pas nous fiche la paix, hein?

Messenger laissa la question sans réponse. Comment expliquer un besoin et une conviction aussi impérieux que les siens à un gamin de quinze ans ? Il ne parvenait même pas à se l'expliquer à lui-même. Il se contenta de demander :

— Où se trouve cette clôture à réparer, Lonnie ?

— Sur la vieille route de la mine.

— Et c'est où ?

— À l'ouest. La première à gauche, vers les collines.

— La route qui mène à la mine de Bootstrap ? Là où ta tante cherchait de l'or ?

— Il ne reste pas assez d'or dans cette mine pour plomber deux de vos dents.

— Mais elle allait prospecter là-bas. Elle aurait pu y être le jour des meurtres, comme elle l'a dit.

— Elle était chez elle en train de tuer Tess ce jour-là.

— Tu étais ici ? Tu l'as vue passer sur la route à un moment de la journée ?

— Je n'étais pas là, j'étais au lycée. Maman aussi était absente. D'accord ? Elle les a tués et personne n'était là pour l'arrêter. Bon Dieu, j'aurais voulu y être !

Le brusque accès de colère de Lonnie fit aussitôt réagir Buster, qui aboya de plus belle en tirant sur sa chaîne.

— Lonnie, je suis désolé si…

— J'ai du boulot à finir, dit-il.

Il retourna d'où il venait. Sur tout le trajet jusqu'à la remise, il donna des petits coups secs dans le vide avec la clé, comme s'il s'agissait d'une arme qu'il destinait à la tête d'un ennemi.

Il sait quelque chose, pensa Messenger.

L'impression était aussi claire et nette que son intuition de la veille, ici même, au sujet de la fuite d'Anna à San Francisco.

150

Ce n'était pas la connaissance du véritable criminel; Lonnie semblait sincèrement convaincu de la culpabilité de sa tante. C'était quelque chose d'autre. Mais quoi? Que pouvait-il bien savoir?

12

La route de la vieille mine n'était guère plus qu'une succession d'ornières à demi comblées qui n'avait pas été égalisée ni réparée depuis sa construction. Un panneau métallique fléché, rouillé, tordu et criblé de balles, annonçait MINE DE BOOTSTRAP, suivi d'une indication de distance que le temps avait effacée. Les trous laissés par les balles au centre des deux O de Bootstrap lui firent penser à une paire d'yeux morts qui l'observaient.

Messenger vit la Jeep puis Dacy Burgess moins d'une minute après s'être engagé dans les ornières. Le sol ici était rocailleux, à la naissance des collines nues écrasées de soleil. Un étroit arroyo aux parois escarpées, jonché de rocs brisés, descendait des hauteurs et longeait la route sur une cinquantaine de mètres ; la Jeep était garée là, à l'ombre d'un surplomb rocheux. De l'autre côté de l'arroyo sinuait une clôture de fil barbelé, plantée irrégulièrement, de toute évidence pour empêcher le bétail de s'y aventurer. Dacy s'y trouvait et, s'adossant à la clôture, elle le regarda se ranger derrière la Jeep.

Il marcha jusqu'au bord de l'arroyo.

— Bonjour.

— Je me suis douté que c'était vous dès que j'ai vu la poussière, dit-elle. C'est Lonnie qui vous a dit où j'étais ?

— Oui.

— C'est un bon garçon, mais il parle trop.

— Je peux vous rejoindre de l'autre côté ?

— Non, restez où vous êtes, vous seriez capable de vous casser une jambe. J'arrive. J'en ai fini ici de toute façon.

À ses pieds se trouvait une trousse à outils ouverte. Elle la ferma, la prit sur l'épaule, puis descendit dans l'arroyo et remonta la paroi argileuse et friable en haut de laquelle il se tenait, avec agilité et rapidité. Le regard qu'elle lui adressa n'était ni amical ni inamical. *Tolérant*, se dit-il. Un peu curieux, aussi, comme si elle voyait quelque chose en lui qu'elle n'avait pas remarqué la veille.

— Qu'est-il arrivé à la clôture ?

— Le vent en avait flanqué une partie à terre. Ça arrive tout le temps. Ce satané sol est trop tendre pour garder les poteaux droits.

— C'est dur, de réparer ça ?

— Pas tellement, quand on n'a pas à remplacer les barbelés. Ce n'était pas nécessaire, cette fois.

Elle déposa la trousse à outils dans la Jeep et enleva les lourds gants de travail qu'elle portait.

— Pourquoi êtes-vous revenu ?

— En premier lieu, pour m'excuser. Je ne me suis pas très bien sorti de notre conversation hier.

Dacy haussa les épaules et ajusta son Stetson taché de sueur.

— Oubliez ça. Je ne m'en suis pas très bien sortie non plus. Quoi d'autre ?

— Pour vous donner ceci, dit-il en lui tendant le papier qu'il avait griffonné plus tôt le matin avant de sortir du motel.

— Qui est ce George Del Carlo ? demanda-t-elle après y avoir jeté un coup d'œil.

— Un inspecteur de police de San Francisco. C'est lui qu'il faut contacter pour l'identification d'Anna. Il vous expliquera les procédures à suivre.

— Quelles procédures ? Je vous l'ai dit hier, je ne veux pas de l'argent du crime d'Anna.

— Rien ne vous oblige à le garder, mais vous devriez réfléchir au fait de le réclamer. Ce comté ne m'a pas l'air bien riche ; donnez-le à des œuvres de charité de la région. Sinon, il reviendra à l'État de Californie, et ce ne serait pas juste.

Elle parut sur le point de répliquer, puis changea d'avis et dit :

— Peut-être, oui. D'accord. Je vais y réfléchir.

— Vous allez aussi devoir prendre des dispositions pour l'enterrement ou la crémation. Del Carlo vous mettra en rapport avec la personne qui s'en occupe au bureau du coroner.

— Bon Dieu, elle est toujours à la morgue ?

— Oui. Dans une pièce frigorifiée.

Dacy plissa un coin de ses lèvres.

— Déjà, je n'ai pas les moyens de faire revenir le corps ici pour l'enterrer. Même si je le voulais, et ce n'est pas le cas. Qu'ils l'enterrent là-bas.

— C'est à vous de voir. Mais offrez-lui au moins une pierre tombale avec son vrai nom dessus. Elle mérite quand même ça.

— Vous croyez ? Si c'est ce que vous pensez, pourquoi ne lui payez-vous pas la pierre tombale vous-même ?

— Je le ferai peut-être, si vous ne le faites pas.

Elle secoua la tête, les lèvres pincées, et fourra le papier dans sa poche de chemise.

— Bon, si vous avez fini, je vous laisse reprendre la route pour Vegas, ou je ne sais où ; j'ai du boulot qui m'attend.

— Je ne repars pas tout de suite, dit-il.

— Non ?

— Non. D'ailleurs, vous le savez déjà. Vous avez vu John T. après moi hier et il vous a dit que je restais.

— Comment savez-vous que j'ai vu John T. ?

— Le shérif Espinosa. Il est passé me voir ce matin.

— Cette pomme cuite. John T. vous l'a envoyé ?

— On dirait bien, répondit-il. Pomme cuite ?

— Brune en dehors, blanche en dedans.

— C'est ce genre d'homme ?

— Beaucoup de gens le pensent, surtout s'ils ont le teint foncé.

— John T. le contrôle aussi alors ? Comme tout le reste dans cette ville ?

— John T. ne me contrôle pas, ni moi ni les miens.

Elle se tut un instant, puis reprit :

— Ben fait parfois ce qui lui chante. Et John T. pense que vous ne valez pas tripette. Qu'avez-vous dit pour l'énerver comme ça hier soir ?

— Il ne vous l'a pas dit ?

— Non. Il a juste dit que vous êtes un putain de fouteur de merde — ce sont ses mots.

— Et vous êtes de son avis ?

— Non. Je crois que vous êtes sans doute juste un sacré idiot.

— Pourquoi ? Parce que je refuse d'admettre que votre sœur est coupable ?

— Parce que vous allez finir par vous mettre tout le monde à dos, si vous continuez à essayer de prouver le contraire.

Et peut-être même les rendre furax au point de devenir méchants.

— Vous voulez dire qu'ils s'en prendraient à moi?

— C'est ce que ça veut dire, oui.

— Et si j'avais raison, Dacy? Ça ne vous embête pas que je vous appelle Dacy?

— Pourquoi ça m'embêterait? C'est mon nom.

— Si j'avais raison? Si Anna n'était pas coupable?

— Vous vous trompez. Mais si par miracle c'était le cas… j'imagine que ça dépend de jusqu'où vous auriez raison.

— Je ne suis pas sûr de comprendre.

— Sur la personne qui a fait ça. Les gens n'aimaient pas beaucoup Anna; ils se sont très bien faits à l'idée que c'était elle la meurtrière. Mais s'il apparaît que le coupable est un des bons citoyens de Beulah… eh bien, la ville ne va pas vous porter dans son cœur.

— Pourquoi les gens n'aimaient-ils pas Anna?

— Pour la même raison qu'ils ne m'aiment pas, dit Dacy. Les Childress sont toujours restés dans leur coin; dans notre famille, on fait les choses à notre manière. Sans compter que notre paternel était un marchand de chevaux assez roué. Une fois, il a même entubé le père de John T. sur une affaire de terrain, du moins c'est ce que le vieux Bud Roebuck a toujours prétendu. Et quand les Roebuck ne vous aiment pas, personne ne vous aime.

— Dave Roebuck a bien dû aimer Anna.

— Bien sûr. Et John T. l'en a détestée d'autant plus.

— Il s'entendait bien avec son frère?

— Non. Ça n'a jamais été le cas. Et ça a empiré après…

— Après quoi?

Elle hésita un instant, puis soupira et reprit:

— Dave a fait du gringue à la femme de John T. une fois. John T. l'a menacé de la cravache s'il recommençait. Mais n'en tirez pas de conclusion hâtive. Ça s'est passé il y a quatre... non, cinq ans.

— Peut-être que ça s'est reproduit, plus récemment.

— Non, non. Il y avait bien assez de femmes qui cédaient à Dave pour qu'il perde son temps avec celles qui l'envoyaient bouler. À moi aussi il a fait du gringue une fois ; je lui ai dit que je préférerais encore baiser avec un serpent et il ne m'a plus jamais ennuyée.

— Mais Lizbeth n'aurait-elle pas pu changer d'avis et lui courir après ?

— Sûrement pas. Vous ne connaissez pas Lizbeth. Elle a ses défauts — la boisson, déjà — mais elle sait très bien qui la nourrit et l'entretient, et elle ne couche pas à droite à gauche. D'ailleurs, elle n'est pas du tout portée sur la chose. Le sexe, je veux dire. On ne croirait pas à la voir, hein ?

— Comment le savez-vous ?

— John T. a laissé échapper un truc une fois.

— Bon, et lui ? Est-ce qu'il couche à droite à gauche ?

— Si c'est le cas, il est sacrément discret.

— Vous ne l'aimez pas beaucoup, hein.

— Je ne l'aime pas du tout. C'est un manipulateur et un fils de pute de première catégorie. Comme tous les Roebuck passés et présents. Dès qu'ils n'obtiennent pas de vous ce qu'ils veulent, que vous osez leur résister, ils vous le font payer. Parfois, ils vous le font payer même quand vous ne vous opposez pas à eux. Mais pas de manière sanglante, si c'est ce à quoi vous pensez. Le truc de John T., c'est de pousser les gens à la ruine, pas de les tuer. Et la famille compte beaucoup pour lui. Il ne s'entendait pas avec Dave, peut-être même qu'il le haïssait, mais il s'est plus d'une fois battu comme un beau diable pour le protéger.

— Vous avez beaucoup de problèmes avec John T.? demanda Messenger.

— Quelques-uns. De temps en temps.

— Alors pourquoi continuez-vous à vivre ici, aussi près de chez lui?

— En voilà une question stupide, Jim. Pourquoi, à votre avis? C'est ma maison. Où pourrais-je aller sinon?

— Vous pourriez vous bâtir un nouveau foyer.

— Comme Anna?

— Le cas d'Anna était différent, vous le savez bien. Elle ne voulait pas partir; on l'y a forcée.

— Eh bien, je ne veux pas partir non plus. Et personne ne me force à le faire. Je n'ai pas donné à John T. la satisfaction de déménager après ce qui est arrivé avec Anna, et je ne risque pas de le faire maintenant, vous pouvez me croire.

— Il a essayé de vous forcer à partir?

— Il a fait quelques tentatives.

— Quel genre de tentatives?

— Le genre qui n'a pas abouti. Je n'en dirai pas plus à ce sujet. Ce sont nos affaires, à lui et moi, ça ne regarde personne d'autre.

Il acquiesça en silence, puis leva les yeux sur la route qui montait dans les collines jusqu'au point où elle s'évanouissait dans la brume de chaleur.

— La mine est loin d'ici?

— La Bootstrap? Pourquoi?

— Je pensais aller y jeter un coup d'œil.

— Pourquoi donc?

— Sans raison précise. Je veux juste la voir.

— Vous ne trouverez rien qui prouve qu'Anna était là-bas le jour des meurtres.

— Ce n'est pas mon but. C'est loin?

— À peu près deux kilomètres, répondit Dacy avant de désigner du menton sa Subaru et d'ajouter : Mais vous n'arriverez pas jusque là-bas avec ça.

— La route est mauvaise?

— Plutôt, oui. Il faut avoir un 4 × 4 pour se balader dans le coin. Vous devrez laisser votre voiture un bon kilomètre et demi avant la mine, sinon vous risquez de bousiller un essieu.

— C'est possible de faire le reste à pied?

— Bien sûr, si ça ne vous dérange pas de vous taper une montée bien raide sur la plus grande partie. Mais je ne vous le conseillerais pas trop : ces collines sont infestées de serpents à sonnette.

Messenger réfléchit un instant et dit :

— Votre Jeep a quatre roues motrices.

— Et alors?

— Vous accepteriez de me la prêter pour une heure?

— Alors vous, vous ne manquez pas d'air. Non, vous ne pouvez pas l'emprunter. À part Lonnie et moi, personne n'a le droit de conduire cette Jeep.

— Vous m'emmèneriez à la mine?

— Vous emmener? Vous croyez que je n'ai rien de mieux à faire? Ce ranch n'est pas un jeu, j'y travaille.

— Juste aller là-bas, jeter un rapide coup d'œil et revenir. Ça ne prendra pas longtemps.

— Déjà trop longtemps.

— Je vous dédommagerai pour votre temps...

Ce n'était pas une chose à dire. La colère embrasa les yeux de Dacy.

— Mon seul boulot, c'est m'occuper de ce ranch. Je ne suis ni un guide ni un putain de chauffeur.

— Je ne voulais pas me montrer insultant. Je vous le demande comme une faveur.

— Je ne vous dois aucune faveur.

— Non, en effet.

Dacy scruta son visage, comme si elle cherchait à comprendre le fonctionnement des rouages de son cerveau.

— Bon Dieu, finit-elle par lâcher, vous avez les couilles plus enflées qu'un taureau en rut.

Mais sa colère avait disparu — c'était presque un compliment.

— Vous m'emmenez alors ?

— Je ne vois rien qui m'y oblige, mais bon, d'accord. Dix minutes à la mine, pas plus, après je redescends, que vous soyez prêt à partir ou pas.

— Marché conclu.

Il fit le tour de la Jeep et s'assit côté passager. Le vent se mit de nouveau à souffler, une bourrasque si violente qu'il faillit en perdre son chapeau. Du sable pénétra dans ses yeux, sa bouche et ses narines, au point de le faire tousser. Lorsque sa vision s'éclaircit, il vit que Dacy avait penché la tête et baissé le bord de son Stetson ; elle attendit patiemment que le vent se calme. Puis elle démarra la Jeep et s'engagea sur la route en cahotant.

— C'est souvent comme ça par ici ? demanda-t-il.

— Comme ça quoi ?

— Le vent. Il souffle et s'arrête, il souffle et s'arrête.

— Oh, ça. De temps en temps. On s'y habitue.

— C'est assez irritant.

— Vous devriez voir quand ça souffle comme ça pendant

des jours. On a l'impression d'avoir les nerfs qui cuisent sous la peau, comme une patate en robe des champs.

— J'espère ne pas être là quand ça arrivera.

— Il y a de grandes chances que non, en effet, dit-elle avec une pointe d'ironie.

Après quelques lacets, la route bifurquait pour s'enfoncer dans les collines dénudées et montait presque continuellement, hormis quelques cuvettes ici ou là. L'unique signe de vie était un faucon qui tournoyait paresseusement sur les courants ascendants d'air chaud. Rien ne poussait par ici, hormis quelques broussailles éparses d'armoise ; le paysage se limitait à des roches grises brisées, du sable blanchâtre et de la terre brune effritée. Sur les derniers huit cents mètres avant la mine, la route se réduisit à une paire d'ornières garnies de rocaille si défoncée par endroits que même la Jeep avait du mal à avancer. Dacy était une bonne conductrice ; elle se débrouilla pour éviter la plupart des creux les plus profonds et des rocs les plus saillants. Mais le parcours secouait quand même drôlement.

La piste se poursuivit sur le flanc d'une des plus hautes collines, bordée d'un côté par un précipice abrupt. De là, Messenger eut une vue dégagée sur le désert. On apercevait au loin la partie sud de Beulah, ainsi qu'un ensemble de constructions qui, supposa-t-il, devait être le ranch de John T. Roebuck. Dacy le lui confirma.

Lorsqu'ils redescendirent de l'autre côté de la colline, il aperçut pour la première fois la mine abandonnée. Il n'en restait pas grand-chose. Jadis devaient se dresser là trois bâtiments de bonne taille ; pour deux d'entre eux, on ne voyait plus qu'un fatras de planches écroulées et des morceaux de plaques de métal rouillées. Le troisième, grand comme un garage à deux places, tenait toujours debout mais penchait de quelques degrés et paraissait sur le point de partager le même sort que ses voisins. Au-delà des bâtiments, sur un autre coteau couleur de cendre, on voyait un long monticule tassé de déchets de minerai, ainsi que l'entrée du tunnel de la mine.

Dacy se rangea près de l'unique bâtiment encore debout. Non loin, un panneau métallique, criblé de balles comme tous les panneaux dans cette région, semblait-il, pendait entre deux grands poteaux en bois : MINE DE BOOTSTRAP. En dessous, un second panneau plus récent, mais tout aussi mal-traité, sans doute posé par le BGT, avertissait : BÂTIMENTS ET MINE DANGEREUX. RISQUES D'EFFONDREMENT.

— Eh bien voilà, dit Dacy. Y a pas grand-chose, hein.

— Non, pas grand-chose.

Un endroit désolé, pensa-t-il. Un refuge d'ermite au milieu de nulle part. Seul le bruit du vent, qui soufflait avec plus de constance ici, brisait le silence. En fait, non… il percevait une diversité de sons. Des pulsations et des sifflements, des gémissements assourdis et de longs soupirs bruyants. Des plaintes aussi, sonores et mélancoliques. La musique du vent, presque jazz : une sorte de blues naturel, langoureux, sugges-tif et atonal, riche de toutes sortes d'improvisations ardentes et si chargé en émotion qu'il avait l'impression d'écouter un cri de souffrance qui confinait à l'humain.

— Anna venait souvent ici ? demanda-t-il.

— Assez souvent.

— Ça ne me surprend pas. C'est le genre d'endroit que j'associe à elle.

— Un berceau de solitude, dit Dacy.

Il tourna les yeux vers elle ; elle regardait fixement par le pare-brise, l'esprit occupé par des pensées dont il était exclu. Il descendit de la Jeep et marcha vers l'entrée de la mine, gravissant la colline jonchée de rocs brisés. Avant d'y être arrivé, il entendit Dacy le suivre. L'ouverture était aménagée d'une étroite structure en bois, une sorte d'appentis pour la protéger des glissements de terrain au-dessus; le bois de charpente affaissé qui supportait l'appentis et l'entrée du tunnel était blanchi par le temps. Ce qu'il pouvait voir du sol à l'intérieur était dégagé, hormis les traînées de sable et les débris apportés par le vent. Une odeur de moisissure chaude s'exhalait des entrailles de la terre.

— Mieux vaut ne pas s'y aventurer, dit Dacy en arrivant derrière lui.

— Je n'en avais pas l'intention.

— Le tunnel principal a été creusé dans la roche; pour l'essentiel, il est solide, mais les tranches, c'est une autre histoire. Il y en a déjà deux ou trois qui se sont effondrées. Vous savez ce que c'est, les tranches?

— Des sortes de gradins pour accéder aux veines.

— Exact. Vous vous intéressez aux mines?

— Je lis beaucoup. Lonnie m'a dit qu'Anna ne trouvait presque jamais d'or là-dedans. Elle ne venait pas vraiment ici pour prospecter, je me trompe?

— Non. Elle venait se cacher.

— De qui? De son mari?

— Chaque fois qu'ils se disputaient, c'est-à-dire sacrément souvent, la dernière année, elle filait aussitôt ici. Mais Dave n'est qu'une partie de ce qu'elle essayait de fuir.

— Vous voulez dire qu'elle cherchait à se fuir elle-même, dit Messenger.

— Seulement, c'est impossible. Pour elle comme pour

n'importe qui. C'est pour ça qu'elle s'est enfuie à San Francisco. Et c'est pour ça qu'elle s'est suicidée.

— Elle venait toujours seule ?

— Il lui est arrivé d'amener Tess. Mais c'était rare.

— Et pourquoi est-elle venue ici le jour des meurtres ?

— Si elle était bien là.

— Mais comment a-t-elle justifié sa présence ?

— Encore une engueulade avec Dave, selon elle.

— Une engueulade ? À quel sujet ?

— La rengaine habituelle. Ses maîtresses, le fait que c'était un bon à rien.

— Quelque chose a bien dû déclencher la dispute.

— Il avait découché toute la nuit, dit Dacy, il n'était rentré que sur les onze heures du matin. Il avait bu — il était encore à moitié saoul, d'après elle.

— Où avait-il passé la nuit ?

— Il n'avait pas voulu lui dire. Mais il était chez une de ses maîtresses, à coup sûr.

— Vous avez parlé d'engueulade. Ça se limitait à de la violence verbale, des coups de gueule de part et d'autre ? Ou est-ce que leurs disputes devenaient physiques ?

— Il lui arrivait parfois de la gifler.

— Rien de plus grave que ça ?

— Pas d'os cassés, non, si c'est ce que vous voulez savoir.

— L'a-t-il frappée ce jour-là ?

— En tout cas, elle ne portait pas de marques visibles.

— S'il était à moitié saoul, peut-être violent, pourquoi a-t-elle laissé Tess seule avec lui ?

— Il ne s'en est jamais pris à Tess. Et puis, comme je vous l'ai dit, c'est ce que faisait toujours Anna quand les choses dégénéraient. Elle s'enfuyait et venait se réfugier ici.

164

— Il n'y avait personne d'autre au ranch quand elle est partie. Ils n'attendaient pas de visite ?

— Non.

— Lonnie m'a dit que vous étiez tous les deux absents ce jour-là.

— C'est juste. J'avais dû aller à Tonopah et lui était au lycée.

— Il n'avait pas de raison de passer au ranch d'Anna ? En rentrant du lycée, je veux dire.

— Non, aucune raison. Pourquoi ?

— Je me demandais, c'est tout. Comment s'entendait-il avec son oncle ?

— Pas mieux que moi. Où voulez-vous en venir ?

— Je pose juste des questions.

— Oui, eh bien, vous en posez sacrément trop, rétorqua Dacy. Lonnie n'était pas chez Anna et il n'en sait pas plus sur ce qui s'est passé ce jour-là. Si c'était le cas, il l'aurait dit.

— Dacy, je ne cherche pas à…

— Vos dix minutes sont écoulées. Je m'en vais.

Elle redescendit la colline à grandes enjambées, et il dut presser l'allure pour la suivre. Il n'avait pas fini de boucler sa ceinture qu'elle faisait déjà vrombir le moteur de la Jeep.

— Je crois que je vous dois encore des excuses, dit-il.

— Vous ne me devez rien.

Elle débraya et effectua un demi-tour en arc de cercle avec la Jeep en soulevant un tourbillon de poussière.

— Je ne voudrais pas que vous soyez en colère contre moi, c'est tout.

— En quoi ça vous concerne, ce que je peux ressentir à votre sujet ?

— Je ne sais pas, dit-il. Mais ça m'importe.

165

La colère couvait encore dans les yeux de Dacy. Elle se tut, et ne prononça pas un mot pendant les dix minutes du trajet de retour jusqu'à sa voiture. Néanmoins, à l'arrivée, elle n'avait plus l'air fâchée; son expression s'était adoucie et le regard qu'elle lui adressa lorsqu'il descendit de la Jeep était neutre.

— Et vous avez prévu quoi après? demanda-t-elle.

— Rien de spécial. Je vais rentrer en ville et tuer le temps jusqu'à quatre heures.

— Il y a quoi, à quatre heures?

— J'ai rendez-vous avec Lynette Carey.

Dacy haussa un sourcil étonné.

— Heureux homme.

— Pas ce genre de rendez-vous.

— Avec Lynette, c'est presque toujours ce genre de rendez-vous.

Elle l'étudia un instant avant d'ajouter:

— Je peux vous donner un petit conseil, Jim?

— Décidément, depuis que j'ai mis les pieds à Beulah, les gens n'arrêtent pas de me donner des conseils.

— Pas ce genre-là.

— Allez-y.

— Changez de ceinture, dit-elle.

— ... Quoi?

— Celle que vous portez ne va pas du tout avec ces Levi's. Il vous en faut une bien large, avec une grosse boucle. Pas trop grosse, quand même, et pas trop tape-à-l'œil, précisa-t-elle avec un petit sourire moqueur. Si vous avez décidé de vous habiller dans le style western, mon gars, faites-le correctement.

Le pick-up Ford Ranger, dont la carrosserie vert sale luisait faiblement sous le soleil cuivré, était garé en travers de la route, bloquant le passage, juste à l'ouest de l'entrée du ranch de John T. Roebuck. Deux hommes étaient assis à l'intérieur ; ils sortirent, d'une démarche presque nonchalante, à l'approche de Messenger. *Ils m'attendaient*, pensa-t-il. *Avec ce satané sable, rien de plus facile.*

Même au cas où il aurait été tenté d'essayer, il n'avait pas la place de contourner le pick-up ; des deux côtés de la route, le sol était mou et friable, aussi impraticable qu'une plage de sable. Il ralentit, en observant les hommes adossés à la portière du conducteur, tous deux bras croisés, la semelle d'une botte appuyée contre le métal brûlant. Ils se ressemblaient comme deux gouttes d'eau : minces, le visage buriné par le grand air, vêtus de chapeaux de cow-boy inclinés sur le côté, de jeans usés, de bottes éraflées et crottées. De loin, la seule différence visible entre eux était que l'un était un peu plus grand et arborait une moustache tombante de bandit de la même teinte fauve que le désert environnant. Dans le pick-up, un fusil à canon long avec viseur télescopique dépassait de manière ostentatoire.

Normalement, il aurait dû se sentir au moins anxieux ; or il était parfaitement calme. *Curieux.* S'il avait connu une situation similaire en ville une semaine auparavant, qu'il s'était retrouvé sur le point de se faire coincer par deux types à l'air coriace, il en aurait sans doute pissé dans son froc. Mais ici, à cet instant, alors même qu'il était sur leur territoire, il se sentait leur égal dans la confrontation. Ce sens du courage lui avait peut-être été insufflé par ses pensées du matin sur la prise de risques. Quant à savoir jusqu'où ces risques le mèneraient, cela dépendrait autant de lui que des deux cow-boys.

Il respira lentement et profondément, deux ou trois fois. Puis il serra le frein à main, coupa le moteur et s'extirpa du siège en cuir collant — avec des gestes calmes et déterminés, comme un homme, un vrai. Il resta quelques instants debout, à les jauger du regard, avant de fermer la portière et d'avancer vers eux.

— Monsieur Jim Messenger, dit le moustachu avant de cracher dans le sable à quelques centimètres du pied droit de Messenger. Il n'a pas l'air bien impressionnant, hein, Tom?

— Sûr que non, approuva l'autre, qui semblait un peu plus âgé, autour de la quarantaine — la légère barbe sur ses joues était parsemée de poils gris. Il n'a pas l'air de valoir tout ce ramdam.

— À ton avis, il craquera facilement?

— Sûr. On n'aura même pas à se fatiguer.

— Et toi, mon gars, t'en dis quoi? fit le moustachu en s'adressant à Messenger. Tu penses aussi que tu seras facile à faire craquer?

— Pas si facile que vous croyez.

— Bon sang, Tom, mais c'est qu'il aurait du cran, après tout.

— Peut-être qu'il faudrait justement le faire baisser, de quelques crans.

— Tom Spears, c'est ça? dit Messenger. Et vous devez être Joe Hanratty.

Quelque peu désarçonnés, les deux cow-boys échangèrent un regard.

— Putain, comment tu sais ça? demanda le moustachu, Hanratty.

— Un coup de chance.

Ce fut au tour de Spears de cracher. Le crachat macula

168

le bout d'une des bottes de randonnée de Messenger ; il ne bougea pas le pied.

— Il fait trop chaud pour jouer aux devinettes, dit-il d'un ton égal. Pourquoi vous ne me dites pas ce que vous êtes venus me dire, qu'on en finisse ?

Ils se consultèrent à nouveau du regard. Sa manière de se comporter les mettait visiblement mal à l'aise. Ils avaient cru pouvoir l'intimider, mais, à présent qu'il ne s'était pas laissé faire, ils ne savaient plus trop comment procéder.

Hanratty était le meneur ; il se décida le premier. Il s'écarta du pick-up, s'approcha de Messenger au point que son visage n'était qu'à quelques centimètres du sien, et posa un index calleux sur son torse. Messenger resta immobile et ne broncha pas, excepté qu'il se mit à respirer par la bouche. L'haleine aigre d'Hanratty empestait la cigarette et la bière.

— Je n'apprécie pas du tout que tu tournes autour de ma sœur, pigé ?

— Je ne lui tourne pas autour. Je lui ai juste parlé quand elle m'a servi le petit déjeuner ce matin.

— Non, ce n'est pas tout. Tu lui as filé rencard cet après-midi à quatre heures.

— Elle vous l'a dit ?

— Pas besoin. Rien de ce que tu fais à Beulah ne reste secret plus de cinq minutes, l'étranger.

— Je sais. Mais je ne cherche pas à cacher quoi que ce soit. À personne, y compris vous et votre ami.

— Je veux que tu arrêtes de tourner autour de Lynette.

— Je lui ai proposé de lui offrir une bière, c'est tout.

— Ouais. Et t'attends quoi en retour ?

— Pas ce que vous croyez. Je n'ai pas d'intérêt sentimental pour votre sœur.

— Et pourquoi ça? dit Spears. Elle n'est pas assez bien pour toi?

— Je veux juste parler avec elle, c'est tout, dit Messenger.

— Parler de Dave Roebuck, dit sèchement Hanratty. Elle n'a rien à raconter sur ce sac à merde.

— Elle le voyait. Elle a rompu avec lui peu de temps avant qu'il se fasse tuer.

— Et alors?

— J'aimerais savoir pourquoi.

— C'est pas tes oignons.

— Il a dû se passer quelque chose, non? Vous vous êtes battu avec Roebuck à ce sujet.

— Putain d'étranger — c'est pas tes oignons, j'ai dit! Il est mort, et bon débarras. Anna nous a tous fait une faveur en lui explosant la tête.

— A-t-il levé la main sur Lynette, Joe?

La question lui valut une autre poussée d'index sur le torse, suffisamment forte cette fois pour que Messenger se crispe.

— Ce sont mes potes qui m'appellent Joe. Pour toi, c'est monsieur Hanratty. Tu poses encore des questions sur Roebuck, je te botte le cul. Tu embêtes Lynette, je te botte le cul jusqu'au sang. Tu continues à fourrer ton nez là où tu ne devrais pas, je te défonce la gueule. Tu comprends ce que je dis?

— Je comprends.

— Tu comprends que c'est très sérieux?

Je comprends surtout que tu as quelque chose à cacher, toi aussi.

— Alors? Tu cherches ce genre d'ennuis, étranger?

— Pas particulièrement.

— Pas particulièrement, qu'il dit. Pas particulièrement.

170

— Il n'a pas tant de cran que ça, finalement, dit Spears. Heureusement pour lui.

— Ouais, heureusement, renchérit Hanratty.

Il fusilla Messenger des yeux, puis lâcha :

— N'oublie surtout pas ce qu'on t'a dit.

Il tourna les talons et rejoignit le pick-up en passant du côté passager.

Spears sourit et envoya un autre crachat sur la botte de Messenger. Ce dernier restant de marbre, le sourire s'effaça et Spears se glissa au volant en claquant la portière. Le démarreur grinça, l'embrayage craqua ; le pick-up rechigna puis démarra brutalement, en projetant du sable, et tourna pour passer le portail du ranch de John T.

Messenger avait gardé les mains serrées contre ses hanches ; il les leva, ouvrit ses paumes. Elles ne tremblaient pas. Pas le moindre tressaillement.

Épreuve réussie. Finalement, sa première prise de risques n'avait pas été si périlleuse.

13

Il venait juste de sortir de la boutique de vêtements western sur la grand-rue, portant sa nouvelle ceinture large avec sa boucle du Nevada oblongue — rien de trop gros, ni de trop tape-à-l'œil — lorsqu'il aperçut Maria Hoxie. Elle manœuvrait pour garer le break Jeep qu'il avait vu sous le garage attenant au presbytère. Lorsqu'elle en descendit et marcha vers l'ouest sans se presser, il traversa la rue en diagonale pour tenter de l'intercepter. Avant qu'il l'ait rejointe, elle pénétra dans un des magasins qui bordaient la rue, une pharmacie.

Il la suivit à l'intérieur. C'était un drugstore à l'ancienne, le genre à posséder une fontaine à soda contre un mur — l'un des derniers de son espèce menacée, une espèce condamnée à l'extinction aussi sûrement que le grand pingouin ou le rêve américain. Maria était la seule cliente ; elle était allée au rayon des cosmétiques et examinait un flacon de produit couleur de boue. Elle semblait assez fatiguée, le visage tiré, les tempes moites et sa chevelure noire décoiffée par le vent. Préoccupée aussi. Elle se mordillait la lèvre inférieure.

— Bonjour, Maria. Vous vous souvenez de moi ?

Il n'avait pas eu l'intention de la surprendre, pas plus ce jour-là que le mardi précédent au cimetière ; mais elle réagit

172

de la même manière, toujours sur la défensive — elle se retourna brusquement en tenant le flacon comme si elle s'apprêtait à le lancer. Même lorsqu'elle le reconnut, il lui fallut quelques secondes pour se détendre.

— Oh, c'est vous, dit-elle. Le Messager.

Elle se mordilla de nouveau la lèvre et lui lança un regard sombre, presque accusateur.

— Que me voulez-vous?

— Rien de spécial. Je voulais juste vous dire bonjour.

— Vous savez, vous auriez pu vous confier à moi.

— Me confier? Je ne…

— L'autre jour. Je vous en aurais dit autant que mon père.

— Eh bien, vous aviez l'air occupée et j'ai…

— Cette pauvre femme. Vous pensez que ce qu'elle s'est fait me laisse indifférente?

— Anna Roebuck?

— Un suicide. Que Dieu lui pardonne.

— Presque tous les gens à qui j'ai parlé se sont réjouis de sa mort, dit Messenger. Vous ne ressentez pas la même chose?

— Non. Il n'y a pas lieu de se réjouir de la mort de quelqu'un, qui que ce soit.

— Mais vous la croyez quand même coupable, même si vous ne la haïssez pas?

— Seul Dieu sait qui est coupable et qui est innocent, répondit Maria. Je ne hais personne. J'ai été élevée dans l'amour, non dans la haine.

— Aimiez-vous Dave Roebuck?

Elle se mâchouilla la lèvre et passa la main dans ses cheveux ébouriffés.

— Non, je ne l'aimais pas.

— Pourtant, vous étiez proches, tous les deux?

173

— Proches? Non. Il était…

— Quoi, Maria, il était quoi?

— Mauvais, dit-elle. Il était le fruit de Satan, pas de Dieu.

— Pourquoi dites-vous ça?

— Il faisait du mal aux gens. À tous ceux qu'il touchait.

— Vous a-t-il fait du mal?

— Tous ceux qu'il touchait, répéta-t-elle, avant de conclure: Je dois y aller maintenant.

Elle lui tourna le dos et partit. Elle était déjà à la porte lorsqu'elle se rendit compte qu'elle tenait toujours le flacon de cosmétiques à la main. Elle hésita, décontenancée; commença à faire demi-tour, changea d'avis, posa le flacon sur un présentoir de vaisselle en plastique, et enfin se précipita dehors presque au pas de course, comme si elle craignait que Messenger décide de se lancer à sa poursuite.

Étrange personne, se dit-il. Étrange, ce mélange confus d'enfant et de femme, ce côté terre à terre et pieux à la fois. Séduite par Dave Roebuck, sans doute, et lorsqu'il l'avait plaquée elle avait dû se retrouver déchirée entre deux sentiments contradictoires: *J'ai été élevée dans l'amour, non dans la haine.* Cela dit, si sa fureur contre Roebuck avait été suffisamment forte, et que des émotions primitives avaient pris le dessus dans son conflit intérieur, elle aurait pu aller jusqu'à ignorer l'interdit biblique, *Tu ne tueras point.* Mais la petite fille, Tess? Non, il ne voyait pas du tout Maria commettre une atrocité pareille.

Ses spéculations finissaient toujours par le ramener à la mort de Tess Roebuck. C'était le cœur de l'énigme et la clé de sa résolution. Comment quelqu'un avait-il pu défoncer le crâne d'une enfant de huit ans avec un roc? Pourquoi ce

174

quelqu'un avait-il changé les vêtements d'une fillette morte avant de jeter le cadavre dans un puits?

Le Saddle Bar ressemblait exactement à ce qu'il avait imaginé. Une décoration western qui faisait la part belle aux selles, brides et autres équipements de sellerie. Des tables de billard et de snooker. De la musique country qui s'échappait d'un juke-box. Il ne manquait plus qu'un taureau de rodéo électronique pour compléter le tableau. Ou plutôt non; c'était un jouet pour les cow-boys des villes; les vrais cow-boys montaient de vrais taureaux, s'ils ressentaient le besoin de prouver leur virilité.

Il s'assit dans un box près de la porte et sirota lentement une bière, en faisant mine d'ignorer les regards et les messes basses du barman et de la demi-douzaine d'autres clients. La personne qui avait programmé le juke-box aimait visiblement Reba McIntyre; sa voix et sa musique l'atteignaient par vagues stridentes et atonales. Il eut une soudaine envie d'écouter du Miles Davis. Il y avait beaucoup de choses qu'il appréciait dans ce désert et cette région, mais ses bars typiques n'en faisaient pas partie.

Il était là depuis un quart d'heure lorsque Lynette Carey fit son apparition, seule. Son arrivée le surprit un peu, à vrai dire. Il n'avait pas vraiment cru qu'elle viendrait au rendez-vous, surtout après la tentative d'intimidation de son frère et de Tom Spears. Mais c'était une femme indépendante; elle se fichait sincèrement de ce que pouvait penser quiconque à Beulah sur ce qu'elle devait faire ou pas.

Elle se glissa en face de lui dans le box, le visage aussi tiré et l'air aussi fatigué que Maria Hoxie.

— Ouf, dit-elle, quelle journée. J'ai les jambes aussi

175

lourdes que si mon cul pesait trois tonnes. Où est ce demi d'Heineken qui devait m'attendre?

— Je vais le commander. Je n'étais pas sûr que vous viendriez.

— Je vous avais dit que je viendrais.

Il alla au bar commander la bière. Le gros barman et les clients le toisaient ouvertement à présent, avec une hostilité manifeste de la part du barman; il plaqua le verre de bière plein sur le comptoir, suffisamment fort pour que la mousse déborde. Messenger lui sourit, tout en pensant: *Moi aussi je t'emmerde, mon pote.*

Lynette but avidement une longue gorgée de bière, fit «Ah!» et s'essuya la bouche du revers de la main. Puis elle demanda:

— Pourquoi vous avez cru que je ne viendrais pas?

— Au cas où vous ne l'auriez pas remarqué, je suis une sorte de paria dans cette ville. Comme l'était aussi Anna Roebuck.

— Paria? C'est quoi, ça?

— Un étranger. Quelqu'un que tout le monde déteste.

— Vous n'êtes pas si mauvais, dit-elle. J'aime les gars qui agissent, même si ce qu'ils font n'est pas très populaire. La plupart de ceux que je connais se contentent de rester assis sur leur gros cul comme des légumes.

— Votre frère ne m'aime pas; enfin il n'aime pas ce que je fais.

— Joe? Qu'a-t-il à voir avec vous?

— Vous ne lui avez pas parlé aujourd'hui?

— Non. Pourquoi?

— Il a appris que nous avions ce rendez-vous ensemble,

dit Messenger. Sans doute par quelqu'un qui était au café ce matin. Il m'a conseillé de me tenir à distance de vous.

— Oh, vraiment? Où l'avez-vous vu?

Il le lui expliqua, brièvement.

Elle reprit une gorgée de bière. De fines rides de colère encadraient à présent sa bouche.

— Je lui ai déjà dit mille fois, dit-elle. De se mêler de ses affaires, pas des miennes. Mais rien à faire, il n'écoute pas. Joe est têtu comme une mule. Et cette grande tige de Spears est encore pire. Ils ont fait quoi, ils ont joué les gros bras?

— Ils ont essayé. Joe a promis de me botter le cul si je vous embêtais encore.

— Oh, quel gros dur. Ils vous ont fichu la frousse?

— Un peu, admit Messenger. D'après ce que j'ai entendu, Joe est un bagarreur. Et il voit vite rouge dès que ça vous concerne.

— Ouais, on l'a déjà vu partir au quart de tour.

— Comme avec Dave Roebuck?

Un ange passa. Elle rompit le silence en disant sur un ton méfiant:

— Ouais, comme ça.

— Pour quelle raison a-t-il sauté à la gorge de Roebuck? Au moment de leur bagarre au Hardrock Tavern, vous aviez déjà rompu avec lui.

— Et alors?

— Alors pourquoi Joe serait-il intervenu pour vous protéger? Pourquoi pas avant, quand vous le voyiez encore?

Lynette ne répondit pas.

Messenger insista:

— À moins qu'ils ne se soient déjà battus avant?

— Non.

— Alors pourquoi cette bagarre au Hardrock?

— Pourquoi vous me le demandez à moi? Vous n'aviez qu'à poser la question à Joe.

— Je l'ai fait. Il n'a pas voulu me répondre.

— Eh bien, je ne vous répondrai pas non plus.

— Pourquoi tout ce mystère, Lynette?

— Il y a des choses dont on ne parle pas, c'est tout. Pas même aux amis, et encore moins aux étrangers.

— Qu'a-t-il pu se passer de si terrible?

— Plein de choses. Elles arrivent à Beulah, aussi bien que dans les grandes villes comme San Francisco. On préfère croire que non, mais elles arrivent.

— C'est la raison pour laquelle vous avez rompu avec Dave Roebuck?

— Tout juste.

— Quelque chose qu'il vous a fait?

— Je le répète : je ne vous dirai rien. Ne me posez plus de questions.

— Mais à cause de ça vous l'avez haï. Vous et votre frère.

— Je n'ai pas versé de larme quand j'ai appris qu'il était mort, ça c'est sûr. Si Anna ne lui avait pas fait sauter la cervelle...

— Quoi, Lynette? C'est vous qui l'auriez tué?

— Non. Je serais incapable de tuer quelqu'un.

— Et Joe? Il en serait capable, lui, n'est-ce pas?

— Où voulez-vous en venir? Vous croyez que c'est Joe qui l'a tué, lui et cette pauvre gamine?

— Je n'ai pas dit ça.

— On dirait pourtant que vous le pensez.

— Non. Je lançais juste des hypothèses.

— Eh bien, lancez celle-ci à la poubelle. Joe aurait pu

farcir de plomb cet enfoiré de Dave, c'est sûr, mais il ne ferait jamais de mal à un enfant. Il adore les gosses.

— Anna aimait les enfants, elle aussi.

— Bien sûr. Elle aimait même tellement sa fille qu'elle lui a écrabouillé le crâne à coups de pierre avant de la balancer dans un puits.

Lynette finit sa bière et plaqua son verre vide sur la table, comme le barman un peu plus tôt.

— Vous savez quoi ? Je comprends maintenant pourquoi les gens ne vous aiment pas, Jim. Vous êtes aussi irritant qu'une teigne sous une selle, avec vos foutues questions.

— Disons plutôt têtu comme une mule, comme votre frère.

— Eh bien, continuez, et il va vraiment vous botter le cul. Vous n'êtes pas de taille contre lui. Ni contre Spears.

— Je sais.

— Alors pourquoi vous obstiner à vous cogner la tête contre un mur ? Vous êtes un de ces tordus qui aiment souffrir ?

— Ce que j'aime, c'est avoir quelque chose en quoi croire. Tout ce que je cherche, c'est la vérité.

— La vérité, dit-elle. Merde, la vérité.

— Que voulez-vous dire ?

— Ce que je veux dire, c'est qu'on aurait pu être bons amis, Jim. Vraiment bons amis. Mais vous venez juste de tout foutre en l'air. Un type avec vos idées délirantes, c'est un type qui va se faire casser la tête, ou tout comme. Et un type avec la tête défoncée, ça ne peut rien m'apporter de bon.

— Désolé que vous preniez les choses de cette façon. En ce moment, j'aurais bien besoin d'amis.

Lynette haussa les épaules et entreprit de se glisser hors du box. Messenger posa une main sur son bras.

— Restez un peu. Prenez au moins une autre bière avec moi.

— Une, c'est ma limite, dit-elle en repoussant sa main. Et puis je dois aller récupérer mon gosse chez la baby-sitter. Au revoir, Jim. J'aurais aimé pouvoir dire que c'était sympa.

Elle sortit du box.

— On se reverra, alors, dit Messenger.

— De loin, seulement, si vous avez un peu de jugeote.

Elle tira sur sa jupe de serveuse pour la descendre sur ses cuisses et se dirigea vers la porte. Un des types au bar fit une remarque, et les autres s'esclaffèrent bruyamment. Lynette se retourna juste le temps de dire, d'une voix cinglante pleine de dignité :

— Remontez vos frocs, les gars.

Puis elle sortit.

Le téléphone sonna cinq minutes après qu'il fut rentré dans la chambre du High Desert Lodge. Il était dans la salle de bains, en train d'asperger d'eau froide son visage poisseux de sueur. Il attrapa une serviette avant d'aller répondre.

À l'autre bout du fil, une voix masculine rugueuse lui demanda :

— C'est Jim Messenger ?

— Oui. Qui est-ce ?

— Je m'appelle Mackey, Herb Mackey. Vous savez qui je suis ?

— Non. Je devrais ?

— Ben, je sais pas. Je m'occupe d'une affaire à quelques kilomètres au sud de la ville. Les Roches et Minéraux Mackey.

— Que puis-je faire pour vous, monsieur Mackey ?

— Ce serait plutôt ce que moi, je peux faire pour vous.

— Que voulez-vous dire ?

— Vous posez des questions en ville sur le meurtre des Roebuck, non ? Vous ne croyez pas qu'Anna Roebuck est coupable.

— Oui ?

— Eh bien, j'ai quelque chose, là, que vous devriez voir. Quelque chose que vous devriez entendre, aussi.

Messenger s'assit au bord du lit.

— Quelque chose qui pourrait prouver l'innocence d'Anna Roebuck ?

— Il vaudrait mieux que vous veniez voir par vous-même.

— Si vous détenez une preuve, vous devriez l'apporter au shérif...

— Non. C'est vous ou personne.

— Donnez-moi un indice de ce que vous avez.

— Vous devez le voir. À moins que vous ne soyez pas intéressé.

— Je n'ai pas dit ça.

— Je ne devrais même pas vous parler, dit Mackey. Je n'en ai jamais dit un mot à personne, et y a pas de raison que ça change.

— Mais si vous pensez...

— Je ne pense pas, monsieur. C'est pas mon fort. Bon, vous venez ou pas ?

— Je viens. Où êtes-vous exactement ?

— À environ dix kilomètres au sud, en sortant de l'autoroute. Prenez la route secondaire à l'ouest. Vous verrez un panneau au croisement : Roches et Minéraux Mackey. Venez dans trois quarts d'heure. Je dois partir chercher ce que je veux vous montrer.

181

— Trois quarts d'heure, répéta Messenger. J'y serai. Et merci, Mackey. Merci beaucoup.

La faim le fit sortir de sa chambre presque immédiatement. Il n'avait pas eu d'appétit jusqu'au coup de fil de Mackey ; à présent, il était affamé. L'excitation soudaine produisait cet effet sur lui : elle le rendait avide de nourriture tout autant que de ce qu'il anticipait. Il n'aurait pas le temps de s'installer pour prendre un repas, mais il avait remarqué une enseigne de fast-food dans un petit centre commercial près du lycée ; il pourrait manger un hamburger et des frites dans la voiture.

Pourtant, il n'allait pas se rendre au fast-food, ni satisfaire sa faim. Alors qu'il ouvrait la portière de la Subaru, un break poussiéreux d'allure familiale quitta l'autoroute, tourna dans le parking du motel et se gara en brinquebalant non loin de lui. Il vit en émerger la silhouette de demi-portion rachitique du révérend Hoxie.

— Vous vous en alliez, monsieur Messenger ? Je suis content de vous trouver. Pouvez-vous me consacrer quelques minutes ?

— Eh bien, j'ai un quart d'heure devant moi, pas plus, répondit Messenger à contrecœur.

— Un quart d'heure suffira amplement.

Ce soir-là, le petit sourire d'Hoxie paraissait hésitant, de pure façade. Il dissimulait à peine le genre de nervosité qu'une personne ressent lorsqu'elle s'apprête à formuler une requête épineuse ou déplaisante.

— Dans votre chambre, on sera plus tranquille ?

Messenger acquiesça et le guida à l'intérieur. Hoxie parcourut la chambre du regard, puis s'assit précautionneusement sur le bord de la seule chaise de la pièce. Messenger n'avait plus comme options que s'asseoir sur le lit ou s'adosser contre la penderie; il choisit la seconde position.

— Que puis-je faire pour vous, révérend?

— Eh bien…, fit Hoxie qui s'éclaircit la gorge. J'ai su que vous aviez eu des mots avec ma fille cet après-midi.

— Nous avons un peu parlé, oui.

— Assez longtemps pour lui poser des questions embarrassantes.

— Embarrassantes?

— Vous avez laissé entendre qu'elle… qu'il s'était passé quelque chose entre elle et Dave Roebuck.

— Elle vous a dit ça?

— Elle était bouleversée, et je lui ai demandé de me dire pourquoi. Nous pensions tous les deux que ces viles rumeurs étaient mortes et enterrées, et voilà que vous les déterrez de nouveau.

— Donc vous étiez au courant de cette supposée relation?

— Oh oui, fit Hoxie avec amertume, depuis le début. Plusieurs membres de ma paroisse ont jugé opportun de me rapporter ces rumeurs. Il n'y a pas une once de vérité là-dedans.

D'un geste absent, il se passa une main sur le crâne pour aplanir le croisillon de ses cheveux gris.

— Maria est une bonne fille, dans le sens le plus pur du terme. De toutes les créatures de Dieu, la plus proche d'un ange. Elle n'aurait jamais permis qu'un homme comme Dave Roebuck puisse la souiller.

— Alors d'où sont parties ces rumeurs?

— Je n'en ai aucune idée. Mais comment se propagent toutes les fausses rumeurs? C'est une petite ville, monsieur Messenger, une communauté fermée. Les gens voient et entendent toutes sortes de choses susceptibles d'être mal interprétées. Et tout le monde ne s'entend pas bien avec ses voisins. Même un membre du clergé peut être la cible de la mesquinerie.

— Des ennemis, révérend ?

— Je m'en suis fait quelques-uns au cours de ma vie, Dieu m'est témoin.

— Qui à Beulah, par exemple ?

— Je me refuse à alimenter d'autres rumeurs.

— Je ne lance pas de rumeurs, dit Messenger, je ne les propage pas non plus. J'ai posé quelques questions à votre fille, rien de plus. Je ne l'ai accusée de rien.

— Mais de quel droit posez-vous des questions ? Vous ne faites pas partie de cette communauté. Vous n'avez aucun but à poursuivre ici, à part servir de catalyseur, rouvrir de vieilles plaies.

— Vous êtes libre de le penser. Je ne vais pas argumenter avec vous.

— Combien de temps avez-vous l'intention de rester ?

— Jusqu'à ce que je sois disposé à partir.

Hoxie se leva.

— Alors je vous demanderai — non, j'exigerai de vous — de ne plus ennuyer Maria. De ne plus lui parler du tout.

— D'accord. Mais à une condition.

— Laquelle ?

— Les rumeurs sur elle et Dave Roebuck sont totalement mensongères…

— C'est le cas.

— … et elle n'a rien à voir avec les meurtres.

Hoxie rougit ; sa proéminente pomme d'Adam monta et redescendit le long de sa gorge comme une balle dans un tube pneumatique.

184

— Osez-vous suggérer qu'elle serait impliquée d'une manière ou d'une autre?

— Je ne suggère rien.

— Dieu vous vienne en aide, si c'est le cas, dit Hoxie. Dieu vous vienne en aide si vous faites quoi que ce soit, n'importe quoi, qui puisse blesser ma fille ou lui faire honte.

Ce n'était pas une menace en l'air. Le visage du petit homme était implacable. Il en pensait vraiment chaque mot.

14

Le compteur de la Subaru venait d'afficher 9,5 kilomètres parcourus au sud de la ville lorsqu'il vit la pancarte :

ROCHES ET MINÉRAUX
MACKEY

Il y avait une troisième ligne de lettres noires, mais une bande de toile d'emballage avait été clouée par-dessus. Sans doute une attraction ou un service que Mackey ne proposait plus aux touristes et aux automobilistes de passage.

Messenger tourna pour s'engager sur une autre de ces pistes non bitumées qui passaient pour des routes ici. Devant, à une centaine de mètres de l'autoroute, un groupe de bâtiments de bois érodés occupait la bordure d'un ravin, abrupt mais peu profond. Une rangée de tamaris blanchis et rabougris poussait à l'intérieur du ravin, dont les branches, exposées au soleil de l'ouest, avaient pris une couleur d'ambre liquide. La même teinte adoucissait la plaine parsemée de brous-sailles qui s'étendait au-delà, sauf aux endroits où des tertres rocailleux et des yuccas projetaient leurs longues ombres dis-tordues — des ombres d'un noir indigo profond. Le ciel dans cette direction commençait tout juste à se parer des couleurs du crépuscule au-dessus des lointaines montagnes : orange brûlé et rouge cayenne.

Lorsqu'il approcha des bâtiments, il en distingua trois : un mobile-home dont les rideaux de calicot étaient tirés aux fenêtres, une stalle de six mètres carrés avec ce qui se révéla être une série d'éventaires en bois sur la façade, et un enclos cerné de palissades bizarrement hautes, ouvert sur le ciel, flanqué d'un petit appentis couvert qui avait été cloué sur la paroi la plus proche. La stalle renfermait sans doute la collection de roches et de minéraux de Mackey. Quant à l'enclos barricadé, Messenger n'avait aucune idée de sa fonction.

Il se gara près du mobile-home. Un silence total l'accueillit lorsqu'il sortit de la voiture ; le vent capricieux qui soufflait plus tôt dans la journée était complètement retombé. Il monta la pente et frappa à la porte. Il n'y eut pas de réponse, aucun bruit venant de l'intérieur. Il appela : « Monsieur Mackey ? » et frappa de nouveau. Toujours rien.

Un pick-up blanc sale pointait le bout de son capot derrière le mobile-home. Il alla voir à l'arrière. La carrosserie et le plateau du véhicule étaient tout aussi sales, et une de ses antennes radio avait été arrachée. Il n'y avait personne dedans, mais, à travers le capot, il sentit la chaleur du moteur. Mackey devait être quelque part dans le coin.

Il fit le tour du mobile-home en direction de la stalle de bois. Les éventaires le long de la façade étaient tous vides. Sur la porte il vit deux pancartes faites à la main, dans une écriture bien moins soignée que la grande au croisement de l'autoroute. L'une listait les prix des roches et minéraux que vendait Mackey : pépites d'or, pyrite, grenat, agate, mica, quartz. L'autre pancarte indiquait FERMÉ.

Messenger reprit sa marche jusqu'à l'enclos. Il lui parut plus grand que la stalle, dans les dix mètres carrés ; les palissades tout autour s'élevaient à trois bons mètres de hauteur, constituées de planches bien ajustées, sans aucune ouverture. Mais l'appentis était ouvert, au moins ; en s'approchant, il vit que la porte en était entrebâillée. Herb Mackey devait être là-dedans.

Il y avait une autre pancarte sur la porte de l'appentis — non, une demi-pancarte. On en avait arraché la partie supérieure. Sur la moitié restante, on lisait :

ADULTES — 2 $

ENFANTS — 1 $

ENFANTS DE MOINS DE 6 ANS — GRATUIT

Il jeta un coup d'œil dans l'entrée sombre et poussiéreuse.

— Monsieur Mackey ?

Seul le son de sa voix lui revint en écho. Il ouvrit la porte en grand et pénétra à l'intérieur.

À sa gauche se trouvait un petit comptoir nu ; mis à part cela, cette partie de l'enclos était vide. Deux portes avaient été ménagées sur une paroi au fond, l'une derrière le comptoir et l'autre trois mètres plus loin. La porte à l'arrière du comptoir, comme la porte d'entrée, était entrebâillée. L'autre était fermée. Fronçant les sourcils, Messenger fit le tour du comptoir. Les gonds de la porte grincèrent lorsqu'il força pour l'ouvrir. Au-delà, il vit qu'il y avait en fait deux parois : un couloir étroit comme un tunnel les séparait. Cependant une autre porte entrouverte lui permit d'apercevoir ce qui se trouvait derrière la palissade intérieure — une sorte de grand espace jonché de rochers. Les rayons du soleil couchant teintaient les roches, les faisant briller d'un étrange éclat, comme si elles étaient radioactives.

— Monsieur Mackey ?

Et cette fois il y eut une réponse, des mots qui semblaient provenir de quelque part au-dessus de sa tête.

— Je suis là. Entrez donc.

Il atteignit l'autre porte en trois pas. Celle-ci s'ouvrait vers l'extérieur ; il la tira vers lui, avança et stoppa net. Qu'est-ce que c'était que ça ? Il se tenait au bord d'une fosse peu profonde, qui descendait depuis la base des quatre palissades intérieures vers un gros amas de rochers au fond. La pente était raide, mais pas escarpée au point de ne pouvoir monter ou descendre en restant debout. Au-dessus de lui, la palissade de l'enclos intérieur s'arrêtait moins d'un mètre en dessous de l'enclos extérieur ; entre les deux, on avait aménagé tout autour une étroite passerelle équipée d'un rail de sûreté à hauteur de taille. Lors de ce premier coup d'œil rapide, il remarqua autre chose : un grillage de fil électrique d'un quart de pouce, fixé au bas des planches, haut d'une soixantaine de centimètres, courait tout au long de l'enclos.

Soudain un mouvement capta son attention, sur la passerelle juste au-dessus de sa tête. *Mackey.* Il se pencha et tendit le cou pour regarder.

Il y eut un léger bruit dans le couloir derrière lui. Instinctivement, il recula et tourna la tête. Il eut juste le temps d'apercevoir une silhouette du coin de l'œil — et reçut un choc violent sur la tempe droite, comme un coup de marteau. Dans un éclair de douleur, sa vision se brouilla. Il sentit ses jambes le lâcher, tenta de s'agripper à la porte ou la palissade. Un second coup, cette fois une brutale poussée juste au-dessus des reins, lui fit perdre l'équilibre — l'instant d'après, il tombait.

Il heurta le sol, sur le ventre et le côté droit, et la rudesse de l'impact lui coupa le souffle. Il continua à rouler au bas de la pente, s'écorchant les paumes et les avant-bras. Il se cogna l'épaule contre un rocher, qui ralentit sa dégringolade. Lorsqu'il s'immobilisa enfin au milieu d'une petite avalanche de cailloux et de terre, il resta allongé, pantelant, désorienté, l'esprit plongé dans la confusion. Le seul de ses sens qui semblait encore fonctionner était l'ouïe. Il entendit distinctement la porte se fermer en claquant et une course de pas précipités sur le plancher. Une voix cria quelque chose, des mots inintelligibles. Il y eut d'autres sons, moins clairs, étouffés. Puis ce fut le silence, hormis le bruit rauque de sa propre respiration.

Il resta allongé là quelques instants, puis se retrouva à genoux, sans avoir l'impression de s'être redressé. Il ouvrit les yeux, mais sa vision était encore floue ; il ne vit que des ombres et des formes vacillantes, comme s'il regardait à travers une eau boueuse. Il cligna des yeux, encore et encore, et les ombres se muèrent en un mur de ténèbres. La panique s'empara de lui. Mais sa cécité ne dura que quelques secondes. Il y eut une sorte de flash derrière ses yeux et soudain il put de nouveau voir, même si les roches, les palissades de planches et la passerelle semblaient auréolées d'un vague halo.

Il baissa les yeux sur la terre meuble où il était agenouillé, en s'efforçant de focaliser son attention sur de petits objets — des cailloux, un bout de bois. Ils se mirent à se brouiller, et la panique le saisit à nouveau avant qu'il se rende compte qu'il pleurait. Du revers de la main, il s'essuya les yeux. Les cailloux et le bout de bois avaient toujours cet aspect flou, mais leurs halos s'atténuaient à présent.

D'un seul coup, la douleur se rappela à lui. Un lancinement du côté droit de sa tête, au-dessus de l'oreille. Une sensation de brûlure le long de ses bras et de ses paumes. Il leva les mains devant lui et les examina. Des écorchures, du sang. Il palpa l'endroit enflé au-dessus de son oreille, retira aussitôt la main à son contact, puis regarda ses doigts. Encore du sang.

Frappé et poussé par-derrière. Deux hommes, un sur la passerelle et l'autre planqué dehors. Un piège.

Pourquoi ?

Un sifflement sec.

Il perçut le son, très faiblement d'abord, puis plus distinctement. Ce son ne lui était pas familier. Il scruta les alentours pour en identifier la source, mais ne parvint pas à la localiser. C'était proche pourtant... d'où cela venait-il donc ?

Quelque chose remua — un glissement léger.

Quelque chose fit un bruit de crécelle.

Aussitôt qu'il entendit ce bruit, il sut ce que c'était. Pris de panique, il lutta pour ramener un pied sous lui, mais il n'avait pas assez de force pour se redresser. Ses gestes et ses pensées étaient engourdis, réagissant à la terreur avec une lenteur cauchemardesque. Agenouillé là, il s'efforça de reprendre le contrôle de ses mouvements, toujours pantelant, mais ne réussit qu'à bouger la tête, son regard toujours brouillé pivotant de droite à gauche, de haut en bas. Où était-il ? Où... ?

Là. Tout près. Sur un rocher à moins d'un mètre.

Un énorme diamantin.

Bon Dieu !

L'épais corps cylindrique enroulé sur lui-même, la queue qui vibrionnait, la gueule projetée en avant, la langue rouge sang qui jaillissait. Et les yeux...

Messenger lutta de plus belle pour se lever, en vain. Il était paralysé. Les yeux du serpent étaient d'une noirceur diabolique, hypnotiques. Le motif en losanges marbré sur son corps frémissait en luisant — la mort brillant dans le crépuscule. Il ne put fixer les yeux du reptile plus longtemps ; il regarda le corps écailleux remuer en sinuant, changer de position, le cou se tortiller pour former un long S, sous sa tête dressée, la partie inférieure formant un large cercle. Il se préparait à attaquer, il allait attaquer !

Une poussée d'adrénaline, une sorte de secousse dans sa tête : sa vision redevint soudain claire. Une seconde plus tard, la paralysie disparut. Et comme si son corps était frère de celui du serpent, tapi sur lui-même, il se redressa d'un coup. Debout, chancelant, il tenta de garder l'équilibre.

Son pied dérapa dans la terre meuble. Au lieu d'être projeté en arrière, il tituba et se rétablit en se rapprochant du serpent.

Qui, lui aussi, se détendit.

La tête du reptile fusa en un éclair, comme un javelot ; Messenger n'eut même pas le temps de se crisper. Il eut l'impression qu'on lui lançait un gros caillou sur la cheville. Sa jambe le lâcha ; il tomba lourdement sur les fesses et, les yeux écarquillés de terreur, vit les crocs du diamantin fichés tout en haut d'une de ses bottes de randonnée, et le reptile se tortiller pour tenter de se dégager.

Un cri s'échappa de la gorge de Messenger. Il donna des coups de pied frénétiques sur l'horrible tête aplatie du serpent, sur sa gueule grande ouverte, encore et encore, jusqu'à ce qu'il arrive enfin à le détacher, ou le serpent à se libérer. Le reptile tomba avec un *floc* et rampa aussitôt hors d'atteinte, se lovant déjà en boucles serrées en vue de la contre-attaque. À quatre pattes, frénétiquement, Messenger se carapata le long de la pente, soulevant une pluie de cailloux et de terre poussiéreuse, hanté par l'image du serpent à ses trousses, ses crocs découverts dégoulinant de venin. Il ne cessa de fuir ou de craindre une seconde attaque qu'en se rendant compte qu'il était arrivé tout en haut, du côté opposé de la fosse. À ce moment-là seulement, assis par terre, il se retourna pour voir à quelle distance se trouvait le serpent.

Il était loin. Il était resté là où il l'avait laissé, lové sur lui-même, sifflant et sonnant de plus belle.

Un immense soulagement envahit Messenger, qui ne dura pas plus de deux ou trois battements de cœur. Sa cheville! Déportant son poids sur sa hanche gauche, il souleva son pied droit afin d'examiner la botte. Les crocs avaient troué le cuir, en laissant un fin sillon de venin blanchâtre. Avaient-ils pénétré assez profondément pour percer sa peau? Il ne sentait aucune douleur… s'il s'était fait mordre, il aurait dû avoir mal, non? L'envie instinctive de retirer sa botte et la chaussette en dessous, d'examiner et de palper sa peau pour s'en assurer, le traversa. Une autre crainte et un instinct encore plus fort l'en dissuadèrent.

Combien d'autres serpents se dissimulaient-ils dans ces rochers?

Fous le camp d'ici!

Il réussit à se remettre debout. Sa tête lui faisait mal, là où on l'avait frappé, mais il avait retrouvé son équilibre et tous ses sens semblaient fonctionner plus ou moins normalement. Seule sa respiration restait erratique, sifflante. Il scruta le sol alentour, les rochers, le reste de l'enclos, la passerelle au-dessus. Apparemment, il était seul, hormis le diamantin. Une porte fermée — sans doute y avait-il un escalier à l'extérieur de l'enclos — donnait accès à la passerelle. En bas, la seule ouverture dans l'enclos intérieur était la porte ouvrant sur le couloir, désormais close, juste en face de là où il se trouvait.

À présent, il savait à quoi servait cet endroit. Ce que c'était et pourquoi on l'avait attiré ici avant de le pousser dans la fosse. Et sous la couche de peur commençait à poindre en lui une colère froide.

Il regarda de nouveau le diamantin. Le serpent était toujours lové, sifflait faiblement et goûtait l'air de sa langue au bout noir, mais il semblait ne plus sonner. Les poumons comprimés de Messenger le brûlaient ; il prit plusieurs légères inspirations rapides pour éviter l'hyperventilation. Puis il monta au sommet de la pente, presque jusqu'au grillage qui recouvrait le bas des palissades, et entreprit de faire le tour de l'enclos pour rejoindre la porte d'en face.

Les rocs qui jonchaient la pente étaient plus petits que ceux du nid plus bas dans la fosse. Certains formaient des amas, qu'il évita prudemment. Il vit autre chose sur le sol à six mètres environ de la porte, à moitié dissimulé dans la terre poussiéreuse — une longue perche à l'éclat métallique, à peu près de la taille d'une canne à pêche, avec un nœud coulant à une extrémité et une corde qui reliait la boucle à la poignée. Un appareil pour attraper les serpents. Il marcha dessus et fit encore deux pas avant qu'un mouvement capte son attention, au pied de la palissade juste devant lui.

Il se figea. Un autre serpent était tapi dans l'ombre, entre le grillage et un bloc de calcaire du même brun moucheté que son corps — ce pourquoi il ne l'avait vu qu'au dernier moment. Une espèce différente : plus petit, un corps plus fin, aux motifs moins identifiables, avec des excroissances au-dessus des yeux, comme des bourgeons de cornes. Un crotale cornu ? Quelle que soit son espèce, il paraissait tout aussi mortel que le diamantin.

Le serpent entrait déjà en action, se dressait en s'enroulant. Messenger entendit le son perçant comme un jet de vapeur, puis le carillon de sa sonnette. Sa première pensée fut de le contourner en descendant la pente puis de remonter de l'autre côté vers la porte. Mais il devrait alors s'aventurer de nouveau à proximité du diamantin. La peur le rendit hésitant, le clouant sur place jusqu'à ce que l'attrapeur de serpent lui revienne à l'esprit.

Il recula à pas lents, précautionneux. Le crotale cornu s'était lové à présent, la langue saillante ; ses yeux avaient des pupilles verticales, deux fentes d'une noirceur maléfique. Messenger continua de reculer jusqu'à ce que son talon heurte la perche avec un raclement métallique. La tête foncée du serpent se tourna vers le bruit. Messenger se baissa, sans détacher son regard du serpent, ramassa la perche et la brandit devant lui tout en se redressant.

La corde qui reliait le nœud coulant à la poignée était tout effilochée. Aucune importance ; il était trop inexpérimenté pour s'essayer à capturer un crotale venimeux dans les règles de l'art. Le maintenir à distance, c'était plutôt l'idée. Tenter de le contourner en douceur et, s'il attaquait, faire en sorte qu'il s'attaque au nœud coulant plutôt qu'à lui.

Il se remit à avancer en tenant la perche à bout de bras, le battement de sa pression sanguine résonnant si fort dans ses oreilles qu'il en couvrait le bruit de sa respiration. Il progressait à petits pas chassés. Le serpent les fixait, lui ou la boucle, il n'aurait su dire. La sueur qui coulait de son front brouilla sa vision ; il cligna rapidement des yeux, en gardant les deux mains sur la perche pour qu'elle reste droite. Encore un peu plus loin…

En glissant, son pied délogea un roc, qui dégringola avec fracas au bas de la pente. Il avait les nerfs à vif, aussi effilochés que la corde de l'attrapeur de serpent ; ses mains sursautèrent involontairement, envoyant le nœud coulant se balancer une quinzaine de centimètres plus près du crotale — assez près pour provoquer sa réaction.

L'affreuse tête cornue ricocha sur la boucle, puis sur le bout de la perche, l'arrachant presque des mains de Messenger. Le serpent retomba, se tortilla et commença à se réenrouler sur lui-même. D'un geste frénétique, Messenger lui donna un coup de perche, le loupa, donna un autre coup et réussit à accrocher le bas du corps écailleux, le projetant un peu plus bas sur la pente. Le crotale se rétablit aussitôt, siffla et parut — aux yeux d'un Messenger à bout de nerfs — se tourner vers lui comme s'il se préparait à réattaquer. Messenger lui jeta la perche dessus et, le contournant, remonta d'un pas mal assuré vers la porte.

Il n'y avait ni poignée ni loquet de ce côté-ci. Il donna un grand coup d'épaule contre le bois massif, sentit le choc en retour se propager dans toute la partie supérieure de son corps — mais la porte n'avait pas bougé. Il redonna un coup, sans qu'elle cède un pouce. Les salauds avaient dû la barricader de l'autre côté…

Il tourna la tête. Le crotale s'était rapproché de lui, la tête toujours dressée ; à la lueur déclinante du soleil couchant, ses cornes noueuses lui donnaient un air satanique. Cédant du terrain, Messenger recula dans l'ombre jusqu'au bord de la palissade.

La passerelle, se dit-il, *l'autre porte là-haut.*

196

Il s'écarta de la palissade, revint dans la lumière pâle. La porte du haut se trouvait juste au-dessus de l'endroit où l'attendait le crotale, mais Messenger était à côté d'un des piliers de bois verticaux soutenant la passerelle. Le rail et le plancher n'étaient qu'à une cinquantaine de centimètres au-dessus de sa tête. Il baissa les yeux sur la base du pilier, au bas de la palissade, les remonta jusqu'en haut ; puis il fit quelques pas en arrière, s'élança et bondit.

Il parvint à s'agripper des deux mains au pilier, qui craqua un peu sous son poids — c'était du vieux bois sec, criblé de clous rouillés — mais ne céda pas tandis que ses bottes grattaient le bois, cherchant une prise. Il en trouva une, s'y appuya pour se hisser — et son pied dérapa, ses mains lâchèrent prise en même temps et il retomba en glissant, son genou heurtant la terre meuble. Il se releva aussitôt, sans détacher les yeux du pilier, uniquement concentré sur son évasion.

Il sauta de nouveau dessus, s'y agrippa des deux mains. Ses pieds trouvèrent une prise plus solide cette fois ; il y enfonça ses bottes, se hissa des bras et des épaules, malgré la douleur lancinante dans ses muscles et dans son crâne. Il posa une main, puis passa un genou au-dessus du bord, glissa, se retint, et se hissa enfin en haut ; il rampa sous le rail et s'allongea sur le plancher rugueux — il était arrivé sur la passerelle.

Il resta allongé plusieurs secondes, plusieurs minutes, le temps que son cœur arrête de battre la chamade. En refluant, la peur le laissa avec les membres inertes et l'esprit engourdi. Il se mit à quatre pattes et se releva en s'aidant du rail de sûreté. Debout, son regard portait au-dessus du mur d'enceinte. Sur l'autoroute, il vit passer un semi-remorque qui roulait en direction de Beulah. Au-delà, le crépuscule recouvrait progressivement le désert de ses ombres couleur prune, tachant d'un noir d'encre les creux et les gorges des collines. Effet de la distorsion du temps : il avait l'impression d'être resté coincé dans la fosse plus d'une heure, alors que cela n'avait pas dû durer plus de dix minutes.

Il se rapprocha du bord de la palissade afin de jeter un coup d'œil en bas, dans la cour d'Herb Mackey. Sa Subaru était toujours là où il l'avait garée ; d'en haut, elle paraissait intacte. Derrière le mobile-home, le pick-up blanc sale avait disparu.

Les jambes flageolantes, s'appuyant sur le rail de sûreté, Messenger se dirigea vers la porte de la passerelle. Celle-ci n'était ni verrouillée ni barricadée. Il descendit une petite volée de marches qui l'amena dans l'appentis. Lorsqu'il rejoignit sa voiture, il ouvrit la portière côté conducteur et s'assit sur le bord du siège sans entrer dans l'habitacle. Les doigts malhabiles, il délaça sa botte droite, se déchaussa. Il vit des petites taches de venin sur sa chaussette ; il enleva la chaussette. Au niveau de sa cheville, juste au-dessus de l'astragale, il y avait deux petites marques rouge pâle, sensibles au toucher. Il retint son souffle, appuya dessus, puis laissa échapper un léger soupir. La peau était intacte.

Il se pencha dans l'habitacle pour ajuster le miroir afin d'examiner le côté droit de sa tête. Là, il avait saigné, mais l'entaille n'était ni longue ni profonde. Le sang, moucheté de terre, sur la plaie et les cheveux alentour était déjà en train de coaguler. Ses blessures n'étaient pas si graves, en fin de compte. Son angoisse avait surtout été mentale.

Il venait de passer une nouvelle épreuve — de justesse. Cette fois, le risque qu'il avait pris aurait pu être fatal, aussi piquant que les crocs du diamantin.

198

À présent, le soleil s'était couché, l'obscurité finissait de tomber. Il resta assis là, affaissé, les coudes posés sur les cuisses, à attendre de recouvrer assez de force pour réenfiler sa chaussette et sa botte, puis reprendre la route.

15

Le shérif Espinosa le regarda comme s'il était soit ivre, soit dément.

— C'est l'histoire la plus abracadabrante que j'ai entendue depuis des années, dit-il.

— Tout est vrai, du début à la fin.

— Herb Mackey est mort il y a un mois. Crise cardiaque. La première chose qu'on a faite, c'est liquider ses serpents, et depuis son affaire est restée fermée.

— Je n'avais aucun moyen de le savoir, dit Messenger. J'ai cru l'homme qui m'a appelé ; pourquoi en aurais-je douté ? Et je vous l'ai dit, ils ont recouvert le bas de la pancarte sur l'autoroute — les mots *Ferme de serpents* et la mention *Fermé* collée dessus. J'ai arraché la toile avant de partir.

— Ça ne tient toujours pas debout.

— Regardez-moi. Vous croyez que je me suis tapé moi-même sur la tête ? Que je me suis écorché les bras et les jambes, que j'ai déchiré et sali mes vêtements ? Tout ça juste pour venir ici et déposer une fausse plainte ?

— À mon avis, dit Espinosa, vous vous êtes bagarré. Vous avez été fourrer votre nez là où il fallait pas.

Sa tête lui faisait encore mal et la colère qui bouillonnait en lui était tout près d'éclater à la surface. Il ravala une réplique cinglante et la remplaça par :

— Allez voir chez Mackey alors. Ces deux serpents sont encore dans la fosse, avec Dieu sait combien d'autres.

— Et ça prouverait quoi ? Ils auraient pu s'introduire là-dedans tout seuls. Les diamantins et les crotales, ça pullule dans cette région.

— Alors vous n'allez rien faire.

Espinosa s'adossa dans sa chaise pivotante, en faisant grincer le mécanisme. Les parasites émis par la radio de la police étaient le seul autre son audible dans les bureaux du shérif à l'hôtel de ville. Messenger avait attrapé la « pomme cuite » juste au moment où il s'apprêtait à partir, sa journée de travail achevée ; à présent, il commençait à se dire qu'il avait perdu son temps en venant ici.

— Que voulez-vous que je fasse ? finit par demander Espinosa.

Il avait sorti sa pipe et la remplissait méthodiquement de fin tabac noir.

— Deux hommes, vous dites, mais vous n'avez pu en voir aucun et vous n'avez reconnu ni la voix au téléphone, ni la voix de celui qui vous a parlé chez Mackey. Et j'imagine que vous n'avez pas relevé non plus la plaque d'immatriculation du pick-up ?

— Non. Je n'y ai pas fait très attention. Je pensais que c'était celui de Mackey, qu'il appartenait au propriétaire des lieux.

— Quelle origine ? Quelle marque ?

— Je ne suis pas sûr. De fabrication américaine, je dirais.

— Quelle couleur ? Quelle année ?

— Blanc. Pas vieux, mais pas neuf non plus. Il avait une antenne radio cassée, ça je l'ai remarqué.

— De fabrication américaine, blanc, ni neuf ni vieux. Vous savez combien de pick-up répondent à ce signalement dans ce comté, même avec une antenne cassée?

— D'accord, dit Messenger.

— Et puis il y a toujours la raison de tout ça. Pourquoi ces deux hommes se seraient-ils cassé le cul à attraper ou à acheter deux serpents à sonnette, voire plus, à vous attirer là-bas, ensuite à vous bousculer sans se faire voir et à vous enfermer avec les serpents? Il y a quand même des moyens plus faciles de faire comprendre à un type de s'occuper de ses oignons.

— C'était plus qu'un avertissement. Ils se fichaient de savoir si j'allais me faire mordre et crever dans cette fosse.

— Vous n'avez pas été mordu, et d'ailleurs il y avait peu de chances, sauf si vous étiez tombé pile sur une de ces bestioles.

Espinosa se tut, le temps d'allumer sa pipe. Il avait l'air d'apprécier le goût du tabac; un petit sourire d'aise se dessina autour du tuyau de la pipe qu'il serrait entre ses dents.

— D'ailleurs, même si vous aviez été mordu, vous auriez sans doute survécu. Peu de gens meurent d'une morsure de crotale, monsieur Messenger. La morsure fatale, c'est un mythe.

— Peut-être, mais il y a quand même des gens qui en meurent. Et ceux qui s'en sortent sont malades à en crever. Je vous le répète, c'était plus qu'un simple avertissement. C'était une tentative de meurtre.

— Pourquoi quelqu'un du coin voudrait votre mort?

— Vous savez bien pourquoi, shérif.

— Que vous remuiez une vieille histoire qu'on ferait mieux d'oublier n'est pas un motif suffisant pour tenter de vous tuer.

— Ça l'est si j'ai raison et qu'une autre personne qu'Anna Roebuck est responsable de ces deux meurtres. Cette personne a peur que je puisse découvrir la vérité.

— Qui ? Vous avez une idée ?

— Tout ce que je sais, c'est que j'ai reçu des avertissements de la part de John T. Roebuck, et de Joe Hanratty et Tom Spears.

Les yeux d'Espinosa brillèrent d'un éclat dur comme du verre.

— Vous dites que John T. pourrait vouloir votre mort ?

— Je ne dis rien. Je vous livre juste des informations pour que vous puissiez faire votre travail.

— L'arrière-grand-père de John T. était un des premiers colons de Beulah. Lui et sa famille sont les meilleurs protecteurs que cette ville a jamais eus. Je connais John T. ; je l'ai connu toute ma vie. Il n'a jamais fait de mal à personne, jamais.

Alors pourquoi sa belle-sœur et Jaime Orozco le détestent-ils tellement ? Pourquoi sa femme est-elle une ivrogne ? Pourquoi m'a-t-il abordé comme Brando jouant le Parrain ?

— Je suppose que Hanratty et Spears sont eux aussi de respectables piliers de la communauté.

— Ce ne sont pas des tueurs.

— Anna Roebuck ne l'était pas non plus.

Espinosa le fixa d'un regard noir de longues secondes. Messenger soutint son regard avec la même intensité, sans ciller.

— Vous savez ce que pense, monsieur Messenger ?

— J'ai une petite idée, oui. Que je ferais mieux d'abandonner ma croisade et de quitter la ville tant que je suis encore en vie.

— Ce n'est pas ce que j'allais dire.

— Vous l'auriez peut-être formulé différemment, mais le message aurait été le même. Un avertissement de plus. Eh bien, j'en ai ma claque des avertissements ; et si vous croyez que je vais rester sans réagir alors qu'on a essayé de me tuer, vous vous fourrez le doigt dans l'œil.

— Qu'est-ce que vous prévoyez de faire ? demanda Espinosa d'un ton ferme.

— Je ne sais pas encore. Mais je peux vous dire ce que je ne vais *pas* faire. Je ne décamperai pas de Beulah la queue entre les jambes, comme beaucoup le voudraient.

— Ça veut dire que vous allez chercher à créer encore plus de problèmes ?

— Ce que je veux dire, shérif, c'est que je resterai là jusqu'à ce que l'un de nous découvre qui a essayé de me tuer ce soir. Et qui a vraiment assassiné Dave et Tess Roebuck.

Assis dans sa voiture, sur le parking de l'hôtel de ville, il prit une cassette de jazz au hasard, la glissa dans l'autoradio et monta le son. Louis Armstrong et ses Hot Five, un combo à l'existence brève mais qui demeurait l'un des meilleurs de tous les temps. En ouverture, le roulement écrasé de Zutty Singleton à la batterie culminait en une série de *rim shots*, secs et rapides, qui posaient le tempo. Puis venait le motif simple et clair tissé par la trompette magique de Louis et le trombone de Fred Robinson, Fatha Hines au piano créant des harmonies en contrepoint, suivi d'une étonnante série de riches progressions harmoniques. La clarinette de Jimmy Strong poussait une plainte qui répondait au piano note pour note, accord pour accord, puis s'évanouissait pour laisser Fatha porter la mélodie douce et chaude. Le jazz des années 1920 de La Nouvelle-Orléans avait le pouvoir de l'apaiser, d'empêcher sa fureur d'exploser de manière incontrôlée.

De toute sa vie, jamais il n'avait été autant en colère. Et pourquoi diable ne le serait-il pas ? Personne n'avait essayé de tuer le placide Jim Messenger auparavant. Mais c'était une colère aveugle, sans direction ni objet. La pomme cuite ne bougerait pas le petit doigt pour retrouver les hommes qui lui avaient tendu un piège chez Mackey ; Messenger devrait se débrouiller seul s'il voulait que justice soit faite. Oui, mais comment ? Il n'était ni un détective ni un héros, juste un comptable hors de son élément, pris d'une compulsion obsessionnelle à l'approche de la quarantaine et plein d'une fureur frustrée. Alors *comment*, bon Dieu ?

La trompette de Louis dominait le morceau à présent, pour un de ses célèbres solos : heurté, puissant, une plainte sourde si sensuelle qu'elle en serrait le cœur. Une brillante introduction à... était-ce « Wild Man Blues » ? Aucun trompettiste n'avait été capable d'improviser comme Armstrong...

Improviser, pensa-t-il. *L'improvisation.*

L'âme du jazz. « L'idée folle d'une personne équilibrée par le juste contrepoids de contrainte et de litote », avait-il lu quelque part. Il existait trois types d'improvisation mélodique : soit le soliste respectait la mélodie, se contentant d'allonger ou de raccourcir certaines notes, d'en répéter d'autres, d'user de variations et de nuances atonales ; soit la mélodie restait identifiable dans l'interprétation du soliste, mais ses phrases étaient sujettes à de légers ajouts ou de légères altérations ; soit le soliste se détachait totalement de la mélodie, en prenant comme point de départ le motif harmonique de l'air plutôt que la mélodie. Ces définitions musicologiques étaient bien générales pour ce qui relevait, en vérité, de l'indéfinissable. Néanmoins, si l'on tentait d'expliquer le concept d'improvisation à quelqu'un qui ne connaissait rien à la musique, on pouvait en donner cette définition succincte plus ou moins juste : l'improvisation, c'est ce qui est audacieux et imprévisible.

Le soliste respecte la mélodie ; le soliste s'écarte de la mélodie. Audacieux et imprévisible, dans les deux cas. Mais aucun soliste ne peut jouer totalement seul. Il doit s'appuyer sur un rythme, une harmonie, une syncope — ce soutien, c'est l'apport des musiciens de pupitre qui peuvent eux aussi se montrer audacieux et imprévisibles.

Vu de cette manière, la même chose ne s'appliquait-elle pas à lui, à sa vie ? Toute sa vie d'adulte, n'avait-il pas été un soliste frustré, jouant sans cesse la même partition, encore et encore, sans le moindre écart ni la moindre assistance, en ligne droite jusqu'à la fin ? La seule « idée folle » qu'il avait jamais eue était celle qui l'avait mené ici, à Beulah.

Et la même chose ne s'appliquait-elle pas à sa situation présente ? Ne l'avait-il pas abordée de la même manière linéaire, dénuée d'inspiration, celle-là même avec laquelle il avait mené sa vie ? Oui, et continuer de la sorte serait inutile ; il n'arriverait à rien sans aide et sans un changement de méthode.

Il avait pris des risques, mis du piquant dans sa vie. Bon sang, il était plus que temps maintenant d'y ajouter un peu d'audace et d'imprévisibilité.

Il se promit que, s'il dormait mal, ou s'il se réveillait avec un sévère mal de crâne, il irait à l'hôpital passer des radios dès le lendemain matin. Il ne fallait pas prendre à la légère les blessures à la tête ; elles pouvaient se révéler graves, même si elles paraissaient superficielles de prime abord. Mais il dormit bien, et se sentit raisonnablement en forme au réveil — juste un vague lancinement au niveau de la tempe et une sensibilité au toucher. Pas de traumatisme crânien, donc. C'était le choc, autant que le coup lui-même, qui l'avait rendu confus et désorienté lors des premières minutes dans la fosse.

Il se rendit en voiture plutôt qu'à pied au Goldtown Café pour le petit déjeuner. Il avait bon appétit — un autre signe positif. Il croisa le regard de Lynette Carey en entrant; elle le salua d'un petit hochement de tête, mais ne lui sourit pas et détourna le regard. Elle évita aussi de le servir, alors même qu'il avait fait exprès de s'asseoir dans la partie du café dont elle s'occupait. Il ne trouverait pas d'aide ici. Il n'avait guère nourri d'espoir de ce côté, pas après la manière désastreuse dont s'était déroulé leur rendez-vous au Saddle Bar.

Il ne lui restait donc plus que deux alliés potentiels. L'un était Jaime Orozco. Messenger était convaincu qu'Orozco ferait tout son possible pour l'aider à blanchir la réputation d'Anna, mais ses moyens d'action étaient limités. L'autre alliée possible, et son meilleur espoir, était Dacy Burgess.

Il irait d'abord parler à Dacy, dès qu'il aurait terminé son petit déjeuner. Il essaierait de la convaincre que le plan qu'il avait concocté la nuit précédente valait la peine de prendre le risque. Si elle acceptait, elle aurait plus à y gagner que lui. Le problème était que, s'il leur revenait en pleine figure, elle aurait aussi plus à y perdre.

16

Lorsque sa voiture pénétra dans la cour du ranch des Burgess, Lonnie et Buster, ce dernier avec force grognements, étaient là pour l'accueillir. Dacy était dans l'étable, l'informa le garçon ; il n'avait pas grand-chose d'autre à lui dire. Et s'il remarqua le bandage au-dessus de l'oreille de Messenger, ses écorchures sur les mains et les avant-bras couvertes de teinture d'iode, il ne posa aucune question.

L'intérieur de l'étable sentait le fumier et la chaleur confinée. Dacy était penchée près de l'arrière-train d'un cheval à la robe rouge cuivré, occupée à appliquer une sorte de substance brune collante sur la patte droite de l'animal, juste au-dessus du sabot. Lorsqu'elle entendit ses pas résonner sur le sol, elle jeta un coup d'œil rapide avant de reprendre sa tâche sur la patte de l'alezan. Elle ne paraissait pas plus surprise de le revoir que Lonnie.

Il l'observa en silence. Elle avait des gestes doux et fermes et, lorsqu'elle murmura des paroles apaisantes au cheval, il remua les oreilles en secouant la tête comme s'il la comprenait. Peut-être était-ce le cas, se dit Messenger. Certaines personnes avaient ce genre de complicité avec les animaux.

Dacy finit par se redresser, reboucha la bouteille de gomme brune, puis fit mine de découvrir sa présence.

— Tiens, tiens, qui voilà…, dit-elle sur un ton un peu ironique, mais sans rancœur. Combien de temps ça fait déjà, Jim ? Vingt-quatre longues heures ?

— J'ai une bonne raison de revenir.

— Comme toujours, non ? Continuez comme ça et les gens vont croire que vous cherchez à vous installer définitivement ici.

— C'est le cas, dit-il, mais pas définitivement.

— Tiens donc, et qu'est-ce que… ?

Elle laissa sa question en suspens, plissa les yeux. L'éclairage dans l'étable était ténu, poussiéreux ; elle venait juste de remarquer le bandage.

— Qu'est-ce qui vous est arrivé ?

— Des ennuis hier soir.

— Quel genre d'ennuis ?

Il lui raconta tout, sans tergiverser. Elle se garda de l'interrompre ou de la moindre réaction. Lorsqu'il en eut fini, elle secoua la tête, mais ce n'était pas de l'incrédulité ; c'était plutôt une expression de dégoût et de colère.

— C'est un très sale coup à faire à quelqu'un, dit-elle. Les diamantins et les crotales cornus sont des serpents sacrément venimeux.

— Pas autant que certaines personnes.

— D'accord avec vous. Qui est derrière ça, à votre avis ?

— Je l'ignore. John T. serait-il capable de jouer un tour pareil ?

— S'il a un motif suffisant.

— Le motif suffisant, dans ce cas, c'est la culpabilité. J'en suis convaincu, Dacy. La seule personne qui avait une raison suffisante de vouloir me blesser ou me tuer, c'est le véritable assassin de la famille d'Anna.

Dacy eut un petit sourire sardonique, mais ne chercha pas à le contredire.

— Deux hommes là-bas chez Mackey. Des hommes de main, vous croyez?

— Soit ça, ou alors le coupable avec un ami. Joe Hanratty et Tom Spears, par exemple.

— Pourquoi eux?

Il lui rapporta ses démêlés avec les deux cow-boys.

— Leur pick-up était un Ford vert. C'est celui de Spears? C'était lui qui conduisait.

— Oui. Mais Joe conduit un Blazer, pas un pick-up blanc avec une antenne cassée. J'aurais aimé vous dire à qui il pourrait appartenir, mais je ne vois pas. Il y a un tas de pick-up blancs dans le comté.

Elle se tut un instant.

— John T., Hanratty, Spears… ce sont tous de grosses brutes. Mais tuer quelqu'un de sang-froid? J'ai du mal à y croire.

— Vous l'avez bien cru pour Anna. Vous le croyez toujours.

Il n'y eut pas de réponse. Dacy sortit une cigarette du paquet calé dans sa poche de chemise, la plaça entre ses lèvres. Elle l'en retira presque aussitôt d'un coup sec, écrasa le papier et le tabac entre ses doigts.

— Putain de clous de cercueil, dit-elle.

— N'importe qui peut craquer, vous le savez aussi bien que moi. Quand on les pousse à bout, on ne sait pas de quoi les gens sont capables.

— C'est aussi valable pour ma sœur.

— Oui, mais justement, ça vaut pour tout le monde.

210

Moi-même, je ne connais pas vraiment mes limites. Vous connaissez les vôtres?

— Jusqu'à un certain point. Après... peut-être pas.

— Dacy, vous n'avez vraiment aucun doute sur la culpabilité d'Anna? Pas même un soupçon?

— Bien sûr, un soupçon. Vous pensez que j'ai envie de croire qu'elle a tué ma nièce? Mais je me suis assez torturé au début, à refuser de l'admettre, et je ne veux pas revivre ça sans une preuve solide. Montrez-moi une preuve, Jim, n'importe laquelle. Alors je me battrai comme une forcenée pour laver son nom.

— Je ne peux pas trouver de preuve sans aide, sans votre aide. Accordez-la-moi et, en échange, je vous aiderai, si vous êtes prête à prendre le risque.

— De quoi parlez-vous? Quel risque?

— Celui de m'avoir ici. De me donner un boulot.

Dacy lui lança le même regard que le shérif Espinosa la veille au soir.

— Un boulot? Pour faire quoi?

— Ce que Jaime Orozco avait l'habitude de faire. Ce que vous voudrez me confier — les corvées, les tâches pénibles, n'importe quoi.

— Je n'ai pas les moyens d'embaucher quelqu'un...

— Vous n'avez pas à me payer, dit Messenger. Je travaillerai pour le gîte et le couvert. Je peux dormir dans le camping-car là-bas; j'en ai assez de ce motel en ville.

— Vous êtes sérieux..., fit-elle, comme si elle n'arrivait pas encore tout à fait à le croire.

— Plus sérieux que jamais.

— Et moi, je suis censée vous aider en quoi?

— Ce n'est pas seulement m'aider — c'est pour vous, et

211

Lonnie aussi, si j'ai raison au sujet d'Anna. Vous connaissez les gens impliqués, vous savez des choses sur eux que je ne pourrais pas découvrir seul. Si on y réfléchit ensemble, il y a une chance qu'on déniche un détail, un angle qui aurait été négligé. C'est une possibilité. Une autre, c'est que mon installation ici poussera peut-être le vrai meurtrier à réagir.

— À réagir comment?

— Ça va forcément le secouer, parce qu'il s'apercevra qu'on ne peut pas m'intimider, que je suis déterminé à rester ici et à continuer à chercher la vérité. S'il est suffisamment inquiet, il pourrait faire une erreur, tenter un acte désespéré.

— Comme essayer de vous tuer, c'est ça? Vous voulez devenir une cible.

— Pas tout à fait. Je ne me laisserai pas attirer dans un autre piège, et je serai constamment sur mes gardes.

— C'est ça, oui.

Puis elle ajouta:

— Mais il ne vous arrivera rien tant que vous resterez sur mes terres. Personne n'oserait venir vous chercher des noises ici.

— Vous en êtes sûre? Ma seule réserve, c'est que mon installation ici puisse vous mettre en danger, vous et Lonnie.

— Merde, ne vous inquiétez pas pour ça. Je sais prendre soin de moi et de mon fils. Vous avez vu comment je me débrouille avec un fusil, Jim. Et Lonnie est encore meilleur tireur que moi.

Son regard se fit méditatif.

— Vous croyez vraiment que ça vous amènera ce que vous cherchez — prouver que quelqu'un d'autre a tué Dave et Tess? Je veux dire, le prouver pour de bon.

— Je pense que c'est le seul moyen pour l'un comme

pour l'autre d'avoir une chance de le prouver. Tout ce que je demande, c'est qu'on me laisse dix jours. C'est ce qui me reste de vacances. Si rien ne se produit d'ici là, je rentrerai à San Francisco et vous n'entendrez plus jamais parler de moi.

— Dix jours, hein? Vous avez déjà travaillé dans un ranch?

— Non, mais je fais ce qu'on me demande et j'apprends vite.

— Vous connaissez quelque chose au bétail? Aux chevaux?

— Les chevaux, un peu. J'ai fait de l'équitation quand j'étais gosse.

— Quand vous êtes entré dans l'étable, je faisais quoi à Red?

— Je ne sais pas. Vous lui faisiez quoi?

— Je lui appliquais un baume cicatrisant. Il a une coupure sur le boulet droit.

Elle soupira, tendit la main d'un air préoccupé pour caresser le flanc de l'alezan.

— Dieu sait qu'il y a une tonne de boulot à faire ici, dit-elle enfin. Et pour l'essentiel, c'est un boulot qui ne demande pas de qualification. Mais ce sont des travaux pénibles, et salissants. Ça vous gêne?

— Non.

— Vous ferez ce qu'on vous dit, sans râler?

— Sans râler.

— Je vais devoir en parler à Lonnie. Il a son mot à dire, autant que moi.

— Bien sûr.

— OK. Pendant que je lui parle, sortez Red de l'étable et conduisez-le dans le corral. Vous saurez faire ça? Et enlevez-lui son licou avant de le lâcher.

— Je m'en occupe. Et, Dacy... merci.

— Ne me remerciez pas tout de suite, dit-elle. Quand vous aurez fini, attendez devant le corral.

L'alezan ne lui posa aucune difficulté. L'animal le suivit à pas lents, mais assez docilement, resta tranquille le temps qu'il ouvre la barrière du corral et qu'il détache son licou, puis s'éloigna en trottant pour rejoindre les deux autres chevaux. Messenger rapporta le licou à l'étable et le suspendit. Puis il ressortit pour attendre.

Dacy ne s'était absentée qu'une dizaine de minutes. Lorsqu'elle réapparut, Lonnie l'accompagnait. Elle demanda de but en blanc :

— Vous voulez commencer quand ?

— N'importe quand, dit Messenger. Maintenant.

— Vous n'avez pas de choses à faire ailleurs, avant de commencer ?

— Non. Je suis engagé ?

— Vous êtes engagé. Temporairement, de toute façon. Lonnie, emmène-le à la grange et montre-lui où on met les pelles et les balais.

Il passa le reste de la matinée et une partie de l'heure de midi à nettoyer la grange et l'étable. Il travailla dans la chaleur et la saleté — à pelleter le fumier, balayer les stalles et les sols, enfourcher un foin si sec que l'air se brouillait à chaque ballot déplacé. Au début, la chaleur et l'effort lui flanquèrent un sérieux mal de crâne et il sentit poindre une légère nausée sous son diaphragme. Mais la douleur et l'inconfort étaient de vieilles connaissances depuis l'époque où il pratiquait la course d'endurance ; il avait appris jadis comment s'en servir, comment canaliser les sensations négatives et les transformer en énergie positive — un vieux truc qu'adoptent tous les coureurs de fond en l'adaptant à leur cas. Lorsqu'il l'eut appliqué à sa corvée de nettoyage, il commença à se sentir mieux, plus résistant. Au moment où Lonnie vint l'appeler pour déjeuner, il avait presque terminé et ressentait même un peu de cette ivresse de l'effort que lui procurait le marathon.

Le déjeuner se composait de tacos et d'un bol d'épaisse soupe de haricots ; il dévora sa part.

Dacy commenta d'un air approbateur :

— On dirait que le travail physique vous réussit plutôt bien, Jim.

— Disons que ça ne m'a jamais rebuté.

— On verra où vous en serez dans deux ou trois jours.

— Vous avez l'intention de me faire bosser comme une mule ?

— Pourquoi pas ? lui répondit-elle avec un sourire en coin. Vous êtes assez costaud, et assez buté, aucun doute là-dessus.

Une fois terminé son travail dans l'étable, elle l'envoya creuser une nouvelle tranchée d'irrigation pour le potager. Et lorsqu'il eut accompli cette tâche, elle lui demanda de donner un coup de main à Lonnie pour réparer la pale cassée du moulin à vent. Il se dit qu'il aurait peut-être l'opportunité de sortir un peu le garçon de sa réserve, de se faire une idée plus précise de ce que Lonnie savait et cachait — une des raisons pour lesquelles il avait voulu travailler ici. Mais l'occasion ne se présenta pas. La plate-forme était trop étroite pour accueillir deux personnes à la fois ; son rôle consistait à rester en dessous, à aller chercher le matériel dont Lonnie avait besoin et à lui passer les objets à l'aide d'une corde.

La journée de travail s'acheva à 17 heures. Messenger était ankylosé, ses muscles endoloris ; sur ses mains, des ampoules s'étaient ajoutées aux écorchures de la veille, mais sa migraine avait disparu et il était moins exténué que prévu. En lui-même, il se sentait bien — vivifié par l'impression d'avoir effectué quelque chose d'utile, et d'accomplir enfin des progrès. Il se lava à la pompe près du puits, et se séchait les mains avec une serviette grossière lorsque Lonnie le rejoignit.

— M'man m'envoie vous dire qu'elle a mis des draps avec une couverture et d'autres trucs dans le camping-car. Et de laisser la porte et les fenêtres ouvertes pour l'aérer.

Messenger acquiesça.

— Lonnie, avant que tu partes... merci d'avoir accepté que je reste ici.

— Pas de problème. Vous travaillez gratuitement et on a besoin d'aide.

— Mais tu penses toujours que j'ai tort. Au sujet de ta tante.

— Ouais, et plutôt deux fois qu'une. C'était elle. Rien de ce que vous ferez ou direz ne changera ça.

— Si tu as une raison d'en être si sûr, alors dis-la-moi. Convaincs-moi.

— Il n'y a pas de raison. Je le sais, c'est tout.

— Ta mère t'a raconté ce qui m'est arrivé hier soir ? demanda Messenger.

— Elle m'a dit. Qui que soient ces deux gars, ils essayaient juste de vous faire peur.

— C'est une manière plutôt dangereuse d'effrayer quelqu'un. J'aurais pu être mordu par un serpent et mourir.

— Ouais, bon, ça n'a pas été le cas.

— Un pick-up blanc avec une antenne cassée, Lonnie. Tu en as déjà aperçu un comme ça en ville ?

— Une ou deux fois, possible.

— Une idée du propriétaire ?

— Personne qu'on connaît, en tout cas.

Messenger alla jeter un coup d'œil dans le camping-car. L'intérieur était d'une seule pièce, avec un drap suspendu pour séparer un coin chambre à coucher (un lit pliant à roulettes recouvert d'un matelas bosselé) de la partie séjour (un vieux fauteuil, une chaise droite). La «cuisine» se composait d'un réchaud à propane avec deux brûleurs et d'un mini-réfrigérateur. Un lavabo, une cabine de douche si étroite qu'il était impossible de se retourner dedans et des toilettes chimiques enserrées entre des cloisons métalliques complétaient l'aménagement. Un logement vraiment spartiate — qui devait se transformer en étuve pendant la journée et les nuits chaudes. Mais il n'avait jamais été esclave du confort. Le camping-car ferait l'affaire pour le temps qu'il passerait ici.

Il prit une douche rapide, enfila une chemise et un pantalon qu'il avait rapportés du motel, puis se rendit dans la maison. Il trouva Dacy dans le séjour, en train de travailler sur son ordinateur. Elle aussi s'était changée — chemisier, pantalon blanc —, elle avait noué ses cheveux avec un ruban et mis une touche de rouge à lèvres. Il se demanda si elle l'avait fait pour lui, tout comme il s'était douché et changé pour elle. Probablement pas. Le croire aurait été vaniteux.

Il se pencha par-dessus son épaule et scruta l'écran.

— On dirait un tableur, dit-il.

— C'est le fichier de nos têtes de bétail. Le rassemblement d'automne approche. Chacun de nos bœufs, vaches et veaux porte un code de couleur et une plaque d'identification numérotée. Ça nous permet de garder un compte précis des bêtes, selon l'âge et le sexe, de suivre les lignées généalogiques et la production, en fonction des différents accouplements.

— C'est donc à ça que vous sert l'ordinateur, dit-il.

217

— À ça et à plein d'autres choses, comme gérer l'approvisionnement et effectuer des simulations pour calculer le coût de l'alimentation en fonction de la variation des stocks. Vous pensiez que je m'en servais pour quoi? Jouer à des jeux vidéo?

— Non. Ne vous énervez pas.

— Je ne m'énerve pas. Je veux juste que vous compreniez, puisque maintenant vous travaillez pour nous, que Lonnie et moi on ne gère pas un de ces ranches de western en toc qu'on voit au cinéma. On a beau être une petite exploitation qui rame, on est aussi moderne que possible. Il le faut bien, pour survivre.

— Je n'imaginais pas les choses autrement. OK?

— OK, répondit-elle avec un petit sourire, signe qu'elle n'était pas en colère. Je m'occupe bientôt du dîner. Ce sera prêt dans deux heures, peut-être moins.

— Ça me laissera le temps d'aller régler quelques affaires en ville. À quelle heure ferme cette boutique d'habits western, sur la grand-rue?

— Sept heures.

— Très bien.

Il se dirigea vers la porte.

— Jim?

— Oui, Dacy?

Elle le fixa droit dans les yeux un court moment; mais la signification de ce regard resta informulée.

— Rien. Soyez là pour sept heures et demie si vous voulez manger chaud. On n'attend personne pour manger dans ce ranch.

Son premier arrêt en ville fut pour le mobile-home des Ramirez. Jaime Orozco n'eut pas l'air surpris lorsque

Messenger lui apprit qu'on l'avait embauché temporairement au ranch Burgess, et les raisons qui l'avaient motivé. Orozco sembla approuver, même s'il dit :

— J'espère que vous savez ce que vous faites, mon ami.

— Moi aussi. Je suis prêt à prendre le risque aussi long-temps que Dacy et Lonnie seront d'accord, dit-il, avant de marquer un silence. Vous étiez déjà au courant de ce qui s'est passé chez Mackey avant que j'arrive, n'est-ce pas ?

Orozco acquiesça.

— Ben Espinosa adore s'écouter parler. Parfois, ça vaut la peine d'écouter ce qu'il raconte.

— Il ne fait rien pour retrouver ces deux types. Et il ne bougera pas le petit doigt, sauf si quelqu'un d'autre les iden-tifie et que je dépose plainte contre eux.

— Je sais.

— J'imagine que vous ne savez pas qui pourrait conduire un pick-up blanc avec une antenne cassée ?

— Non. Mais si le propriétaire vit dans ce comté, quelqu'un le connaîtra. Ou saura bientôt qui c'est.

— Pourriez-vous demander à vos amis ? Passer le mot ?

— C'est déjà fait.

— Merci, señor Orozco.

— *De nada*. S'il n'y avait pas cette jambe…

Il la cogna de la jointure des doigts, puis haussa les épaules et ajouta d'un ton solennel :

— Un homme doit faire de son mieux pour la justice.

— Si c'est un homme bien.

— Oui, *amigo*. Si c'est un homme bien.

Dans la boutique de vêtements western, il acheta deux jeans supplémentaires et deux chemises kaki. Dacy lui avait dit qu'elle s'occuperait de sa lessive, mais il ne pouvait pas lui demander de laver et relaver sans cesse les mêmes habits de travail pleins de sueur. Puis il se rendit en voiture jusqu'au High Desert Lodge.

Mme Padgett avait des yeux pâles et luisants qui lui évoquaient deux gros globules flottant dans des flaques de crème. Ils s'animèrent d'une curiosité avide dès qu'il lui annonça son départ.

— Bien sûr, monsieur Messenger, dit-elle. Je prépare votre note tout de suite.

— Très bien.

— Vous allez à Las Vegas, c'est ça ?

— Non.

— Chez vous alors. Vous quittez bien Beulah ?

— Pas exactement.

— Pas exactement ? Je crains de ne pas…

— J'ai trouvé un travail au ranch Burgess. Comme homme de peine.

— Vous… Dacy Burgess vous a embauché ?

Sa mâchoire se décrocha littéralement. Ses yeux parurent sortir de leur orbite.

— Vous allez *habiter* là-bas, à son ranch ?

— C'est exact. Au moins les dix prochains jours, précisa Messenger.

Il prenait un malin plaisir à le lui annoncer, à observer sa réaction, sachant très bien ce qu'elle ferait aussitôt qu'il aurait le dos tourné.

— Mais… pourquoi ? Pourquoi un homme comme vous, de la ville, voudrait travailler comme employé dans un ranch ?

— Pourquoi, à votre avis, madame Padgett ?

— Je n'en ai aucune idée…

— Je parie que si. Je suis sûr que vous avez beaucoup d'imagination.

Sa bouche s'était ouverte, une fois encore; elle la referma. Hâtivement, sans plus lui jeter un regard, elle tapa sa facture sur son ordinateur et passa sa carte American Express dans son lecteur. Elle était pressée d'être débarrassée de lui à présent. Mais l'inverse était encore plus vrai.

Il rentra directement au ranch. Le trajet lui prit moins d'une demi-heure, mais lorsqu'il franchit le portail ses phares révélèrent la présence d'un break inconnu déjà garé de biais devant la maison. Mme Padgett ne l'avait pas déçu. Elle avait passé un coup de fil à l'instant même où il l'avait quittée.

Messenger se rangea à côté du break. Il avait à peine ouvert sa portière que John T. Roebuck, avec Dacy et Lonnie sur les talons, jaillissait en trombe de la maison et se précipitait à sa rencontre.

17

L'intensité de la réaction de John T. surprit Messenger; il s'était attendu à de la colère de sa part, mais pas à le voir fou de rage à ce point. Roebuck colla quasiment son visage contre le sien, se hissant sur la plante des pieds pour que son nez arrive à quelques centimètres au-dessous de celui de Messenger. Son haleine, chaude et moite, empestait le vieux bourbon et les cigarillos mexicains. Sous les sourcils broussailleux, ses yeux noirs captaient la lumière qui sortait de la maison, de sorte qu'un feu semblait brûler à l'intérieur. Ils rappelèrent à Messenger les yeux du diamantin dans la fosse de Mackey. Mais il ne broncha pas et soutint son regard sans ciller.

— Putain, mais tu te crois où, Messenger?

— Ici, à respirer votre mauvaise haleine.

— Espèce de fils de pute, je t'avais prévenu de ne pas traîner dans le coin et d'arrêter de nous créer des problèmes. Et voilà que j'apprends que tu t'es installé ici. T'as réussi à persuader Dacy de t'embaucher et tu t'es installé.

Dans son dos, Dacy intervint:

— Je te l'ai dit, John T., il n'a pas eu à me persuader. Je prends mes propres décisions.

Debout derrière lui, les bras croisés sur la poitrine, elle

aussi était en rogne. Mais, à son ton et au vu du petit sourire sur ses lèvres, Messenger sentit sous sa colère une certaine satisfaction, et même un léger amusement.

— Eh bien, cette fois, tu as pris la mauvaise, répliqua John T. sans détacher son regard furibond de Messenger.

— Même si c'est le cas, ce ne sont pas tes affaires.

— C'est entre toi et lui, c'est ça?

— C'est ça.

— Et quelles autres «affaires» vous faites ensemble, Dacy?

— Répète ça?

— Tu m'as bien entendu. Ça fait un bail que t'as pas eu d'homme dans le coin pour s'occuper de toi. Une belle femme comme toi, t'aurais aucun mal à te lever un mec bien mieux dans n'importe quel bar le samedi soir. Mais peut-être que tu préfères les petites bites de la grande ville.

À présent, Dacy ne s'amusait plus du tout. Elle fonça brusquement sur John T., lui saisit le bras et le força à lui faire face.

— Dégage de ma propriété. Tout de suite.

— Je partirai quand ça me chantera.

— Tout de suite. Je ne plaisante pas.

— Sinon quoi? T'as l'intention de me virer de force? Ou bien tu vas demander à ce pitoyable tas de crottin de cheval de le faire pour toi?

— Ça ne marchera pas, Roebuck, dit Messenger sans élever la voix.

— Qu'est-ce qui ne marchera pas, connard?

— M'entraîner dans une bagarre pour ensuite appeler le shérif et porter plainte contre moi. Je ne me battrai pas contre vous, pas comme ça. Et vous ne vous débarrasserez pas de moi comme ça non plus.

— Espèce de fils de pute…

— Vous l'avez déjà dit. Essayez autre chose.

Dacy éclata de rire. Elle s'était de nouveau détendue.

— Niveau insultes, dit-elle à Messenger, il est à peu près aussi inventif qu'un gamin dans une cour de récré.

La fureur de Roebuck atteignait son point de rupture ; on voyait qu'il luttait pour se contrôler. Il tenta de reprendre une posture agressive en se tournant de nouveau face à Messenger. Ce dernier ne broncha toujours pas, les bras le long du corps, le visage impassible — rien qui puisse lui donner un prétexte pour exploser.

Ils restèrent dans cette position pendant une bonne minute. Messenger connaissait ce jeu : le premier qui clignerait des yeux ou détournerait le regard serait le perdant. Il n'y avait jamais joué auparavant et, le cas échéant, n'aurait guère donné cher de ses chances, s'estimant un bien piètre candidat. L'ancien Jim était trop passif pour un jeu pareil. Mais il n'était plus l'ancien Jim ; il était un nouveau Jim. Et le nouveau Jim faisait jeu égal avec John T. Roebuck.

Dacy siffla la fin de la partie.

— Lonnie, dit-elle, si John T. n'est pas sorti de notre propriété dans trois minutes, va chercher ta carabine et tire dans deux pneus de son break. Ce sera juste un accident. Toi, moi et Jim, on le jurera.

John T. fit un pas en arrière — d'un geste lent, sinueux, comme un serpent qui se dénoue. Il avait recouvré son sang-froid.

— On sait tous les deux que c'est une menace en l'air, dit-il.

— Tu crois ? Lonnie, tu comptes, comme je t'ai dit ?

— Deux minutes et demie, m'man.

— Et tu feras quoi quand le délai expirera ?

— J'irai chercher ma Ruger et je tirerai dans deux pneus de son break.

— Foutaises, dit Roebuck, mais il ne semblait plus si convaincu. Je n'en ai pas fini avec toi, mon gars, dit-il à Messenger, loin de là. Ça ne fait que commencer.

— Vraiment ? Et comment comptez-vous vous débarrasser de moi ?

— Bon Dieu, les moyens, y en a.

— Sûr qu'il y a des moyens, dit Dacy. Monter une petite expédition nocturne, avec des seaux de goudron et des sacs de plumes, par exemple. Ou peut-être que tu pourrais engager deux types pour l'attirer chez Mackey et le pousser dans la fosse aux serpents.

— Qu'est-ce que tu racontes ? réagit John T., tournant son regard vers Dacy pour la première fois. Je n'ai rien à voir avec cette histoire. Si elle est vraie.

— Elle est vraie, confirma Messenger.

— Eh bien, je n'y suis pour rien. Ce ne sont pas mes méthodes.

— C'est trop violent pour vous ? Ou pas assez ?

— Tu le découvriras peut-être bientôt.

— Combien de temps reste-t-il, Lonnie ? demanda Dacy.

— Moins d'une minute.

— Vous êtes aussi butés l'un que l'autre, hein ? Vous ne voulez pas comprendre qu'il vaut mieux ne pas s'en mêler. Bon, très bien. C'est ta responsabilité aussi maintenant, Dacy. La sienne et la tienne.

Roebuck marcha jusqu'à son break, le dos et les épaules raides. Messenger s'attendait à ce qu'il parte en leur offrant une dernière petite manifestation d'agressivité — un démarrage en trombe, soulevant un nuage de poussière dans l'air de la nuit. Mais il n'en fut rien. Le break s'éloigna à vitesse modérée, comme si John T. craignait de lâcher les rênes à la colère qu'il était parvenu tant bien que mal à maîtriser.

Lorsque les phares du véhicule atteignirent le portail, Dacy dit :

— Eh bien, tu voulais donner un coup de pied dans la fourmilière, Jim.

— Oui.

— Pas de regrets ?

— Non.

Il se demandait pourquoi l'homme avait foncé ici dans un tel état de fureur. Il ne représentait pas une menace pour John T., à moins que ce dernier soit impliqué dans la mort de son frère. Ou à moins qu'il sache autre chose, et que ce savoir coupable l'ait poussé à agir ainsi. Il cachait quelque chose : Messenger en était aussi certain que pour Lonnie. La même chose, peut-être ? Même si John T. n'était pas derrière le piège qu'on lui avait tendu chez Mackey, cela l'avait perturbé pour une raison qui n'était pas encore bien claire. Était-ce parce que la cible s'en était sortie indemne ? Ou parce que quelqu'un avait tendu ce piège en premier lieu ?

— Eh bien, moi non plus, reprit Dacy, alors pas la peine de te faire du souci là-dessus. C'est un plaisir de voir ce petit coq se faire hérisser les plumes et déguerpir la queue entre les jambes.

— Enfin, aussi longtemps qu'il ne te... comment dire ? Qu'il ne te fasse pas un sale coup.

— Il ne me fera rien. Mais toi, par contre, tu vas devoir te méfier.

— Je n'ai pas peur de lui.

— C'est la vérité, ou juste de la bravade ?

— Je ne sais pas, avoua-t-il. Peut-être un peu des deux.

Après dîner, Dacy et lui passèrent une heure sur le porche, à parler. Son opinion à elle était que la violence de la réaction de John T. ne voulait pas forcément dire grand-chose.

— C'est juste son caractère. Si quelque chose le dérange, il explose aussitôt comme un pétard.

En plus de John T., ils discutèrent de son frère, de sa femme, de Joe Hanratty, de Lynette Carey, de Maria Hoxie et d'autres personnes qui avaient été mêlées d'une manière ou d'une autre à la vie de Dave Roebuck ; Messenger cherchait des éléments contextuels spécifiques, des détails dans les personnalités et leurs relations qui mériteraient d'être approfondis. Mais ni lui ni Dacy ne souleva le moindre lièvre. Cependant, il ressortit de cette discussion avec une conviction bien arrêtée.

Les placards de Beulah étaient bourrés de secrets. Plus, semblait-il, que dans la plupart des petites villes ; des secrets sordides, aussi. Et plus on secouait les portes du placard, plus on entendait cliqueter les squelettes.

Le matin suivant, Lonnie et lui achevèrent leur travail sur le moulin à vent, puis se dirigèrent vers les enclos pour réparer un panneau qui avait du jeu sur une sorte de grande cage appelée cage de contention. Constitués de barres soudées, les deux principaux panneaux servaient à immobiliser les bœufs lors des rassemblements de printemps et d'automne afin de les marquer, de les castrer ou de leur inoculer des médicaments.

Juste avant le déjeuner, ils s'attaquèrent aux barrières cassées du corral ainsi qu'aux planches disjointes et gauchies de l'étable et de la grange. La semaine suivante, lui dit Lonnie, si le vent coopérait et que le climat restait sec, ils étancheraient le bois et peindraient au pistolet les deux bâtiments. Au milieu de l'après-midi, leur stock de bois et de longs clous s'épuisant, Messenger se proposa pour aller en ville les réapprovisionner. Dacy lui donna une liste de fournitures à acheter, comprenant de la peinture, de l'essence de térébenthine et une nouvelle vitre pour la fenêtre de la cuisine. Elle lui confia également les clés de leur pick-up.

Le pick-up en question était un GMC vieux de quinze ans. Jusqu'alors, les talents de mécanicien de Lonnie avaient suffi pour le remettre d'aplomb chaque fois qu'il tombait en panne (ce qui arrivait bien trop souvent ces derniers temps, au goût de Dacy), mais pas pour empêcher le moteur de tourner au ralenti, avec des à-coups, en emplissant la cabine de vapeurs d'huile. La suspension aussi était morte ; chaque fois qu'une roue passait dans un trou, le cahot secouait brutalement le pick-up qui menaçait de tomber en pièces comme ces voitures dans les courts-métrages comiques de Mack Sennett. Lorsqu'il atteignit enfin la ville, il avait l'impression d'avoir passé le trajet dans un tambour de machine à laver.

Le vendeur du magasin de matériaux de construction savait qui il était. On ne refusa pas de le servir, mais ce fut avec une lenteur et une mauvaise grâce manifestes, en usant de toutes sortes de stratagèmes pour perdre du temps, qui le retinrent là-bas près d'une heure. Il endura ces vexations sans protester. Une dispute oiseuse avec un citoyen de Beulah était la dernière chose dont il avait besoin.

Pendant qu'il attendait, une pensée lui traversa l'esprit — une chose qu'il aurait déjà dû faire bien plus tôt. Lorsqu'il eut enfin chargé le pick-up, il roula vers la bibliothèque. Il trouva Ada Kendall, toujours aussi sèche et exsangue, seule dans le mobile-home étouffant. Elle eut un geste de recul sur sa chaise lorsqu'il entra, de peur sans doute qu'il bondisse par-dessus le bureau pour l'attaquer. Puis elle se rassit, droite comme un piquet, et le fixa d'un regard plein d'aigreur et de désapprobation.

— Vous n'êtes pas le bienvenu ici, vous savez, dit-elle.

— Je sais. Mais c'est un lieu public et vous n'allez pas me demander de partir, n'est-ce pas, mademoiselle Kendall?

— C'est madame Kendall. Je suis veuve, ajouta-t-elle fièrement, comme s'il s'agissait d'une distinction honorifique. Que voulez-vous?

— Consulter vos archives du journal de Tonopah, si vous en avez.

— Seulement sur les douze derniers mois.

— C'est tout ce qui m'intéresse.

— Pour lire les articles sur les meurtres, j'imagine.

— Non. Les annonces immobilières.

— Les annonces immobilières?

— Vous n'étiez pas au courant? Je pense m'installer dans le coin.

Elle ouvrit la bouche et le regarda en clignant des yeux derrière ses lunettes.

— Peut-être même dans votre quartier, tiens. Vous ne connaîtriez pas un endroit à acheter ou à louer tout près de chez vous, par hasard?

— Ah ça, espèce… espèce de…

— Voyons, madame Kendall. C'est une bibliothèque, ici; les gros mots sont interdits.

Il trouva tout seul les archives du journal, dans une alcôve suffocante située tout au fond de la bibliothèque. La sueur se mit à dégouliner sur son visage, gouttant de son nez et de son menton, tandis qu'il sélectionnait les numéros contenant des articles sur le meurtre. Même si le journal de Tonopah était un hebdomadaire, il y en avait plusieurs : un double homicide aussi bizarre avait fait l'événement dans un petit comté comme celui-ci.

Le premier compte rendu s'étalait en une, accompagné de photos d'Anna et de Dave Roebuck. Une photo de mariage datant d'une douzaine d'années montrait une Anna souriante ; la ressemblance entre cette femme et celle que Messenger avait observée à San Francisco était si ténue qu'il aurait pu s'agir de deux personnes différentes. La photo du mari était plus récente mais la reproduction granuleuse était de qualité médiocre ; elle ne permettait pas de se faire une impression claire de l'homme.

Il ne s'attendait pas à apprendre grand-chose qu'il ne sache déjà du premier article ni des suivants. Mais il découvrit pourtant un détail que ni Dacy ni le révérend Hoxie n'avaient mentionné — un détail qui rendait la mort de Tess Roebuck encore plus énigmatique.

Non seulement on avait retrouvé l'enfant revêtue d'une robe blanche du dimanche, mais elle serrait aussi fermement dans une main un rameau d'une plante appelée verveine du désert. Ce fait était rapporté dans deux des articles, chaque fois sans explication ni hypothèse quant à sa présence.

Messenger quitta Ada Kendall, renfrognée derrière son bureau, et retourna au ranch au volant du pick-up brinquebalant. Lonnie l'aida à décharger les fournitures, et lorsqu'ils eurent terminé il alla parler à Dacy.

— La verveine du désert ? dit-elle en réponse à sa question. C'est une plante à fleurs, assez répandue dans le coin.

— Pour quelle raison Tess en aurait-elle serré un rameau dans la main ?

— Inutile de te lancer dans des spéculations là-dessus, Jim. Ce n'est pas important.

— La robe blanche est importante — ça l'est forcément. Alors pourquoi pas la verveine du désert ?

— Il y avait des buissons de verveine qui poussaient dans la cour d'Anna, en plus d'autres plantes. Les policiers du comté ont trouvé celui d'où la branche avait été cassée, près de l'endroit où on a frappé Tess avec le roc ; ils en ont déduit qu'elle s'était agrippée au buisson en tombant et que la branche s'était brisée dans sa main.

— Oui, ça se tient, admit Messenger. Malgré tout, s'ils se trompaient ? Si c'était le meurtrier qui l'avait arrachée et placée dans sa main, pour la même raison qu'il lui a changé ses habits et qu'il l'a jetée dans le puits ?

— Jim, personne n'a réussi à trouver d'explication pour la robe et le puits. Peut-être parce qu'il n'y en a aucune de vraiment sensée. Tu vas juste te rendre fou à essayer d'en trouver une qui explique aussi la présence de la verveine.

— Plus fou que je le suis déjà, tu veux dire.

— Moi, je n'ai rien dit. Bon, si tu retournais à ton boulot maintenant et que tu me laissais faire le mien ?

Il retourna travailler. Mais impossible de se sortir de la tête la robe du dimanche, le puits et la verveine du désert. Ni le sentiment, infondé ou non, que les trois éléments étaient liés d'une manière ou d'une autre, et que s'il comprenait leur signification, il saurait alors qui était coupable, et pourquoi.

18

Une fois achevées les habituelles corvées matinales, le dimanche était jour de repos au ranch Burgess — ce qui arrangea bien Messenger. Il avait passé une bonne nuit de huit heures de sommeil, mais se sentait encore fatigué — en plus d'être brûlé par le soleil et endolori par la selle — d'avoir sillonné leurs pâturages, en pick-up et à cheval, toute la journée du samedi.

Lonnie s'était mis en route très tôt, le plateau du pick-up GMC chargé de blocs de sel, une bétaillère avec deux chevaux attelée à l'arrière. Étant donné la rareté de l'eau dans le coin, les blocs de sel étaient essentiels à la survie du bétail, qui n'avait que de l'armoise à brouter. Ils passèrent toute la matinée ballottés sur le terrain aride et accidenté au pied des collines est, là où se trouvait la mine de Bootstrap. La plus grande partie du petit troupeau s'égaillait là, dispersé sur un terrain appartenant au Bureau de gestion des territoires. Dans environ six semaines, lui apprit Lonnie, on rassemblerait les bœufs pour les ramener sur les terres des Burgess. C'est à ce moment-là qu'on sélectionnerait un certain nombre de bêtes à vendre et qu'on les placerait dans les cages de contention pour leur apporter les soins vétérinaires nécessaires ; c'est aussi là qu'un agent du BGT descendrait du bureau régional de Tonopah pour dresser un inventaire, une des étapes permettant d'établir les quotas pour l'année suivante. Tous les veaux nouveau-nés seraient également réunis pour être marqués, immatriculés et vaccinés. Cela représentait trop de travail pour deux personnes, aussi devraient-ils réunir assez d'argent pour engager un saisonnier durant quelques semaines. Ils feraient également appel aux services d'un cowboy (oui, ils les appelaient encore ainsi dans le coin) pour le rassemblement des bêtes.

La terre et le bétail étaient les seuls sujets dont Lonnie semblait disposé à parler. À deux reprises, Messenger tenta d'orienter leur conversation décousue sur les meurtres ; chaque fois, Lonnie se mura dans un silence morose. Messenger avait l'impression que ce que cachait le garçon lui restait coincé profondément en travers de la gorge, comme un bouchon de phlegme amer : il avait besoin de le cracher, mais ne pouvait s'y résoudre alors même qu'il en étouffait.

Dans l'après-midi, ils sellèrent les chevaux et longèrent la limite sud-ouest du territoire, sur un terrain encore plus difficile, afin de vérifier les clôtures et de rechercher les bêtes qui s'étaient trop éloignées du troupeau. Il était plus de 15 heures — et Messenger, les fesses meurtries, avait l'impression de cuire dans son propre jus — lorsqu'ils découvrirent le bœuf blessé et agonisant. L'animal s'était aventuré trop près du bord d'un petit arroyo, dont la terre poudreuse avait cédé sous son poids, l'entraînant au fond de la dépression. Une de ses pattes antérieures s'était brisée dans la chute. L'accident avait dû se produire au cours des douze dernières heures, lui dit Lonnie d'un air triste ; autrement le bœuf, affaibli et meuglant de douleur, serait déjà mort. Il ne perdit pas plus de temps à parler : il alla chercher sa carabine et mit un terme aux souffrances de l'animal, tandis que Messenger attendait avec les chevaux. Après cet épisode, le garçon se retrancha de nouveau dans un silence morose. Lorsque Messenger lui demanda si c'était la perte d'une tête de bétail, dans un troupeau déjà maigre, qui l'affectait, Lonnie secoua la tête.

— Ce n'est pas ça, répondit-il. C'est juste que je n'aime pas voir souffrir.

Sur le moment, cette déclaration avait paru profondément sincère à Messenger ; il en était encore plus convaincu le lendemain matin. Le secret détenu par Lonnie avait peut-être son importance, mais ce qu'il avait scellé au fond de lui n'avait rien à voir avec la culpabilité d'un assassin. Lonnie Burgess était incapable de tuer de sang-froid un membre de sa famille. Messenger en était aussi certain que de l'innocence d'Anna Roebuck.

Il avait tout son dimanche devant lui, du temps libre pour poursuivre son enquête. Mais il ne trouva rien de productif à faire. Il envisagea de passer au Hardrock Tavern, pour discuter avec le barman et les clients qui auraient pu assister à la bagarre entre Joe Hanratty et Dave Roebuck. Mais cette idée lui parut vaine, inutilement dangereuse même : poser des questions indiscrètes dans un bar risquait surtout de créer des problèmes. Même si quelqu'un connaissait les vrais motifs de cette bagarre, ce qui était peu probable, il n'y avait quasi aucune chance que cette personne s'en ouvre à lui. Il aurait tout autant de chances s'il quadrillait la ville en sonnant aux portes et en interrogeant quiconque lui ouvrirait.

Il perdit presque une heure, allongé sur le lit pliable du camping-car, à ressasser ce qu'il savait déjà, passant en revue les faits et les bribes d'informations que Dacy lui avait confiés.

Il n'en tira que de la frustration. Cela revenait à avancer en tâtonnant dans les ténèbres et à tomber sur un mur, derrière lequel il y avait de la lumière : on était près de la lumière, on savait qu'elle était là, mais sans pouvoir l'atteindre à défaut de trouver un moyen d'escalader le mur.

Ce qui le turlupinait, aussi, c'était que son emménagement au ranch Burgess n'avait rien provoqué d'autre que la crise de colère de John T. le jeudi soir. Il s'était attendu à d'autres visites, d'autres protestations, ou d'autres réactions. Le calme avant la tempête ? Le véritable meurtrier devait pourtant se demander ce qu'il pouvait bien mijoter avec Dacy et s'inquiéter de ce que cela finisse par les mener à la vérité. Se contentait-il simplement d'attendre sans rien faire ? Après la machination complexe avec les serpents chez Mackey, Messenger avait du mal à y croire. Jouait-il au chat et à la souris ? Là aussi, c'était peu probable. Quelque chose allait sûrement se produire. Et, du point de vue de Messenger, le plus tôt serait le mieux.

À midi passé, il se secoua et rejoignit la maison, en effectuant un détour lorsqu'il passa près de Buster, accroupi à l'extrémité de sa courte chaîne. Le rottweiler avait fini par se résigner à sa présence, au point qu'il ne grognait ni n'aboyait plus lorsqu'il se trouvait à proximité ; néanmoins la fourrure du chien se hérissait toujours et il ne décelait aucun signe amical dans les yeux brillants qui le scrutaient. Dacy et Lonnie étaient tous deux dans la cuisine, en train de préparer ensemble ce qu'elle appela le « dîner dominical », même s'il devait être servi à 13 heures. Il n'avait pas eu très faim au petit déjeuner, mais l'arôme du rôti à la cocotte réveilla son appétit.

— Tu as décidé si tu te joignais à nous pour dîner, Jim ?

— Avec plaisir, merci.

— On va mettre un autre couvert.

— Je peux aider ?

— Non. Il y a de la bière dans le frigo, si tu veux.

Il alla se servir, revint avec une bouteille de Budweiser et lui demanda :

— Dacy, aurais-tu des photos de famille ?

Elle lui lança un regard désabusé ; celui de Lonnie resta indéchiffrable.

— Tu veux dire d'Anna. De la famille d'Anna.

— Oui.

— Quelques-unes. Pourquoi veux-tu les voir ? Elles ne t'apprendront rien.

— Ce n'est pas ça.

— Les gens qui sont morts comme ça, intervint Lonnie, ce n'est pas bien de regarder leurs photos.

Anna est réelle à mes yeux, mais son mari et sa fille... pas assez. Je ne connais pas leurs visages — juste des noms, des données. Je veux les voir comme des personnes.

Mais il n'exprima pas ses pensées ; ces paroles auraient paru déplacées, voire cruelles. Au lieu de cela, il dit :

— Si tu préfères que non, je ne...

— Oh, zut ! fit Dacy. Va boire ta bière sur le porche. Je t'apporte l'album.

Il s'installa dans une chaise longue de toile, contempla le paysage vide, accidenté. La chaleur palpitait sur l'étendue de plaine, produisant un effet de mirage, assez intéressant. Il se sentait à l'aise avec la chaleur, le silence, la désolation austère. À l'aise dans le ranch aussi, et dans le genre de travail qu'il avait fait ici ces quelques derniers jours. Tout un monde séparait l'appartement en ville du ranch de bétail en plein désert,

236

le comptable en col blanc de l'employé de ferme ; pourtant, il semblait avoir réalisé cette transition presque naturellement. Étrange. Comme si ce qui lui convenait vraiment, c'était cet endroit et ce style de vie, et pas San Francisco ni la vie qu'il s'était construite là-bas. Comme si c'était d'ici qu'il venait.

Dacy ne tarda pas à réapparaître, un petit album de photos à la main. Elle le lui passa sans un mot, puis alla s'asseoir dans une autre chaise de toile. Les yeux perdus dans les miroitements de chaleur au loin, elle ne le regarda pas ouvrir puis se mettre à feuilleter l'album.

Il contenait une petite cinquantaine de photographies, la plupart en couleurs, la plupart mal cadrées, plus ou moins floues — des clichés pris à un anniversaire, à plusieurs Noëls en famille, à un barbecue au ranch d'Anna. Celles de Tess couvraient tout un éventail d'âges, du bébé à la fillette de sept ou huit ans. Elle était fluette, les cheveux blond cendré, les yeux gris — c'était bien la fille d'Anna. Vive et enjouée, aussi, avec un sourire qui lui creusait de petites fossettes. Comme il s'y attendait, Dave Roebuck était bel homme, dans le genre taillé à la serpe, débraillé, je-m'en-foutiste ; il avait un sourire narquois et ses yeux dégageaient une puissante sensualité, perceptible même dans ces photos.

Messenger ne s'attarda sur aucune d'entre elles ; il referma l'album cinq minutes à peine après l'avoir ouvert. À présent, il connaissait leurs visages ; ils étaient aussi réels pour lui que l'avait été Mademoiselle Solitude. Trop réelle même, dans le cas de Tess.

— Satisfait ? dit Dacy.

— Satisfait n'est pas le mot juste.

— C'est quoi, le mot juste ?

— Je ne sais pas. Triste, peut-être.

— Triste pour un homme et une petite fille dont tu ne connaissais pas l'existence il y a quelques jours ?

— C'est si dur à croire ?

— Pour des gens comme toi et moi, sans doute que non.

— Des gens solitaires ? Ou juste des gens tristes ?

— Les deux. C'est la combinaison des deux qui nous rend si empathiques, non ?

— C'est vrai, admit-il.

Ce qu'il ne dit pas, c'est que trop souvent, du moins dans son cas, l'empathie se retournait sur elle-même pour devenir de l'auto-apitoiement.

Aucun d'entre eux n'avait grand-chose à dire durant le dîner. Mais il n'y eut aucun silence gênant, ni manque d'appétit — ce fut juste un repas tranquille. Lonnie sortit de table aussitôt qu'il eut fini de manger, pour passer l'après-midi avec un ami en ville. Messenger, sans qu'on lui demande, aida à débarrasser la table et faire la vaisselle. Dacy apprécia, à l'évidence ; en dépit de son indépendance et de sa dureté affichées, une part d'elle-même — de même qu'une part en lui — appréciait, dans une certaine mesure, la vie de famille à l'ancienne.

Ce jour-là, elle semblait elle aussi vouloir la prolonger. Lorsqu'ils en eurent terminé dans la cuisine, elle demanda :

— Tu joues aux échecs, Jim ?

— J'y ai joué.

Avec Doris, ils y jouaient sans arrêt à l'époque où ils étaient ensemble ; c'était une grande fan de Bobby Fischer.

— Mais pas depuis des années.

— Tu étais bon ?

— Pas mal.

— Je joue un peu mieux que pas mal. Mon père m'a appris et j'ai appris à Lonnie. Mais il n'est pas assez patient pour bien jouer.

— Je ne suis pas sûr de bien jouer, moi non plus, depuis le temps. Mais si tu as envie de faire une partie ou deux, je peux sans doute faire un adversaire potable.

— Je vais chercher l'échiquier.

— Je voulais te poser une question, d'abord. C'est quoi ton sentiment sur la musique ?

— J'aime bien certains trucs, d'autres pas.

— Et le jazz ?

— Pas mal, le peu que j'ai entendu.

— Eh bien, je suis un fana de jazz, depuis longtemps. C'est une de mes passions, ajouta-t-il, en pensant : *Une des rares.* J'ai une bonne collection de vieux disques et de cassettes, et j'en ai apporté quelques-unes avec moi. Si tu avais un lecteur de cassettes et que ça ne te dérange pas d'avoir de la musique en fond pendant qu'on joue, je peux aller les chercher…

— Oui, OK. Il y a un lecteur dans le meuble stéréo près de la cheminée.

Ils jouèrent sur le porche, où l'air était plus frais, avec les fenêtres et la porte ouvertes afin de mieux entendre la musique. Il avait pris un peu de temps pour sélectionner les cassettes, car il voulait lui donner une idée de la grande diversité du jazz, ancien et moderne. Les trois sur lesquelles il avait jeté son dévolu étaient : une anthologie de divers artistes et arrangements de jazz hot des années 1940 ; un album de Miles Davis de la fin des années 1970 ; une compilation de morceaux allant de l'improvisation swing au funk élec-trique, par des musiciens contemporains tels Joe Henderson, Charlie Hunter, Ornette Coleman et Sonny Rollins. Dacy sembla toutes les apprécier. Elle aima surtout celle des années 1940, ce qui lui fit plaisir. La préférence de Dacy se portait sur «Potato Head Blues» de Louis Armstrong, «Polka Dot Rag» de Sidney Bechet, «St. Louis Blues» de Bunk Johnson et «Keep Me in Your Dreams» de Billie Holiday — des morceaux qui figuraient parmi ses favoris.

L'enthousiasme de Dacy le conduisit à discourir avec ferveur sur le jazz, ce dont il ne prit conscience qu'une fois lancé. Il lui parla du cœur de cette musique, qui était fondamentalement une complainte sur la jeunesse gaspillée, les amours perdues, les rêves doux-amers; il parla de ses cris et de ses chuchotements chargés de mélancolie et de douleur, qui lui évoquaient ce sentiment de perte et de vide qu'on ressent le matin après une longue nuit sans sommeil. Il lui raconta la vieille légende folklorique selon laquelle le blues serait né du majestueux Mississippi lui-même, lorsque W. C. Handy, sur un vieux pont de bois à Memphis, à force d'écouter la Old Man River murmurer ses chansons solitaires, en aurait tiré «Memphis Blues», «St. Louis Blues» et bien d'autres, paroles comprises. Il lui parla des techniques d'improvisation, de la manière dont chaque instrument fonctionnait en complément des autres, de ce qu'apportait chacun en termes d'harmonie, de mélodie, de rythme et de syncope: la plainte endiablée de la trompette, le braiement rauque du saxophone alto, le timbre entêtant, parfois éraillé, de la clarinette, le cri ronflant du trombone, le battement lancinant à quatre temps du piano et de la batterie. Et dans les voix, l'art des glissements et des élisions, l'inventivité lyrique, ces tons tendres et voilés que seules de grandes chanteuses telles Billie Holiday, Mildred Bailey ou Bessie Smith pouvaient atteindre.

Dacy ne l'interrompit pas. À la différence de trop de gens

aujourd'hui, elle savait écouter et absorber ce qu'elle entendait ; et son intérêt semblait sincère. Lorsque le flux des mots finit par se tarir, elle lui lança un autre de ses longs regards spéculatifs avant de parler.

— Tu aimes vraiment cette musique, hein, Jim.

— Oui. C'est... un autre monde pour moi.

— Meilleur que celui dans lequel on vit ?

— Il en est le miroir. Mais beaucoup plus honnête.

— Je ne te contredirai pas. Et toi, tu joues d'un instrument ?

— Oh non. Je suis né avec un goût profond pour la musique mais sans le moindre talent musical. Quand j'ai commencé à m'intéresser sérieusement au jazz à l'université, j'ai essayé la trompette, la clarinette et la guitare. Mais j'étais un cas désespéré.

— Donc maintenant tu te contentes d'écouter en te languissant.

Il apprécia la remarque, qui le fit sourire.

— Maintenant je me contente d'écouter en me languissant.

Sur l'échiquier, il ne fut pas à la hauteur. Elle jouait d'une manière calculée et méthodique, ne bougeait jamais une pièce sans y réfléchir soigneusement d'abord ; et comme tous les bons joueurs d'échecs, elle était capable d'anticiper et de planifier plusieurs coups d'avance. Elle le mit échec et mat en vingt-deux coups dans la première partie, en dix-neuf coups dans la seconde.

Jazz et échecs dans un ranch perdu au milieu du désert, pensa-t-il tout en préparant l'échiquier — un vieux de fabrication mexicaine, aux pièces en albâtre ébréchées et patinées par un long usage — pour une troisième partie. Une situation incongrue pour certains, mais parfaitement naturelle pour eux deux. Des joies simples partagées par deux personnes qui, lors de leur première rencontre, avaient semblé avoir si peu, voire pas du tout de points en commun. À l'aise, détendus l'un avec l'autre. Des âmes sœurs, partenaires de solitude. Peut-être…

Non, se refréna-t-il, *ne t'emballe pas. Il y a une connexion, oui, mais c'est toujours ta patronne, tu es toujours un employé et rien ne s'est passé qui suggère le moindre changement dans cette relation. Jouer aux échecs en écoutant du jazz un dimanche après-midi — ça se limite à ça. Si elle s'en satisfait, tu devrais t'en satisfaire aussi.*

Elle interrompit le cours de ses pensées en disant:

— On va avoir de la compagnie.

Messenger leva les yeux de l'échiquier. Dacy avait le regard tourné vers la route de la vallée, où il vit les nuages de poussière soulevés par une voiture ou un pick-up roulant à vive allure. Le véhicule avait dépassé le portail d'entrée du ranch de John T.; il se dirigeait visiblement vers eux.

— Lonnie? demanda Messenger.

— Non. Il devait rentrer plus tard.

Ils attendirent en silence. En moitié de temps qu'il fallut à Coleman Hawkins pour jouer «Body and Soul» sur son sax ténor, le véhicule avait atteint le portail des Burgess et tournait dans la propriété — un Ford Bronco surélevé avec une rampe de projecteurs sur le toit de la cabine.

— C'est le Bronco de Henry Ramirez, dit-elle.

— Ramirez?

— Le beau-fils de Jaime Orozco. Tu ne l'as pas rencontré quand tu es allé voir Jaime?

— Non.

Messenger alla à la rencontre du Bronco qui s'arrêtait doucement. Comme d'habitude, Buster s'était aussitôt mis à aboyer en tirant sur sa laisse ; Dacy cria au chien de se taire et, pour une fois, il obéit. L'homme qui descendit de la cabine surélevée avait une trentaine d'années, avec une moustache noire et une bedaine de buveur de bière ; Dacy et lui se saluèrent. Le salut du menton qu'il adressa à Messenger fut bref, mais pas hostile.

— Qu'est-ce qui t'amène ici, Henry ?

— Un service pour Jaime.

— Il a découvert qui est le propriétaire du pick-up à l'antenne cassée ? demanda Messenger avec empressement.

— Oui, il n'y a pas longtemps, confirma Henry. L'homme s'appelle Draper, Billy Draper.

— Vous le connaissez ?

— Non. C'est un mineur, il travaille à la mine de gypse King. L'autre homme est sans doute Pete Teal, il est aussi mineur là-bas ; d'après ce qu'on dit, ces deux-là sont tout le temps fourrés ensemble.

— Sont-ils proches de quelqu'un à Beulah ?

— Pas à la connaissance de Charley Wovoka, répondit-il en haussant les épaules. Tu connais Charley, ajouta-t-il à l'adresse de Dacy. Le barman du Wild Horse.

— Bien sûr, je le connais.

— C'est lui qui les a reliés au pick-up. Ils viennent une ou deux fois par semaine pour jouer. Des paris sportifs, surtout. Ce sont des grands fans de sport. Il a vu Draper garer le pick-up une fois.

— S'ils viennent au casino si souvent, dit Messenger, il y a de bonnes chances pour que John T. les connaisse aussi.

— Ça ne serait pas surprenant.

— Où se trouve la mine King ?

— Sur la chaîne Montezuma, dit Dacy, au nord-ouest

243

d'ici. Mais oublie l'idée d'aller là-bas, Jim, si c'est ce que tu envisageais.

— Pourquoi pas ?

— Ces mineurs sont des gars assez brutaux, dit Ramirez.

— C'est une raison, dit Dacy. Une autre, c'est que King est une exploitation privée et que la propriété est surveillée, avec des patrouilles. Il est peu probable que tu arrives à passer l'entrée.

— Je fais quoi alors ? Espinosa ne bougera pas le petit doigt tant qu'on ne lui apportera pas une preuve irréfutable, on le sait tous.

— Ils seront au bar du casino demain en fin de journée, à six heures, dit Ramirez.

— Draper et Teal ? Comment le savez-vous ?

— D'après Charley Wovoka, ils viennent tous les lundis pendant la saison de football. Ils regardent le match du lundi soir sur l'écran géant du Wild Horse.

— C'est parfait alors. Merci, Henry. Dites à Jaime que je lui suis redevable.

— Dites-le-lui vous-même. Il apprécie la compagnie, dit Ramirez, qui reprit après un silence : Faites attention, mon gars. Je ne plaisantais pas en disant que ces mineurs sont des brutes.

Lorsque le Bronco repartit en direction de la route de la vallée, Dacy dit :

— Henry a raison. Ce serait une folie d'essayer d'affronter seul Draper et Teal.

La perspective aurait sans doute dû l'inquiéter, mais ce n'était pas le cas. Il l'attendait presque avec excitation, de la même manière qu'il savourait l'arrivée imminente d'une pièce essentielle pour résoudre le puzzle d'un dossier fiscal complexe : cela le rapprocherait d'autant d'une solution.

— Le bar du casino est un endroit public, dit-il. D'ailleurs, je n'ai pas vraiment le choix, non ?

— Je peux envisager une ou deux possibilités.

— Comme quoi ?

— On en parlera demain.

— Pourquoi pas maintenant ?

— Demain, répéta Dacy. Ce dont on a besoin tous les deux maintenant, c'est de profiter de notre dimanche de repos.

19

Il n'arrivait pas à dormir.

Il était pourtant assez fatigué, et son corps toujours endolori avait besoin de repos. Mais, à la différence des autres nuits qu'il avait passées ici, ce soir-là, la nervosité l'empêchait de fermer l'œil. Sans doute la perspective d'affronter Billy Draper et Pete Teal le lendemain soir, le fait aussi que la solution de l'énigme puisse être aussi proche.

Au bout d'environ une heure, il ralluma la lampe à côté du lit pliant et se leva pour chercher quelque chose à lire. Il n'y avait pas de livre dans le camping-car ; il n'avait pas pensé à s'acheter un ou deux poches à Beulah, et ni Jaime Orozco ni aucun des autres occupants temporaires n'avait rien laissé à lire derrière lui. Il ne trouva même pas un catalogue de vente par correspondance ou un annuaire téléphonique à feuilleter. Il y avait des livres dans la maison, mais il ne pouvait pas aller s'y balader sans permission. Pas à cette heure, presque minuit à sa montre. À moins que Dacy soit toujours debout…

Mais elle ne l'était pas. Comme il le constata en ouvrant la porte du camping-car, toutes les lumières étaient éteintes dans la maison. Il resta là un moment, à regarder dehors et aux alentours. C'était une nuit chaude, sans vent, avec plus d'étoiles brillant dans le ciel qu'il n'en avait jamais vues, si nombreuses et si petites à ses yeux qu'elles ressemblaient à des grains de sable chatoyants. La lune n'était pas encore apparue. À perte de vue, tout était immobile. Encore un hologramme, qu'il aurait pu intituler *Nocturne sur ranch dans le désert*.

Sur une impulsion, il retourna à l'intérieur, enfila un jean et une chemise, qu'il laissa déboutonnée, et sortit dehors. L'air exhalait une odeur subtile composée de terre, de roche, d'armoise, d'arbustes caducs, de chevaux, de relents de fumée de bois. Il le huma lentement plusieurs fois, le savoura en se disant que la qualité de l'air était tellement meilleure qu'en ville. Il pensa au calme absolu qui régnait ici.

Et réalisa, aussi, combien il était seul.

Seul dans la ville, seul dans les grands espaces. Où qu'il aille, il n'y échappait jamais, pas plus le nouveau Jim Messenger que l'ancien. Ici, c'était une forme de solitude plus supportable, mais c'était toujours de la solitude. Il la ressentait, comme une douleur sourde à l'intérieur de lui, une écorchure sur la peau de son âme.

La douleur, ou sa conscience de la douleur, accrut sa nervosité, le poussa à s'éloigner du camping-car, à dépasser l'étable et les enclos pour arriver en plein désert, près d'une des collines basses. Au-dessus de sa tête, le ciel était immense. Il avança à pas comptés, scrutant la voûte céleste, s'occupa l'esprit en essayant de repérer des étoiles ou des constellations. La Voie lactée, la Ceinture d'Orion, la Grande Ourse, la Petite Ourse, Rigel, Bételgeuse, Arcturus, Sirius, le Grand Chien...

Au loin, un long hurlement brisa le silence. Le chant du coyote. Il s'était mis à hurler juste au moment où Messenger

247

identifiait le Grand Chien, coïncidence qui le fit sourire. Mais son sourire s'effaça aussitôt. Le chant du prédateur ne faisait qu'accentuer la solitude de la nuit et intensifier la sienne.

Il marcha un peu. D'autres coyotes se joignirent au premier dans un chœur de jappements et de trilles qui réveilla Buster, lequel se mit à aboyer à l'intérieur de la maison. Dacy avait pris l'habitude de garder le rottweiler à l'intérieur la nuit — non pour se protéger, lui avait-elle expliqué, mais parce qu'il avait tendance à tirer bruyamment sur sa chaîne et à aboyer sans arrêt quand on le laissait dehors le soir.

Le chœur des coyotes s'atténua et finit par s'éteindre ; les réponses de Buster aussi. Le calme qui s'installa de nouveau était assez oppressant. Messenger tourna les talons et reprit le chemin inverse à plus grandes enjambées. Il allait s'asseoir un moment dans la voiture et écouter une de ses cassettes tout bas. Le jazz dans sa variété douce et apaisante — Teagarden, peut-être, ou le King Cole Trio — l'aidait parfois à trouver le sommeil lorsqu'il était chez lui.

En passant devant l'étable, il entendit les chevaux s'agiter. Les coyotes avaient dû les réveiller eux aussi. Il se demanda si Buster avait dérangé le sommeil de Dacy ; si c'était le cas, elle n'avait pas allumé de lumière. Il contourna le camping-car pour rejoindre la Subaru.

Il sentit la fumée de cigarette juste avant d'entendre la voix de Dacy prononcer son prénom.

Il se retourna. Elle était assise sur les marches du camping-car, tache blanche qui se détachait dans l'obscurité argentée. Le bout incandescent de sa Marlboro dessina une traînée rouge lorsqu'elle l'éloigna de sa bouche.

— Tu es là depuis longtemps ? demanda-t-il.

— Quelques minutes. Je t'ai vu traîner dehors.

— Je n'arrivais pas à dormir. Trop nerveux, je ne sais pas pourquoi.

— C'est ce genre de nuit.

Il n'avait pas besoin de lui demander ce qu'elle voulait dire par là.

— Tu as envie de parler un peu ? Ou juste de venir t'asseoir ?

— Les deux.

Il s'assit près d'elle. Sa hanche toucha la sienne ; elle ne s'écarta pas, et il sentit la chaleur et la tension de son corps sous la chemise de nuit de coton et le fichu qu'elle avait jeté sur ses épaules. Elle exhalait un parfum de savon et de dentifrice, de lit et de fumée de cigarette. Il sentit le désir le tirailler, pour la première fois depuis l'épisode avec Molene à San Francisco. *Ne te monte pas la tête. La patronne et l'employé, tu te souviens ?* Mais il ne déplaça pas sa jambe. Et elle ne bougea pas les siennes non plus.

Lorsqu'elle finit sa cigarette et jeta le mégot par terre, il dit :

— Dacy, j'aimerais te demander quelque chose. Mais si c'est trop personnel, tu n'as qu'à me le dire.

— Vas-y.

— Que s'est-il passé avec ton mari ?

Elle ne répondit pas. Elle resta assise, penchée en avant, les avant-bras posés sur ses genoux.

— Ce ne sont pas mes oignons, c'est ça ? reprit Messenger.

— Sans doute que non. Mais bon, depuis, de l'eau a coulé sous les ponts. Je ne sais pas où est Howard aujourd'hui ni ce qu'il fait. Et je m'en fiche pas mal. La dernière fois que j'ai entendu parler de lui, il travaillait dans un ranch près d'Ely, mais c'était il y a quatre ans.

— Je voulais dire ce qui est arrivé à votre couple. Ce qui vous a séparés.

— C'est moi. Comme disait Popeye, on supporte, on supporte, jusqu'à ce qu'on supporte plus.

— Supporter quoi?

Dacy alluma une autre cigarette.

— Howard est un bon vieux cow-boy. Tu sais ce que ça veut dire?

— Pas exactement.

— Les deux choses qu'il préfère, c'est boire et se bagarrer. Il bosse comme un chien toute la semaine, dix, douze heures par jour, et quand le week-end arrive, il file au bar le plus proche pour prendre une cuite avec ses potes et foutre le bordel. Au moins une fois par mois, je recevais un appel du bureau du shérif pour aller le sortir de la cellule de dégrisement.

— Et tu en as eu marre.

— J'en ai vraiment eu marre au bout de neuf ans. Marre de payer sa caution, marre de soigner ses gueules de bois et ses ecchymoses. Marre qu'il me laisse seule avec Lonnie. Marre de dormir avec un homme qui n'avait pas grand-chose à me dire, sauf: «Bon, ça te dirait un petit coup ce soir, femme?»

— C'est plutôt triste, comme histoire, dit Messenger.

— La vivre était bien plus triste que la raconter.

— Il était toujours comme ça? Même au début?

— Au début, il n'était pas si mauvais. Seulement, ça a empiré, jusqu'à tuer tout l'amour qu'on avait l'un pour l'autre.

— Comment a-t-il réagi quand tu lui as demandé le divorce?

— Je ne lui ai pas demandé, je lui ai annoncé.

— Et?

— Il n'a quasiment rien dit. Il est descendu en ville, il s'est bourré la gueule, il a déclenché une bagarre et fini en pri-

250

son avec trois côtes cassées. J'ai payé sa caution pour la dernière fois. Le lendemain, il a chargé toutes ses affaires dans son pick-up et est parti sans nous dire au revoir, à moi et à Lonnie. Il s'est arrêté en ville juste le temps de vider notre compte en banque — huit cents dollars. Je ne l'ai plus jamais vu et je n'ai plus eu de ses nouvelles.

— Il n'a pas contesté le divorce?

— Il ne l'a pas contesté, il n'a pas pris d'avocat, rien. J'imagine qu'il s'est dit que huit cents dollars étaient une compensation suffisante. Le juge nous a donné à moi et à Lonnie l'entière propriété du ranch.

— Quand est-ce que ça s'est passé?

— Il y a sept ans.

— Tu as bien dû avoir quelqu'un d'autre depuis.

Dacy émit un son qui ressemblait à un petit rire étouffé.

— Tu essaies de découvrir si j'ai été célibataire pendant sept ans, Jim?

— Ce n'est pas ce que je voulais dire…

— Oh, zut, je le sais bien.

Elle tira une longue bouffée sur sa cigarette; à la lueur du tabac incandescent, les ombres dessinaient comme un masque sur son visage. Sa chevelure ébouriffée la rendait encore plus attirante.

— J'ai eu des relations. J'en ai eu une avec un médecin de Tonopah — celui qui m'a parlé de crise catathymique. Ça a duré un an et ça aurait pu être permanent. Il m'a demandée en mariage; j'ai refusé. Ça a mis fin à notre relation.

— Pourquoi as-tu refusé?

— Il voulait que je vende le ranch, que je déménage à Tonopah et que je vive dans sa maison en ville. Que je devienne la mère de ses deux enfants. Ce genre d'arrangement, ça n'aurait pas tenu plus de six mois. J'aime mener ma vie, pas gérer celle de trois autres personnes. Et j'aime vivre là où je suis.

— Seule.

— Je ne suis pas seule. J'ai Lonnie.

— Tu comprends ce que je veux dire, Dacy. Que se passera-t-il quand Lonnie grandira, qu'il partira faire sa vie de son côté?

— On verra quand ça se présentera.

— Mais le mariage ne te manque pas? Tu ne voudrais pas revivre ce genre de relation un jour?

— Si, parfois. La plupart des jours, non.

— Parce que tu as peur d'un nouvel échec? Ou juste de souffrir à nouveau?

Elle garda le silence, cinq ou six battements de cœur, puis:

— Laisse tomber, Jim.

— Si j'ai été trop loin, excuse-moi.

— Tu as peut-être loupé ta vocation, tu sais, dit-elle sur un ton sardonique. Vu le genre de questions que tu poses, tu aurais fait un bon psy.

Il rit, même si ce qu'elle avait dit n'était pas drôle.

— Pour être psy, il faut d'abord se soigner soi-même.

— Hmm-hmm. Et toi alors? Tu as déjà été marié?

— Une fois, il y a longtemps, à l'université.

— Divorcé?

— Oui.

— Qu'est-ce qui a fichu en l'air le tien?

Il lui raconta. Il lui dit tout sur Doris et leur époque ensemble, Doris et la star de l'équipe universitaire d'athlétisme. Il se surprit même à lui livrer une version édulcorée de l'incident à Candlestick Park, en lui racontant ce que Doris

252

lui avait dit sur le trajet du retour et comment il était venu seulement récemment à réaliser à quel point elle avait raison.

— C'est aussi une histoire triste, dit Dacy. Presque aussi triste que la mienne.

— Je sais.

— On forme une sacrée paire, non ?

— Oui, mais je ne veux plus être comme ça, dit Messenger. C'est en partie ce qui m'a poussé à venir à Beulah, et ce pourquoi je suis resté là.

— Tu essaies de te trouver toi-même ?

— Non, de trouver un nouveau moi. L'ancien… eh bien, la formule de Popeye peut s'y appliquer aussi. On supporte, on supporte, jusqu'à ce qu'on supporte plus.

— Et qu'est-ce que fera ce nouveau moi quand tu rentreras chez toi ?

— Je ne sais pas encore. On verra quand ça se présentera.

— Sûr. *Loco la cabeza.*

— Fou ? Si peu. Juste un type qui fait sa crise de la quarantaine. Tu ne penses pas ?

— Je pense juste que j'ai envie de ne plus penser, là, tout de suite, dit-elle.

Elle se tut de nouveau. Une petite brise s'était mise à souffler, chaude d'abord, mais qui se rafraîchissait soudain. Portée par le vent, l'odeur âcre de créosote des arbustes caducs recouvrit les senteurs plus subtiles de la nuit.

Dacy remua à côté de lui et dit :

— Il commence à faire froid. On ferait mieux d'aller se coucher.

Ils se levèrent ensemble et, lorsqu'elle se tourna vers lui, elle était toujours proche — assez proche pour qu'il sente pleinement la chaleur de son corps et la caresse de son haleine

253

contre son menton. Le désir recommença à le tirailler, plus pressant encore. Il avait la bouche sèche.

— Dacy...

— Je sais, dit-elle.

— Si tu ne pars pas maintenant...

— Qui a parlé de partir ? Je n'ai pas dit qu'on devait aller se coucher séparément.

Elle lui prit la main.

— C'est ce genre de nuit, aussi, ajouta-t-elle.

Elle lui fit l'amour avec une intensité qu'il n'avait connue chez aucune femme, Doris incluse. Elle le serra ardemment dans ses bras, entre ses jambes, le pressant, le tirant, l'agrippant, comme si elle cherchait une fusion plus vaste et plus complète que simplement sexuelle. Et tout ce temps elle n'arrêta pas de lui parler, l'exhortant et le suppliant, ses mots et sa respiration brûlant son oreille, entrecoupés de petits gémissements venus du fond de sa gorge — tout cela dans une sorte de frénésie désespérée. Ils jouirent tous les deux trop vite, même s'il lutta pour faire durer le plaisir. Lorsqu'elle atteignit l'orgasme, elle fut traversée d'une série de spasmes, vibrant de tout son corps comme si elle recevait un choc électrique ; et elle plaqua sa bouche contre la gorge de Messenger pour étouffer des sons qui ressemblaient à des cris de douleur.

Il fallut une bonne minute à Dacy pour se calmer, avant qu'il sente ses mains posées sur lui se détendre. Haletante, elle murmura :

— Oh bon Dieu ! Ça faisait si longtemps que j'avais oublié à quel point c'était bon.

— Mieux que bon, bien mieux...

— Ne commence pas à te lancer des fleurs, Jim.

— Non, je disais ça pour toi.

— Regarde-nous, à moitié sortis du lit. Je suis étonnée qu'on n'ait pas fini par terre.

— Je ne l'aurais même pas remarqué.

Ils se détachèrent l'un de l'autre et restèrent allongés là, le temps que leurs respirations s'apaisent. Puis Dacy rit doucement et dit :

— C'est drôle.

— Quoi ?

— Il y a une semaine, je ne te connaissais même pas. Et voilà que tu débarques de nulle part en mettant ma vie sens dessus dessous. À peine le temps de dire ouf, tu travailles pour moi et tu vis ici. Et maintenant je te laisse me baiser. C'est peut-être moi qui suis folle, tu ne crois pas ?

— C'est tout ce que c'était pour toi ?

— De quoi tu parles ?

— Juste baiser.

— C'était quoi pour toi ?

— Faire l'amour.

— Allons, Jim, tu ne m'aimes pas.

— Qu'en sais-tu ?

— Je ne t'aime pas.

— D'accord, dit-il.

— Deux personnes solitaires que ça démangeait, c'est tout.

— Je ne pense pas que ce soit tout. Et je ne crois pas que tu le penses non plus.

— Eh bien, tu as tort. Ça ne te suffit pas ? Qu'on soit ensemble comme ça ?

— Si, pour l'instant.

— L'instant présent, c'est tout ce qui compte, dit Dacy. C'est tout ce qu'il y a.

255

Dehors, le vent fit s'entrechoquer quelque chose. Au loin, un coyote glapit plaintivement puis se tut. Messenger changea de position, se tournant de façon à pouvoir poser sa main en coupe sur l'un de ses seins.

— Tu aimes ce vieux nichon qui tombe? dit Dacy.

— Il ne tombe pas. Et il n'est pas vieux non plus.

— Peut-être pas encore. Mais ça ne va pas tarder.

— Quel âge as-tu, Dacy?

— Tu n'es pas censé poser cette question à une femme.

— Ce n'est pas que ça me préoccupe. Juste par curiosité.

— Bon, c'est pas un secret. Je vais sur mes trente-quatre ans.

— Trente-quatre ans, c'est jeune.

— Non, pas quand on vit dans le désert.

— Jeune, insista-t-il. Jeune et belle.

— Merde.

— Ne parle pas comme ça quand tu es au lit avec moi.

— Pourquoi pas? C'est juste un mot.

— Je veux que les choses restent pures entre nous.

— Pures, fit-elle. Ouah. C'est la première fois qu'un homme me dit un truc pareil.

— Je suis sérieux, Dacy.

— D'accord, fit-elle avant de bâiller en s'étirant. Mais tu aurais dû les voir quand j'avais dix-huit ans... mes nichons. Ils étaient tellement fermes qu'ils bougeaient à peine quand je me baladais toute nue. Et la peau douce comme du satin.

— Elle est toujours douce comme du satin...

Elle entendit ou perçut l'inflexion dans sa voix, sa respiration qui se modifiait un peu.

— Cette discussion t'a réexcité?

— Oui.

— Pas étonnant. C'est simple chez les hommes.

— On n'est pas obligés de refaire l'amour...

— J'ai dit que je ne voulais pas?

Elle se tourna de son côté, tendit la main pour vérifier et l'enserra avec douceur.

— Tellement simple.

Quelqu'un le secouait avec rudesse, l'appelait en lui disant de se réveiller.

— Réveille-toi, Jim! Réveille-toi!

Il se débattit pour s'extirper de plusieurs couches de sommeil. Les mains qui le tiraient le soulevèrent; il s'assit, encore groggy. Il sentait ses paupières collées par les impuretés du sommeil. Il n'arrivait pas à les ouvrir, dut se frotter les yeux pour les décoller.

La lampe à côté du lit était allumée. Ébloui, il plissa les yeux.

Dacy.

Elle était tout habillée, les cheveux en bataille, le visage assombri par une fureur contenue. Un seul regard sur elle suffit à le réveiller complètement.

— Qu'est-ce qu'il y a? demanda-t-il. Que se passe-t-il?

— Le ranch d'Anna, dit-elle. Il brûle. Un fils de pute a foutu le feu partout là-bas.

20

Dacy fonçait à plus de cent à l'heure sur la route glissante au volant de la Jeep, dont l'avant rebondissait sans cesse, balayant les ténèbres de ses rais de lumière jaune pâle à chaque secousse. Messenger était arc-bouté à côté d'elle, les pieds en appui, agrippé à la fois au dossier de son siège et au tableau de bord. À l'arrière était assis Lonnie, le dos voûté et le cou tendu comme un chien d'arrêt. Le garçon n'avait pas dit un mot avant qu'ils quittent le ranch, avait à peine semblé remarquer la présence de Messenger. Il se demanda de nouveau, comme il l'avait fait lorsqu'ils s'étaient entassés dans la Jeep, si Lonnie savait ou suspectait que sa mère avait passé une partie de la nuit dans le camping-car avec leur nouvel employé. Et, si oui, ce qu'il en pensait.

Devant eux, vers le nord, le ciel au-dessus des collines basses irradiait d'une lueur orangée teintée de fumée. La fumée s'élevait en vagues ondoyantes qui s'épaississaient; il pouvait déjà la sentir, âcre et boisée, portée par la brise nocturne. *Partout là-bas*, avait dit Dacy, et c'était bien ce qu'il lui semblait d'ici. Impossible qu'un incendie de cette taille se soit déclenché et propagé naturellement par une nuit aussi calme. (Il était plus d'une heure du matin lorsqu'elle l'avait tiré du lit ; il avait vérifié l'heure en s'habillant.) Un incendie volontaire… mais qui pouvait bien vouloir brûler un ranch fantôme au milieu de la nuit ? Pour quelle raison ?

Ils approchaient de l'intersection avec le chemin de terre creusé d'ornières qui menait à la propriété d'Anna. En suspension dans l'air, au-dessus du chemin et de la route de la vallée au-delà, un résidu de poussière blanche et poudreuse persistait. Un ou plusieurs véhicules avaient dû redescendre par là peu avant, assez vite pour soulever des nuages de poussière aussi hauts et épais que ceux qui se formaient dans le sillage de la Jeep, puis prendre la direction de la ville. Ou du ranch de John T. ? À travers la plaine désertique, il distinguait les veilleuses de la propriété de Roebuck — une demi-douzaine, montées sur de grands poteaux. Mais il ne vit pas d'autres lumières. Tout le monde là-bas devait encore dormir, ignorant l'incendie. Ou prétendant l'ignorer.

Dacy braqua pour tourner devant la remise à bois. La Jeep dérapa, fit une embardée et, les tripes nouées, Messenger crut un instant qu'ils allaient partir en tonneau. Mais elle savait s'y prendre ; elle tourna le volant pour contrôler le dérapage, les roues accrochèrent en crissant et l'avant de la Jeep trembla avant de se stabiliser. Le moteur gémit lorsqu'elle embraya pour gravir la pente. La surface crevassée et jonchée de pierres de la piste l'obligea à ralentir l'allure ; cependant, même là, elle roulait assez vite pour que des rocs saillants raclent le châssis, délogeant des fragments qui venaient exploser contre le métal comme des coups de feu. Assez vite, aussi, pour le faire décoller de son siège et se cogner la tête, malgré ses appuis, lorsqu'une roue avant heurta un profond nid-de-poule.

La lueur de l'incendie et le roulis de la fumée enflaient et emplissaient tout l'espace devant eux. Le vent porta à ses oreilles le léger craquement des flammes ; et lorsque la Jeep surgit en bondissant du petit canyon pour attaquer la pente en lacets, il sentit sur sa peau la chaleur du feu. Ils étaient à cinquante ou soixante mètres du portail fermé lorsque apparurent les hautes flammes. À leur lueur, ils virent le véhicule rangé à l'écart sur le bord du terrain.

Un break, assez neuf, de couleur claire.

Le break de John T. ?

Dans un dernier dérapage, Dacy arrêta la Jeep. Messenger trébucha en sortant de l'habitacle ; Lonnie le retint par le bras, l'empêchant de tomber, mais le regard que le garçon lui lança était indéchiffrable. Il posa les deux mains contre le portail, scrutant des yeux la cuvette au-delà.

Tous les bâtiments de bois étaient couverts de flammes — la maison, l'étable, le poulailler, l'appentis, les restes du corral et du moulin. Des virevoltants enflammés roulaient en tous sens à travers la cour, comme si le vent s'était lancé dans une folle et ardente partie de bowling. Des buissons d'armoise et d'arbres caducs brûlaient çà et là sur le plateau, allumés par des étincelles et des cendres. Par vagues successives, la chaleur frappait le visage de Messenger.

— On ne peut rien faire, dit-il à Dacy.

— Non, je m'y attendais.

— Pour moi, c'est tant mieux, dit Lonnie, qui parlait pour la première fois, d'une voix bizarrement plate. Que tout ça soit réduit en cendres.

— Pourquoi ? lui demanda Messenger. Ça ne rendra pas le passé plus facile à oublier.

— Peut-être que si. Ce que mon oncle a fait...

— Ton oncle ? Qu'a-t-il fait ?

Lonnie secoua la tête.

260

— Laissez tomber, dit Dacy.

Messenger vit que son regard s'était tourné vers le break.

— Bon Dieu, si c'est lui l'incendiaire, il va le payer d'une manière ou d'une autre.

— John T. ?

— C'est son break.

— Pourquoi ferait-il une chose pareille ? Et au beau milieu de la nuit ?

— Comment je le saurais ? Ce n'est pas comme s'il réfléchissait avant d'agir.

L'air furieuse, elle marcha droit sur le break, Messenger et Lonnie dans son sillage. Elle ouvrit la portière du conducteur, se pencha pour regarder à l'intérieur — et recula en sursautant comme si on l'avait frappée, avant de s'immobiliser. À la lueur de l'incendie, le jeu des émotions sur son visage était pleinement lisible. Messenger s'alarma en la voyant tressaillir de dégoût.

— Mon Dieu, dit-elle à voix basse, puis, plus fort : Lonnie, tu restes où tu es. Tu n'approches pas — compris ?

Sur le qui-vive, Messenger se glissa derrière elle. Un seul regard dans le break suffit à lui donner un haut-le-cœur ; il bloqua sa gorge et ses mâchoires en reculant. Son regard se fixa sur Dacy, mais l'image de ce qu'il avait vu à l'intérieur du break restait gravée en lui avec précision, comme marquée au fer rouge sur ses rétines.

Un homme mort gisait affalé sur le siège avant. Son visage n'était plus qu'un cratère de sang noir luisant. Il y avait des éclaboussures de sang, de la matière grise et des fragments d'os partout sur les coussins, le tableau de bord, le pare-brise...

— Qu'est-ce qui se passe ? demanda Lonnie par-dessus le rugissement de l'incendie.

261

Mais il avait obéi à Dacy; il restait figé à dix pas du break.

— Il est dedans?

— Mort. On lui a tiré dessus.

— Quelqu'un a flingué John T.?

On lui a tiré en plein visage, comme à son frère. Je voulais provoquer une réaction, mais pas celle-là. Bon sang, pas celle-là!

— Va chercher la lampe torche dans la Jeep. Dépêche.

Lonnie s'exécuta sur-le-champ. Lorsqu'il revint, Dacy alla à sa rencontre, lui dit quelque chose que Messenger ne put entendre, puis retourna auprès du break et éclaira l'intérieur de l'habitacle. Pas longtemps, juste quelques secondes. Puis elle éteignit la lampe, rejoignit Messenger et murmura d'une voix tendue:

— Bon, il ne s'est pas suicidé. Je n'ai pas vu de pistolet.

— Un fusil?

— Non. C'est un pistolet de gros calibre, à bout portant. Une seule balle, je dirais, mais c'est à confirmer.

— Celui qui a fait ça était monté ici dans une autre voiture. On a dû le louper d'une poignée de minutes, pas plus.

— Je sais, j'ai vu la poussière, moi aussi.

— Quelqu'un vient, dit brusquement Lonnie.

Messenger n'avait rien entendu, et n'entendit rien pendant quelques secondes encore. Puis il perçut le léger vrombissement d'un moteur de voiture ou de pick-up en train de gravir péniblement le chemin.

Dacy se dirigea à petites foulées vers la Jeep. Le temps que Messenger la rejoigne, elle avait déjà détaché son fusil — un Magnum Weatherby à répétition calibre .25, lui avait-on dit — du support qui le maintenait derrière les sièges avant. Elle fit monter une cartouche dans la chambre et se planta là, l'arme au creux des bras, les yeux rivés sur le bas de la colline.

Ils attendirent tous trois dans un silence tendu, rendu encore plus aigu par le crépitement des flammes dans leurs dos.

Il se passa trois ou quatre minutes avant que des lueurs de phares viennent balayer de manière erratique les parois nues du canyon en dessous. Les phares se stabilisèrent ; le véhicule prit forme derrière — un pick-up. Il gravit la pente jusqu'à eux et, lorsqu'il vint se ranger derrière la Jeep, Messenger le reconnut : c'était le Ford vert sale de Tom Spears. Spears était au volant, en compagnie de Joe Hanratty.

Les deux hommes sortirent du pick-up en courant mais ils stoppèrent net en voyant Dacy lever le Weatherby. Leur attention passa confusément d'elle aux bâtiments du ranch qui brûlaient et au break de John T. Tous les deux avaient l'air d'être tombés du lit : cheveux décoiffés, yeux gonflés de sommeil, avec des vêtements de nuit rentrés n'importe comment dans leurs jeans.

— Qu'est-ce qui se passe ici, Dacy ? demanda Hanratty.

— À ton avis ?

— C'est vous qui avez mis le feu ?

— Non. Et vous ?

— Bon Dieu non. Qu'est-ce qui te prend de nous accuser ?

— Quelqu'un l'a bien allumé, voilà ce qui me prend.

— Si on avait voulu brûler ce foutu ranch, on l'aurait fait depuis belle lurette. On n'en sait pas plus que toi. Je me suis levé pour pisser, j'ai aperçu la lueur des flammes et je suis allé secouer Tom.

— Seulement Tom ?

— J'ai pas vu l'utilité d'essayer de réveiller Mme Roebuck.

— Depuis combien de temps John T. est ici ? demanda Spears.

— Longtemps avant qu'on arrive.

263

— Nom de Dieu, c'est quand même pas lui qui a foutu le feu ?

— On ne sait pas qui l'a fait.

— Bon, il est passé où, John T. ?

Plus bas dans la cuvette, un craquement de tonnerre leur fit tourner la tête : le toit de l'étable s'était effondré dans une fontaine d'étincelles et de cendres. Des vagues de chaleur déferlèrent sur eux, poussées par des rafales de vent. La transpiration couvrit la nuque de Messenger, trempa ses aisselles. L'air chargé de fumée lui brûla les poumons.

— John T. est dans sa voiture, dit-il. Apparemment, il était venu là pour rencontrer quelqu'un.

— Pourquoi ne pas lui demander ? dit Hanratty. Pourquoi n'est-il pas encore là ?

— Allez voir vous-mêmes.

Les deux hommes échangèrent un regard. Messenger les regarda s'approcher du break ; Hanratty ouvrit la portière. Leurs réactions choquées semblaient sincères ; Spears lâcha un « Merde ! » tonitruant. Lorsqu'ils revinrent à la Jeep, Hanratty paraissait secoué et furieux, et Spears abasourdi.

— On l'a trouvé comme ça, leur dit Dacy, cinq minutes avant votre arrivée.

— Mais qui a bien pu faire ça à John T. ? demanda Spears d'un ton écœuré.

— Ce sale petit mec, par exemple, dit Hanratty, qui s'était rapproché de Messenger. Bon Dieu, si tu as la moindre chose à voir avec ça… !

— Non, intervint Dacy. Jim était chez moi toute la journée et toute la soirée.

— Tu étais avec lui tout le temps ?

— Quasiment.

— Il aurait pu filer en douce une fois que tu étais couchée…

— Non. On est restés ensemble jusqu'à minuit passé.

— Ah ouais? Et à faire quoi, si tard?

— À parler, même si ce ne sont pas tes oignons.

— À parler… Mon œil.

Messenger glissa un regard en coin à Lonnie. Le garçon ne semblait pas avoir entendu; immobile, il regardait ailleurs, perdu dans ses pensées ou fasciné par les charpentes enflammées en contrebas.

— Et toi, tu t'endors facilement tous les soirs, Joe? lui demanda froidement Dacy. Tu dors comme un bébé, tous les soirs?

— C'est quoi votre problème à tous les deux? intervint Spears. Bon sang, John T. est allongé là-bas avec la tête explosée. Personne ne va se bouger?

— Il a raison, dit Messenger, il faut prévenir le shérif. Mme Roebuck, aussi.

— Ne me demandez pas de faire ça, fit Hanratty.

— On va descendre et s'en charger, dit Dacy. Toi et Joe, restez ici et surveillez les lieux le temps que Ben Espinosa arrive. C'est bon?

— Non, ce n'est pas bon, dit Hanratty. Mais j'imagine qu'on n'a pas le choix.

Il se rapprocha encore plus près de Messenger et lui refit son numéro de l'index appuyé sur le torse.

— John T. était un homme bien, il en valait deux comme toi, l'étranger. Peut-être que tu ne lui as pas tiré dessus, mais je vais te dire une chose : il est mort à cause de toi. Que l'assassin soit n'importe qui, il est mort parce que tu t'es ramené à Beulah, pauvre con.

Messenger garda le silence. Il n'avait aucune raison de protester, car Hanratty avait raison.

Le ranch des Roebuck paraissait plus petit de près que de loin. Même ainsi, il comprenait au moins deux fois plus de bâtiments que celui de Dacy — deux granges, deux camping-cars, une structure toute en longueur, probablement un baraquement, plusieurs étables, une vieille bâtisse de tourbe qui avait dû être la maison du père de John T., sans doute préservée pour cette raison. Plus des meules affaissées et un dédale de corrals et de glissières de contention du bétail. L'habitation principale était bâtie de pierre locale, protégée du soleil par des rangs réguliers de cotonniers, mais elle n'était pas beaucoup plus grande que celle de Dacy.

Ils ne virent aucune lumière s'allumer dans la maison lorsque la Jeep traversa la cour éclairée. Arrivée juste devant, Dacy coupa le contact, ordonna à Lonnie de rester là et se dirigea vers la porte d'entrée, accompagnée de Messenger. Il frappa à l'aide d'un heurtoir à l'ancienne en forme de fer à cheval ; les coups sourds se répercutèrent alentour comme un roulement de tonnerre. Mais il n'y eut pas de réponse. Il dut refaire claquer le heurtoir une demi-douzaine de fois, avec une intensité croissante, avant qu'une lampe ne s'allume enfin à l'intérieur.

Lorsque Lizbeth Roebuck ouvrit la porte, Messenger devina immédiatement qu'elle avait eu du mal à se réveiller parce qu'elle s'était écroulée ivre morte. Les yeux vaseux, les joues bouffies, les relents de bourbon dans son haleine et qui s'exhalaient de ses pores — la femme avachie dans son peignoir bleu chenille avait perdu tout sex-appeal. Néanmoins, elle tenait assez bien sur ses jambes — l'équilibre savamment entretenu de l'alcoolique invétéré.

Elle focalisa son regard sur Dacy et dit :

— Alors c'est toi. Qu'est-ce qui te prend de faire un boucan pareil ?

Sa voix rauque était presque un grognement, mais il fallait tendre l'oreille pour entendre qu'elle trébuchait sur les mots.

— Il s'est passé quelque chose, Liz. Laisse-nous entrer.

— Tu sais l'heure qu'il est ?

— C'est important. On doit te parler et se servir de ton téléphone.

— Le téléphone ? Pourquoi ?

— Pour appeler le shérif.

— Le shérif, répéta-t-elle.

Elle recula, lentement, pour les laisser entrer.

— Qu'est-ce qui s'est passé ?

— Quelque chose de grave, Liz. Tu ferais mieux de t'asseoir.

— J'ai pas envie de m'asseoir. Dis-moi.

— Je ne vais pas tourner autour du pot. John T. est mort. Aucune réaction, pas même un battement de cils.

— Lizbeth ? J'ai dit que John T. était mort.

— J'ai entendu. Comment ?

— Quelqu'un a mis le feu au ranch d'Anna. Tout ce qui restait a brûlé. C'était peut-être John T., peut-être pas — mais il était là-bas. Il y est encore. L'autre personne qui était là lui a tiré dessus dans son break.

Toujours aucune réaction. Messenger se souvint de Dacy lui disant que Lizbeth était une femme froide. Peut-être était-ce la raison, ou peut-être était-ce le choc. L'autre possibilité, c'était que la nouvelle de la mort de son mari n'était pas une nouvelle pour elle.

Il y eut un long silence; puis elle dit:

— Le téléphone est dans la cuisine.

Sur ce, elle se dirigea à pas lents vers un bar couvert de cuir rouge qui occupait tout un mur. Ni Dacy ni Messenger ne bougèrent. Lizbeth remplit aux trois quarts un verre de vieux bourbon et le but doucement mais consciencieusement, en ne s'arrêtant qu'une fois pour reprendre sa respiration, jusqu'à ce qu'il soit vide. Elle le reposa sur le bar et se retourna, toujours aussi rigide et inexpressive.

— Eh bien? dit-elle à Dacy. Je t'ai dit où est le téléphone. Va passer ton coup de fil.

— J'y vais.

— Mais d'abord, mets-le dehors.

Elle ne regardait pas Messenger, elle ne l'avait pas regardé depuis le début.

— Je ne veux pas de cet enfant de salaud dans ma maison.

— Jim n'a rien à voir avec…

— Mets-le dehors. Dis-lui de foutre le camp tout de suite.

— Jim…, dit Dacy.

— Je serai avec Lonnie, dit-il en acquiesçant.

Alors même qu'il franchissait la porte, il entendait Lizbeth Roebuck continuer de dire à Dacy:

— Dehors, dehors, fous-le à la porte de chez moi…

Le vent était de nouveau tombé; le calme qui régnait sur la cour du ranch et les bâtiments alentour avait cette même qualité ouatée que les nuits brumeuses de San Francisco. Vers le nord, le ciel au-dessus des collines était toujours empourpré et chargé de fumée, mais le rougeoiement s'atténuait et les colonnes de fumée avaient réduit en taille et en épaisseur. Le temps que Ben Espinosa arrive, l'incendie serait presque fini, et il ne resterait plus rien du ranch d'Anna, hormis des squelettes de bois carbonisés.

Lonnie était tranquillement assis dans la Jeep, la tête penchée en arrière, une cigarette allumée au coin de la bouche. C'était la première fois que Messenger le voyait fumer.

— Elle ne voulait pas de moi dans sa maison, dit Messenger en montant du côté passager.

— Ça vous étonne?

— Non.

— Qu'est-ce qu'elle a dit pour John T.?

— Rien. Quoi qu'elle ressente, elle ne l'a ni exprimé ni montré.

— Oui, bon, elle est comme ça. Personne ne sait jamais ce qu'elle a dans le crâne.

— Et toi, Lonnie? Qu'est-ce que tu as dans le crâne, là, maintenant?

— Au sujet de John T.?

Il tira sur la cigarette sans porter la main à sa bouche.

— Je ne l'aimais pas beaucoup, vous le savez. Mais je déteste voir quelqu'un souffrir, ou mourir de cette manière — n'importe quel être vivant. Alors je crois que je me sens surtout triste.

— C'est ce que je ressens aussi.

— Ah oui? J'ai cru que vous seriez content.

— Pourquoi t'es-tu imaginé ça?

— Vous pensez que celui qui a tué John T. a aussi tué Tess et mon oncle, que tous ces crimes sont liés. Je me trompe?

— Et toi, tu n'y crois pas, maintenant?

— Non. Ce sont deux choses séparées, elles n'ont rien à voir ensemble.

— Lonnie… quand on est arrivés près de l'incendie, tu as

269

commencé à dire quelque chose sur ton oncle. «Ce que mon oncle a fait…» Tu t'en souviens?

— Je m'en souviens.

— Finis ta phrase. Qu'est-ce qu'il t'a fait pour que tu le détestes autant?

Messenger pensa d'abord qu'il n'obtiendrait pas de réponse. Puis, tout en jetant dehors le mégot de sa cigarette, Lonnie dit:

— Vous savez ce qu'il faisait.

— Non, je l'ignore.

— Toutes ces femmes qu'il voyait.

— Ce n'est pas ça.

— Comment vous pouvez savoir que ce n'est pas ça? Vous ne savez rien.

— Lonnie, qu'est-ce qu'il a fait?

— Non, putain. J'ai pas envie d'en parler.

— Tu as envie d'en parler. C'est en train de t'étouffer, et si tu ne craches pas le morceau, tu vas suffoquer. Je connais ça; moi aussi, j'ai tendance à garder les choses en moi.

Il y eut encore un silence, plus bref cette fois.

— Je ne peux pas vous le dire, dit Lonnie. Je ne pourrais même pas le dire à m'man.

— Parfois, pour un homme, il est plus facile de parler à un autre homme. Même quelqu'un qu'on ne connaît pas depuis longtemps.

— Je ne peux pas. Vraiment… je ne peux pas.

— D'accord. Mais si jamais tu changes d'avis…

Ils se turent et restèrent assis dans le noir, Messenger immobile, Lonnie changeant sans cesse de position, allumant une autre cigarette avant de la balancer au bout de deux bouffées. Une voix se fit entendre à l'intérieur de la maison — celle de Lizbeth Roebuck, une protestation alcoolisée qui ne dura

270

guère. La lueur enfumée de l'incendie disparut derrière les collines, laissant le ciel à nouveau dégagé. L'immense voûte céleste semblait briller de plus belle, presque irréelle, comme une carte du ciel dans un planétarium.

Et soudain Lonnie lâcha, comme si les mots lui étaient arrachés :

— Il lui faisait des trucs.

— … Tu peux répéter ?

— Mon oncle. Tess. Il lui faisait des trucs.

— Il a abusé d'elle, sexuellement ?

— Je ne sais pas s'il… vous savez. Mais il l'a touchée, il l'a tripotée. Plus d'une fois.

Mon Dieu.

— Comment le sais-tu, Lonnie ? Tu l'as vu la toucher ?

— Non. Elle me l'a dit.

— Quand ?

— Pas longtemps avant sa mort. Quelques jours.

À présent, les mots jaillissaient de sa bouche, comme s'il purgeait une poche de pus. Sa voix était chargée de souffrance.

— Elle aimait les chatouilles, on jouait tous à ça avec elle. J'étais dans notre grange en train d'enfourcher du foin et elle est entrée — ils passaient nous rendre visite ce jour-là —, elle est entrée et j'ai commencé à la chatouiller. Elle m'a dit : «Arrête ! Arrête !» et elle s'est mise à crier. Elle ne voulait pas me dire pourquoi, mais j'ai fini par lui faire avouer. Au début, je ne voulais pas y croire, mais c'était la vérité, elle ne racontait pas d'histoires.

— Et ensuite ?

— Je ne savais pas quoi faire. J'avais envie d'aller le massacrer — et c'est ce que j'aurais dû faire. Au lieu de ça, j'ai dit à Tess… je lui ai dit…

271

— Tu lui as dit d'en parler à sa mère.

— Ouais. D'en parler à sa mère. Parce que je ne voulais pas le faire moi-même.

— Tu as fait le bon choix. Il valait mieux que ça vienne d'elle.

— C'est ce que j'ai pensé. J'ai pensé que ma tante la croirait plus facilement que si ça venait de moi. J'ai fait promettre à Tess de tout lui dire. Je lui ai fait promettre…

— Tu penses qu'elle l'a fait, dit Messenger. Tu penses que c'est la raison pour laquelle ta tante est devenue folle et les a tués tous les deux.

— Elle a dû en vouloir autant à Tess qu'à lui. Mais ce n'était pas la faute de Tess. C'était sa faute à lui. Et à moi.

— Non, Lonnie…

— À moi. C'est pour ça que je n'ai pas pu en parler à m'man, ni à personne après. C'est ma faute si Tess est morte !

21

C'est la chaleur qui finit par le réveiller. À l'intérieur du camping-car, on se serait cru dans un sauna : allongé, il marinait dans sa propre sueur, entortillé dans ses draps trempés. Quelle heure était-il ? Le soleil devait être levé depuis longtemps pour qu'il fasse si chaud là-dedans...

Il roula sur le flanc, chercha sa montre à tâtons. Presque 11 heures. Si tard ? Dacy devait déjà être levée ; pourquoi ne l'avait-elle pas appelé ? *Remue-toi*, se dit-il, *il y a du boulot*. Mais son corps rechignait à lui obéir. Il se sentait groggy, anesthésié : il n'avait pas assez dormi, et s'était couché trop éreinté pour que ces quelques heures soient réparatrices. Il était presque l'aube quand le shérif Espinosa les avait autorisés à quitter le ranch des Roebuck, et il lui avait encore fallu une heure d'assoupissement agité avant de sombrer dans le sommeil.

Il resta allongé à écouter le silence. Malgré la transpiration qui imprégnait la literie, il sentait encore le parfum de Dacy sur les draps et la taie d'oreiller. Cette partie de la nuit dernière, il en gardait un souvenir très net : la manière dont ils avaient fait l'amour, tout ce qu'ils s'étaient dit l'un à l'autre. Mais la plus grande part de ce qui s'était passé ensuite était plus confuse, comme une mauvaise copie d'un film en noir et blanc. En particulier les scènes avec Espinosa, ses questions sans fin et le long trajet inutile pour retourner au ranch d'Anna qu'il leur avait imposé. Le shérif s'était montré hostile à son égard, même s'il semblait plus dérouté qu'autre chose par la mort de John T. : l'homme avait perdu son chef et ne savait pas vraiment comment gérer la situation. Si Dacy et Lonnie n'avaient pas été là, cette hostilité se serait sans doute focalisée sur lui et Jim Messenger aurait très bien pu passer une rude nuit derrière les barreaux. Dans l'esprit du shérif, il était la seule personne susceptible d'avoir un motif pour tuer un Roebuck.

Les seuls autres épisodes de la nuit dont il avait gardé un souvenir clair étaient l'image du cadavre ensanglanté de John T. et l'aveu de Lonnie. Au ranch des Roebuck, il n'avait guère eu le loisir de réfléchir à ce que Lonnie lui avait révélé, d'en analyser les implications ; Dacy était sortie de la maison juste après, et Espinosa et ses deux adjoints étaient arrivés un peu plus tard. Mais là, ce n'était pas non plus le moment d'y penser. Il était trop abruti par le sommeil et la chaleur d'étuve.

Il resta allongé une ou deux minutes de plus, avant de réussir à s'extirper du lit pliant et à se traîner jusqu'à la minuscule cabine de douche. L'eau tiède le réveilla un peu. Le temps qu'il se brosse les dents, se passe un coup de peigne et s'habille, il était de nouveau en état de fonctionner.

Aussitôt sorti du camping-car, il aperçut Dacy — debout dans la cour, elle faisait face à la route de la vallée ; elle tenait son fusil par le canon, la crosse posée par terre à ses pieds. Il vit ce qui retenait son attention : un petit groupe disparate d'une demi-douzaine de véhicules et d'une douzaine d'hommes et de femmes, sur la route, juste derrière son portail. On aurait dit un campement sauvage qui se serait monté pendant la nuit.

Elle l'entendit approcher et tourna la tête.

— Te voilà. Je m'apprêtais à aller frapper à ta porte.

— Tu aurais dû. Je n'avais pas prévu de dormir si longtemps.

— Bah, la nuit a été sacrément longue.

— Qu'est-ce qui se passe là-bas ?

— Des vautours, dit-elle d'un ton acerbe. Des foutus nettoyeurs de cadavres.

— Les médias ?

— Principalement. Quelques curieux de la ville, aussi. Un de ces camions télé est entré tout à l'heure, mais j'ai fait déguerpir ces salopards. J'ai supporté qu'on empiète sur ma propriété quand Tess et Dave ont été tués, mais cette fois, pas question. C'est terminé.

Visiblement, elle n'avait pas beaucoup dormi, elle non plus. Des rides de fatigue se creusaient autour de ses yeux, dont les pupilles étaient injectées de sang, et ses cheveux étaient décoiffés. Le fait qu'elle parût vulnérable ce matin-là la rendait d'autant plus désirable. Une pure réaction d'ego masculin, certes : l'homme protecteur, consolateur. Mais s'il s'avisait de le formuler tout haut, elle lui éclaterait sans doute de rire au visage.

Il se demanda si, en fin de compte, il était amoureux d'elle.

Il n'avait pas d'aune fiable à laquelle mesurer ses sentiments. La seule autre femme qu'il avait cru aimer, c'était Doris, mais avec elle il n'avait guère partagé autre chose que de la chaleur physique ; avant et aux premiers temps de leur mariage, ils étaient ensemble comme des lapins. Il s'était senti blessé lorsqu'elle avait divorcé, mais rien à voir avec une souffrance déchirante, ou l'impression qu'on nous arrache une partie de nous-mêmes. Ses sentiments pour Dacy étaient plus forts, plus passionnels. Il ressentait une profonde complicité, cette sorte de lien qui pouvait mener à une relation fusionnelle. Mais inutile de se faire des films : cette envie de fusion pouvait très bien n'être pas partagée. Et même de son côté, ce pouvait n'être qu'une illusion transitoire, une excroissance du moment passionnel qu'ils avaient partagé la veille au soir. Le désir physique pouvait tromper un homme solitaire dans un corps mature aussi sûrement qu'il trompait un adolescent à la puberté.

Ne précipite rien, se dit-il. *Laisse les choses se faire. Pour l'instant, on a bien d'autres priorités.*

— Où est Lonnie ? demanda-t-il.

— Parti. Il s'est levé avant moi, il a sellé son cheval et a filé. Dieu sait où.

Messenger referma doucement ses doigts autour de son bras. Elle ne repoussa pas sa main, mais ne réagit pas non plus à son contact.

— Dacy, allons à l'intérieur. Il faut qu'on parle.

— Si c'est à propos de nous deux…

— Ce n'est pas ça.

— Tant mieux, parce que ce n'est pas le moment.

Ils se rendirent dans la cuisine ; au passage, Dacy posa son Weatherby contre un mur près de la porte d'entrée.

— Il y a du café sur le fourneau. Tu as l'air d'en avoir besoin.

— Oui, le plus grand mug que tu as.

— Dans le placard au-dessus de l'évier.

Il trouva le mug, se versa du café. Corsé et amer — exactement ce qu'il lui fallait.

276

— Quelque chose tracasse Lonnie, dit Dacy. Et je ne crois pas que ce soit ce qui est arrivé à John T.

— Non. Pas directement.

— Quoi, tu sais ce que c'est ?

— Oui. C'est justement ce dont on doit parler. Il savait quelque chose qui le rongeait depuis que Tess et son oncle ont été assassinés. Il m'a tout déballé cette nuit, pendant que tu étais avec Liz Roebuck.

— Déballé quoi ? Que pouvait-il savoir ?

— Il se croit responsable de la mort de Tess.

— Il... *quoi* ?

— Il ne l'est pas ; j'ai essayé de le convaincre, mais il se sent trop coupable pour accepter la vérité.

— Pour l'amour de Dieu, Jim, ne tourne pas autour du pot. Dis-le.

Il lui répéta mot pour mot ce que Lonnie lui avait raconté.

Elle l'écouta stoïquement. Mais lorsqu'il se tut, elle se laissa choir sur une chaise et, dans un geste de colère et de frustration, donna un grand coup sur la table de la paume de sa main.

— Pauvre gamine. Ces deux pauvres gamins. Si seulement il m'avait dit...

— Il ne pouvait pas, dit Messenger. Vous êtes trop proches ; il avait peur que tu lui en veuilles...

— Comme si j'aurais pu lui en vouloir. Non, toute ma haine est pour le fils de pute dégénéré qu'a épousé Anna. Si c'est elle qui lui a fait sauter le caisson, ce n'est que justice. J'en aurais fait autant si je l'avais su.

— Elle n'a tué personne. Tu ne crois plus à cette version, pas après ce qui est arrivé à John T. ?

— Non, je n'y crois plus.

277

— Lonnie, si. Et il continuera à y croire tant qu'on n'aura pas découvert le vrai meurtrier.

— Peut-être que si je lui parlais…

— Ça n'arrangerait rien, à mon avis. Il refusera de l'admettre devant toi tant qu'il se sentira responsable.

— Il t'a demandé de ne rien me dire ?

— Oui.

— Alors pourquoi tu le fais ?

— Tu as le droit de savoir, dit Messenger. Il y a déjà bien assez de secrets à Beulah.

— Et comme ça peut avoir un rapport avec les meurtres, deux cerveaux valent mieux qu'un pour y réfléchir. D'accord. Mais je ne vois pas quel rapport il peut y avoir.

— Moi non plus, pour l'instant. Mais je suis quasiment sûr d'une chose : Tess n'a pas parlé à sa mère, en dépit de ce que croit Lonnie.

— Comment peux-tu en être aussi sûr ?

— Anna avait gardé une montre à gousset que le père de Dave avait offerte à son fils quand il était petit ; c'était dans ses affaires à San Francisco. Elle n'aurait pas conservé un souvenir pareil si elle avait su qu'il abusait de sa fille.

— Bon Dieu non, bien sûr que non. Ce genre de choses la révulsait.

— Si elle l'avait su, ou même suspecté, elle se serait confiée à toi, non ?

— Pas tout de suite, peut-être. Mais tôt ou tard, oui.

— Je me demande…, fit Messenger, sans achever ni sa pensée ni sa phrase.

Dehors, Buster s'était mis à aboyer furieusement ; quelques secondes plus tard, Messenger entendit le vrombissement d'un véhicule qui approchait.

Dacy s'était levée.

— Si c'est encore un de ces satanés camions de télé…

Elle se précipita à la porte d'entrée en saisissant son fusil au passage. Il la suivit sur le porche.

Cette fois, ce n'étaient pas les médias ; le véhicule qui s'arrêta devant la maison était une voiture de la police d'État avec deux occupants. Le conducteur était un type costaud, habillé dans le style western, avec un Stetson et une cravate ficelle. Son passager était Ben Espinosa.

Dacy posa le Weatherby contre la balustrade du porche tandis que les deux hommes descendaient de voiture.

— Ils viennent encore nous emmerder pour rien, dit-elle à mi-voix à Messenger.

Mais à présent elle avait l'air lasse et résignée.

Le type costaud était un enquêteur de la police d'État nommé Loes. Malgré sa tenue, il se révéla rigoureusement professionnel, avec des manières directes, sérieuses, et la diction d'un homme qui avait fréquenté l'université. Espinosa se montrait très respectueux envers lui — comme envers toute personne incarnant l'autorité, se dit Messenger. Le shérif avait l'air hagard, et soulagé de ne plus avoir l'enquête sur les bras. Mais son regard, lorsqu'il croisait celui de Messenger, exprimait une antipathie qui confinait à la haine.

Il me rend responsable. Comme toute la ville désormais. Bande d'hypocrites. Si je suis responsable pour John T., eux sont responsables pour Anna. Ils avaient du sang sur les mains bien avant moi.

Loes les interrogea, Dacy et lui, de manière plus détaillée que ne l'avait fait Espinosa. Son attitude était détachée — juste un bon flic consciencieux qui faisait son job, sans aucun parti pris. Messenger déduisit de ses questions que les autorités n'avaient toujours aucune idée de la raison pour laquelle John T. s'était rendu au ranch de son frère à une heure si tardive, ni de la personne qu'il avait retrouvée là-bas. Il formula sa pensée, que confirma Loes.

— M. Roebuck a été vu pour la dernière fois au casino aux environs de dix heures, dit-il. Il n'est pas rentré chez lui. Personne ne semble savoir où il est allé.

— Sa femme l'attendait-elle ?

— Elle dit que non. Il n'avait pas d'horaires fixes.

— Il avait peut-être rendez-vous avec une autre femme, dit Dacy.

— Qu'est-ce qui vous fait dire ça, madame Burgess ?

— Rien. C'était juste une suggestion.

— Avait-il une relation avec une femme, à votre connaissance ?

— Pas à ma connaissance, non. Mais le ranch là-haut est à trois kilomètres de la route de la vallée, trois kilomètres de mauvaise piste, surtout la nuit. Pourquoi se donner toute cette peine, à moins de vouloir être sûr d'être seul à seul avec la personne en question ?

— Bien vu, dit Loes. Mais je peux vous retourner un autre argument tout aussi valable : il y a des centaines d'endroits autour de Beulah où un homme et une femme peuvent se retrouver en privé. Pourquoi M. Roebuck a-t-il choisi le ranch de son frère, l'endroit où on l'a assassiné ?

— Je n'ai pas de réponse, admit Dacy. Peut-être parce qu'il n'est pas très loin de chez lui.

— Raison de plus pour choisir un endroit plus éloigné.

— Oui. Je vois.

— Vous avez déjà dû fouiller les lieux, dit Messenger. Vous avez trouvé quelque chose ?

— Rien de concluant.

— Ben, on a trouvé le flingue, dit Espinosa.

Loes lui lança un regard en biais ; puis il haussa les épaules et dit :

— Oui, on a retrouvé l'arme du crime. Un Magnum Ruger de calibre 38 avec des balles à tête creuse. Apparemment, on l'a jeté dans les broussailles après usage.

— Des balles à tête creuse ? Ça a une signification spéciale ?

— Bah, fit Espinosa, tout le monde s'en sert dans le coin.

— Vous compris, shérif ?

— Attention à ce que tu dis, mon gars. Ma patience est déjà à bout avec toi.

— Du calme, Ben, dit Loes, avant de répondre à Messenger : Non, aucune signification. Pas dans ces circonstances.

— Combien de fois lui a-t-on tiré dessus ?

— Une seule. Un tir à bout portant avec un .38 à balles creuses fait des dégâts considérables.

— Et les empreintes sur le pistolet ?

— Effacées.

— J'imagine qu'il n'était pas enregistré.

— Si. Au nom de John T. Roebuck. D'après sa femme, il le gardait dans la boîte à gants de sa voiture.

— Alors la personne qui l'a tué le connaissait assez bien pour le savoir.

— Ou quelqu'un qu'il ne connaissait pas a trouvé l'arme par hasard, dit Loes. Ou lui a pris des mains pendant qu'ils se disputaient.

Il y eut encore quelques questions, puis un dernier avertissement que lui glissa Espinosa, les dents serrées :

— Je reviendrai te voir, Messenger, alors ne t'avise pas de disparaître.

Puis les deux hommes remontèrent dans la voiture de police. Dacy les regarda s'éloigner jusqu'au portail, en se protégeant les yeux de la main contre les reflets du soleil sur la vitre arrière. Lorsque Loes bifurqua sur la route de la vallée, elle se tourna vers Messenger.

— On a peut-être fait une erreur, tu sais.

— Une erreur?

— De ne pas informer Loes pour Billy Draper et Pete Teal.

— J'y ai pensé, dit-il. Mais je ne voulais pas en parler devant Espinosa. Il croit que j'ai exagéré ce qui s'est passé chez Mackey; il aurait prétendu que j'essayais de détourner les soupçons. Et puis, on n'a encore rien de probant contre eux.

— L'un d'eux aurait pu tuer John T.

— Possible, si c'est bien lui qui les avait engagés. Ils auraient pu s'embrouiller sur le paiement... Mais je pense toujours que c'est la même personne qui a tué les deux frères, et que cette personne est peut-être celle qui a payé Draper et Teal. Si j'arrive à leur soutirer un nom, alors j'aurais quelque chose de solide à amener à Loes.

— Tu es toujours décidé à aller les voir ce soir?

— Il le faut, Dacy.

— Même si ça se révèle être une erreur bien plus grave.

— Ça ne sera pas le cas.

— Un homme doit faire son devoir, c'est ça?

— Parfois. Si ça signifie beaucoup pour lui.

— Eh bien, c'est ta peau, dit-elle, les lèvres pincées. Si tu te retrouves à l'hôpital ou en prison, ne m'appelle pas. J'en ai suffisamment soupé, de ces conneries, avec mon ex.

— Je peux me défendre tout seul. Ne t'inquiète pas.

— Je ne m'inquiéterai pas, dit-elle.

Elle passa devant lui en le frôlant et marcha vers l'étable.

22

— Je viens avec toi, dit Dacy d'un ton ferme. Pas de discussion.

— Je ne crois pas que ce soit une bonne idée...

— Moi si. J'en ai marre de ces conneries macho.

— Macho ? Ça n'a rien à voir avec...

— Vraiment ? C'est ton ego de mâle, point barre. Tu te figures que tu es un mec suffisamment fort pour gérer n'importe quel problème. Eh bien, tu te goures, salement.

— Je croyais que tu ne t'inquiéterais pas pour moi.

— Oui, bon, j'ai changé d'avis. Je ressentirais la même chose pour un animal stupide sur le point de tomber dans un nid de scorpions.

Elle l'attendait lorsqu'il était sorti du camping-car peu avant dix-sept heures. Comme lui, elle avait passé l'après-midi à travailler, quoique avec moins d'acharnement : il s'était jeté à la tâche pendant quatre heures non-stop, coupant des planches, enfonçant des clous, posant la nouvelle vitre à la fenêtre de la cuisine, tuant le temps dans l'effort physique. Et, comme lui, elle s'était lavée et changée. Elle portait une vieille chemise en denim, qui avait sans doute appartenu à son ex-mari, dont les pans couvraient le haut d'un jean usé.

Elle avait coiffé ses cheveux mouillés. Il ne vit pas se refléter dans ses yeux l'épuisement qui pesait sur les siens, mais il perçut en elle, même si elle était plus contenue que chez lui, la même nervosité.

— Il n'y aura pas de problème, assura-t-il. Draper et Teal ne feront pas de scène dans le casino, c'est un endroit public.

Son rire claqua, comme un aboiement de coyote.

— Tu es vraiment comme un enfant dans le désert, tu sais ça ? Dans ce comté, il y a autant de violences dans les endroits publics que privés. Si tu abordes ces deux types en jouant au dur, tu risques juste de te faire écrabouiller. Et ils feront en sorte que ça paraisse de ta faute.

— Je n'ai pas l'intention de jouer au dur avec eux.

— Alors tu vas leur demander bien poliment de te dire la vérité ? Faire appel à leur sens civique ?

— Ne sois pas condescendante avec moi, Dacy.

— Je ne le suis pas. J'essaie juste de te faire comprendre qu'on est sur mon territoire et que je le connais bien mieux que toi. Je sais comment manœuvrer des hommes comme Draper et Teal. Pas toi.

— Les manœuvrer comment ?

— C'est mon affaire.

— Tu veux mener toute la discussion, c'est ça ?

— Ce que je veux, répondit-elle lentement et distinctement, comme si elle s'adressait à son fils en plus jeune, c'est que tu me laisses prendre les décisions. Et que tu te contentes de suivre mes consignes. Tu penses pouvoir le faire ?

— Si ça nous permet d'obtenir des réponses.

— Oui. Alors c'est OK ? Marché conclu ?

— Et Lonnie ? Tu ne veux pas être ici quand il se décidera à rentrer à la maison ?

— Pour quoi faire ? On ne peut pas parler de ce qui le tourmente — tu me l'as expliqué assez clairement. C'est toi qui as besoin de moi ce soir, pas Lonnie... Alors ?

Il avait déjà jeté l'éponge. Il savait qu'il ne serait pas très bon dans ce genre d'improvisation, où il faudrait ruser, elle si ; il était plus sage pour lui de jouer les accompagnateurs et de la laisser prendre le solo.

— D'accord, dit-il. On le fera à ta manière.

Ils prirent la Jeep et parcoururent la plus grande partie du trajet dans la vallée en silence. Alors qu'ils approchaient de la fourche, Messenger le rompit en demandant :

— Dacy, ça te surprend que Dave Roebuck soit le genre d'homme à abuser de sa fille ?

Elle lui jeta un coup d'œil en biais.

— On remet le sujet sur le tapis, c'est ça ?

— Ne pas en parler ne le rendra pas moins douloureux.

— Je ne l'évitais pas. Je ruminais toujours là-dessus.

— Et ?

— Ça me surprend un peu, oui. Aucune femme n'était en sécurité avec ce salaud dans les parages, mais je ne l'ai jamais vu courir après une qui n'avait pas l'âge légal.

— C'était peut-être une déviance récente. Les pervers trouvent toujours de nouveaux vices à explorer...

— Peut-être. Lonnie était sûr que Dave n'était pas allé plus loin ? Qu'il l'avait juste tripotée ?

— C'est ce que Tess lui avait dit.

— Au moins, elle n'a pas été violée avant de mourir. C'est une maigre consolation, mais c'est déjà ça.

— Avait-elle des amis adultes ?

— Tu veux dire quelqu'un à qui elle aurait pu se confier ?

— À part toi et Lonnie.

— Non, je ne crois pas. Il n'y avait pas grand-monde qui leur rendait visite là-bas. Si elle n'a pas osé se confier à Anna ou à moi, et que Lonnie a quasiment dû la forcer à avouer... non, elle ne l'aura dit à personne d'autre.

— Roebuck était un vantard. Il en a peut-être parlé à quelqu'un.

— Dire un truc pareil? Il se serait fait lyncher.

— Il aurait laissé échapper quelque chose alors. Quand il était saoul.

— Ça m'étonnerait. Pas dans les bars où il buvait. S'il y a bien une chose que ce type n'avait pas, c'est des envies suicidaires, saoul ou pas.

Saoul ou pas. Les bars où il buvait...

— Le Hardrock Tavern, dit soudain Messenger en se redressant sur son siège. La bagarre au Hardrock Tavern!

— Sa bagarre avec Joe Hanratty? Quel rapport?

— On ne va pas directement au casino. Je veux m'arrêter autre part avant.

— Où?

— Chez Lynette Carey.

— Pour quoi faire? Quelle idée as-tu derrière la tête?

— Elle a un enfant âgé d'un an de plus que Tess, dit Messenger. Je ne me souviens plus si elle ou quelqu'un d'autre m'a déjà précisé si c'est un garçon ou une fille. C'est une fille?

— Exact. Karen.

— Lynette a rompu soudainement avec Roebuck, tu te souviens? Sans raison claire. Et tout aussi brusquement, son frère l'a agressé au Hardrock. Et ni Lynette ni Hanratty ne veulent dire pourquoi.

Il y a des choses dont on ne parle pas, c'est tout. Pas même aux amis, et encore moins aux étrangers. C'étaient les paroles qu'avait prononcées Lynette au Saddle Bar.

— Bon Dieu, tu ne penses pas...

— Si, dit-il. Roebuck a abusé de Tess; il n'y aurait rien d'étonnant à ce qu'il ait aussi essayé avec la fille de quelqu'un d'autre, non?

La maison de Lynette Carey, petite, bâtie en briques de cendre recouvertes d'un revêtement en aluminium décapé par le sable, était tapie à flanc de colline au sud de l'hôtel de ville. Un maigre jardin de cactus occupait la cour devant. Une demi-douzaine de jouets d'enfant et un pull-over oublié là jonchaient les plantes, donnant à la cour une allure déprimante, évoquant les ravages d'une tempête ou d'une crue soudaine qui se serait limitée à cette minuscule parcelle du désert.

Lorsqu'ils se garèrent devant la maison, Dacy déclara:

— Tu ferais mieux de me laisser mener la discussion, là aussi.

— Vous vous entendez bien, Lynette et toi?

— On se connaît, c'est tout.

Messenger alla frapper et Lynette ouvrit la porte. Elle avait troqué son uniforme contre un short moulant et un haut bain-de-soleil qui révélait ses rondeurs et sa peau blanche parsemée de taches de rousseur. De l'air frais, émis par climatiseur bruyant, circulait autour d'elle. L'autre source de vacarme à l'intérieur provenait d'un téléviseur débitant les voix suraiguës d'une émission de dessins animés.

Le visage amène de Lynette se renfrogna.

— Tiens, tiens, regardez qui voilà. Bonnie and Clyde.

— Qu'est-ce que tu veux dire? demanda Dacy.

— La moitié de la ville pense que c'est vous deux qui avez tué John T. la nuit dernière. Ils ne voient pas qui ça pourrait être d'autre. Vous devriez entendre certaines des raisons qu'ils avancent…

— Et cette moitié t'inclut?

— Non. Qui que ce soit qui lui a fait sauter le caisson, je pense qu'il n'a eu que ce qu'il méritait. Bon, qu'est-ce qui vous amène? Vous cherchez une planque?

— Il y a des choses dont il faut qu'on parle.

— Comme?

— En privé, Lynette. On peut entrer?

Elle hésita, soupira puis finit par s'effacer pour les laisser entrer. Grâce au climatiseur, il faisait frais à l'intérieur, où régnait le même désordre que dans la cour. Par l'encadrement d'une porte plus loin dans l'entrée, Messenger vit Bip Bip et Vil Coyote s'assaillir l'un l'autre sur un écran de télé neigeux. Allongée sur le tapis devant l'écran, le menton posé dans ses mains en coupe, se trouvait une fillette boulotte aux cheveux noirs de neuf ou dix ans, en short et tee-shirt. Immobile, elle semblait en état de transe; plongée dans son univers, elle était seule dans la maison en compagnie du grand géocoucou et de son stupide prédateur.

— C'est Karen, lui dit Lynette, ma fille. C'est une droguée de télé — elle va finir sourde et aveugle. Venez dans la cuisine, on sera plus au calme.

Une fois entrés dans l'étroite cuisine aux murs jaunes, elle referma la porte derrière eux.

— Vous voulez une bière? J'ai de la Budweiser fraîche au frigo.

— Non, rien, dit Dacy tandis que Messenger secouait la tête.

Lynette s'ouvrit une bouteille pour elle et s'assit à une table couverte de Formica. Mais voyant qu'aucun de ses hôtes ne se joignait à elle, elle soupira et se releva.

— Pourquoi dites-vous que John T. a eu ce qu'il méritait? demanda Messenger.

— Pourquoi? C'était un salopard arrogant, voilà pourquoi. Comme tous les Roebuck d'ailleurs, alors bon débarras au dernier de la lignée.

— On dirait que vous le connaissiez aussi bien que son frère.

— Qu'est-ce que vous voulez dire par là?

— Juste ce que j'ai dit.

— Moi et John T.? Vous êtes cinglé, si c'est ce que vous croyez. Il ne m'a jamais intéressée. Je n'aurais jamais écarté les cuisses pour ce *chingado*, même s'il avait été le dernier porteur de bite du Nevada.

— Mais une autre femme, à part son épouse, aurait pu le faire.

— Vous pensez qu'il a été tué par une femme avec qui il couchait?

— C'est une explication possible.

— C'est pour ça que vous êtes venus? Vous vous êtes imaginé que j'ai tué John T.?

— Non, ce n'est pas pour ça qu'on est là, dit Dacy.

— Eh bien non. Je n'aurais pas non plus été lui cracher à la figure le midi en pleine ville. Je n'avais aucune raison de souhaiter sa mort, ni de mettre le feu au ranch d'Anna.

— Mais tu avais une raison de souhaiter celle de Dave.

— Dave? Qu'est-ce qu'il vient faire là?

— C'est pour en parler qu'on est venus te voir, Lynette.

— Oh, alors c'est ça. Eh bien, vous vous trompez dans les

grandes largeurs, là aussi. Je n'ai jamais eu de raison de vouloir sa mort.

— On pense que si. La même raison qui t'a poussée à rompre avec lui. La même qui a poussé Joe à se battre avec lui au Hardrock.

— Je ne vois pas de quoi tu parles...

— Karen... il faisait des choses à Karen. C'est ça, n'est-ce pas ?

Elle réagit comme si Dacy l'avait giflée.

— Non, dit-elle ; puis, avec plus de force : Non !

— Lynette, je vais te confier quelque chose qu'on a découvert la nuit dernière, que personne ne sait à part Jim et Lonnie.

— Découvert... ?

— Dave abusait de Tess.

— Oh bon Dieu !

— C'est vrai. Depuis au moins un mois avant qu'elle meure.

— Tu veux dire qu'il...

— Non, il ne l'a pas violée. Il l'a touchée, il n'a pas été plus loin.

— Touchée...

Lynette se laissa tomber sur une chaise. La colère lui déformait la bouche, ridait sa peau au-dessus de ses pommettes.

— J'aurais dû m'en douter, dit-elle.

— Il a fait la même chose avec Karen, c'est ça ?

— Oui.

— Combien de fois ?

— Juste une. Elle me l'a dit juste après ; je l'ai bien éduquée.

— Qu'est-ce que tu as fait ?

— Je lui ai foncé dessus avec un couteau de boucher. Il me l'a pris des mains avant que j'aie pu le frapper. Ensuite, il

290

a tourné toute l'affaire à la plaisanterie. Il a dit que je faisais une montagne de pas grand-chose.

D'un geste nerveux, elle but une longue gorgée de sa bière. De la mousse coula au coin de ses lèvres ; elle ne se donna pas la peine de l'essuyer.

— J'étais sortie faire des courses et Karen prenait son bain. Il est rentré dans la salle de bains... juste pour l'aider à se laver, d'après lui... sale pervers. C'était déjà moche avec elle, mais avec sa propre fille...

— Pourquoi ne l'avez-vous pas dénoncé au shérif ? demanda Messenger.

— Quel bien ça aurait fait ? dit-elle amèrement. Ce genre d'accusation, contre un Roebuck, en ville ? Et puis je ne pouvais pas faire subir à Karen un truc pareil, avec toutes leurs fichues questions. S'il l'avait vraiment violée... mais là, il l'avait juste tripotée, c'était sa parole contre la sienne... Je n'ai pas pu. La meilleure chose à faire, pour nous, c'était de ne plus voir ce porc et d'oublier ce qui s'était passé.

— Vous en avez parlé à Joe.

— Non, c'est Karen qui lui a dit. Il a pété un plomb. Si je n'avais pas été là pour le calmer, c'est lui qui aurait réglé son compte à Dave. J'aurais dû le laisser prendre son flingue, même si c'est mon frère. Tess serait peut-être encore vivante.

— Vous ne l'avez peut-être calmé que temporairement.

— Non, je vous l'ai déjà dit, ce n'est pas Joe. Il y a pensé, bien sûr, quoi de plus naturel ? Et quand il a vu Dave au Hardrock, il a perdu son sang-froid et lui est rentré dans le lard. Mais c'est tout. Il n'aurait jamais fait de mal à un enfant, impossible.

— Anna non plus, dit Dacy. Elle ne les a pas tués, ni l'un ni l'autre. J'en suis aussi certaine que tu l'es pour Joe.

Lynette leva les yeux vers elle.

— Dave, dit-elle. Il aurait pu.

— Pu quoi ?

— Faire mal à un enfant. Tripoter le fruit de sa propre chair, c'est lui faire mal, non ? Il n'y a qu'un petit pas à franchir pour faire pire. Et s'il avait essayé… tu sais, avec Tess, qu'elle se soit échappée pour aller le dénoncer ? Si c'était lui qui lui avait défoncé le crâne avec ce roc pour la faire taire ? Et qu'Anna soit rentrée et qu'elle ait tout vu, ou qu'elle l'ait vu la jeter dans le puits.

— Mon Dieu.

— Ça aurait pu se passer comme ça, non ? C'est lui qui a tué Tess et c'est pour ça qu'Anna l'a tué.

23

Le Wild Horse Casino était fermé. Parking vide, fenêtres opaques, l'étalon bondissant en néon figé et éteint.

— Merde! dit Messenger. Ils ont dû fermer à cause de John T. Maintenant, il va falloir qu'on aille jusqu'à la mine de gypse pour parler à Draper et Teal.

— Pas nécessairement, Jim. Le bar du casino n'est pas le seul endroit en ville où il y a un écran géant.

— Combien d'autres?

— Deux. Le Murphy's et le Hardrock Tavern.

— Ils seront ouverts, tu crois?

— Les deux. Ce sont des bars de traîne-savates; ils n'auraient pas fermé le lendemain de la mort du Christ.

— Lequel est le plus proche?

— Le Murphy's, dit-elle avant d'effectuer un brusque demi-tour illégal sur la route.

Hormis le trafic sporadique qu'ils croisaient, la ville dégageait une impression de vide. Pas de piétons, peu de voitures garées, et la plupart des commerces sur la grand-rue — même ceux qui ouvraient normalement tard — étaient fermés, leurs vitrines plongées dans l'obscurité. Une ville qui porte le deuil de son grand chef, pensa-t-il. Enfin, c'était en partie la raison;

l'autre était la peur. Trois meurtres sauvages en moins d'un an, dont ceux des deux derniers rejetons d'une des familles pionnières de Beulah. Les gens avaient serré les rangs, bouclé portes et fenêtres, nettoyé leurs pistolets et leurs fusils. La peur les rendait irritables et ombrageux, et la combinaison des trois les rendait dangereux. Dans son cas, ce n'était pas le moment idéal pour traîner dans le coin, même accompagné de Dacy. Ils s'étaient retournés contre Anna, pourtant l'une des leurs, l'avaient chassée de Beulah et en fin de compte jetée dans l'oubli d'une baignoire remplie d'eau ensanglantée. Il n'en faudrait pas beaucoup pour qu'ils se retournent contre l'homme qu'ils accusaient du meurtre de John T., un étranger, un paria. Et si cela se produisait, ils ne se contenteraient pas de le chasser.

Un vent chaud et abrasif fouetta son visage lorsqu'ils descendirent la colline en passant devant le lycée. Il en goûta la sécheresse, sentit la tension s'installer dans son corps. Pourtant il n'avait pas peur. La peur était dans l'air, elle se répandait derrière les façades, mais pas en lui. Il se rendit compte qu'il n'était plus dans un état de crise ou de transition ; qu'il n'était plus le même homme qu'une semaine auparavant, plus même l'ombre de celui qu'il avait été avant que sa vie croise celle de Mademoiselle Solitude. Les forces psychiques qui le travaillaient avaient achevé leur tâche et la métamorphose était complète. À trente-sept ans, il était enfin sorti de sa chrysalide, il avait accompli son rite de passage personnel.

La voix de Dacy interrompit ses pensées :

— ... qu'a dit Lynette avant qu'on parte ?

— Quoi ?

— Avant qu'on parte. Ce qu'elle a dit sur Dave qui aurait

tué Tess, et Anna qui l'aurait tué à cause de ça. Tu crois que ça aurait pu se passer de cette façon?

— Non, dit-il. Et tu ne le crois pas non plus.

— Aide-moi, donne-moi tes arguments.

— Si ça s'était passé de cette façon, pourquoi ne l'aurait-elle pas avoué? Sa seule raison de garder le silence, ç'aurait été pour taire les abus sexuels, mais après la mort de Tess, ça n'avait plus vraiment d'importance. Elle n'avait pas le goût du martyre à ce point, non?

— Elle n'avait pas du tout le goût du martyre, dit Dacy. Elle l'aurait avoué, d'accord. Elle n'aimait pas inspirer la pitié, mais c'est beaucoup plus facile à supporter que la haine et la suspicion.

Draper et Teal n'étaient pas au Murphy's, un café de bord de route sur la plaine après le centre commercial: sur la demi-douzaine de pick-up garés dans le parking devant l'établissement, aucun n'était blanc. Dans la Jeep, Messenger et Dacy gardèrent le silence tandis qu'elle retournait sur l'autoroute en direction du nord. Le ciel à l'ouest, où le soleil se couchait derrière la crête dentelée de Montezuma Peak, était strié d'orange et d'écarlate — les couleurs du feu, évoquant l'incendie qui avait consumé les charpentes du ranch d'Anna. Le ventre des nuages dans cette direction était coloré de rouge sombre, comme si on s'était servi de ces gros cotons pour nettoyer le sang.

Ils revinrent dans la ville déserte, passèrent devant le High Desert Lodge. Ils croisèrent une voiture de police, mais le conducteur, qui n'était pas Ben Espinosa, ne leur accorda aucune attention. Ils redescendirent vers la plaine au nord. Une pâle enseigne en néon — la silhouette d'un mineur bleu avec une pioche rouge et une batée d'or jaune — surplombait le toit du Hardrock Tavern, qu'il put localiser d'assez loin. Une flopée de motos ainsi qu'une douzaine de pick-up et de 4 × 4 étaient rangés sur des places de parking devant et le long de l'établissement. Il commença à chercher un pick-up blanc avant même que Dacy n'ait tourné.

Il y en avait deux. Et le second des deux, presque au bout de la rangée qui longeait le Hardrock Tavern, avait une antenne radio cassée.

Dacy se gara juste en face, la seule place disponible à proximité. Lorsqu'elle coupa le moteur de la Jeep, Messenger entendit les vibrations de la musique country et le brouhaha des voix étouffées à l'intérieur du long bâtiment bas.

Elle lui saisit le bras pour l'empêcher de sortir.

— Non, reste ici. Je vais les amener.

— Les amener? Pourquoi ne pas leur parler à l'intérieur?

— On fait ça à ma manière, tu te souviens?

— Je ne conteste pas, je m'interroge, c'est tout.

— Il y a du monde là-dedans, dit-elle. Si on entre tous les deux ensemble et qu'ils te reconnaissent, il y a des chances pour qu'on n'arrive même pas jusqu'à Draper et Teal. Tu comprends ce que je dis?

Elle aussi avait ressenti, en conduisant à travers la ville, la peur, la colère et la nervosité dans l'air, le danger potentiel. Il hocha la tête et dit:

— Je comprends.

— Très bien. Reste ici jusqu'à ce que tu nous voies tous les trois près du pick-up. Rejoins-nous à ce moment-là.

Elle resta dans l'établissement moins de cinq minutes. Lorsqu'elle en sortit, elle était accompagnée de deux hommes, tous deux dans la trentaine, mal fagotés, l'un arborant même une épaisse barbe de flibustier. Elle leur parlait avec animation, avec force gestes des mains, tout en les menant au pick-up blanc. Le barbu se pencha pour examiner la portière du conducteur, du côté le plus éloigné du bâtiment. Messenger, qui était sorti de la Jeep et s'approchait à grands pas, l'entendit dire :

— Ben alors ? Je vois pas de bosse. Y a même pas une égratignure.

La voix était la même qu'il avait entendue, au téléphone, se faire passer pour celle d'Herb Mackey.

L'autre homme, un grand rouquin sec, l'aperçut le premier.

— Merde, Billy, regarde qui arrive.

Billy Draper se redressa ; les deux hommes regardèrent Messenger contourner le pick-up pour rejoindre Dacy. Elle s'était placée devant le véhicule, le dos à l'ouest ; les deux mineurs avaient donc les rayons du soleil couchant dans les yeux. Ils n'avaient pas la place de faire un pas de côté dans l'étroit espace entre le pick-up et le 4 × 4 garé à côté. Ils ne pouvaient que plisser les yeux et lever la main pour les protéger du soleil.

— Tu es Dacy Burgess, lui dit Draper. Ouais, y me semblait bien t'avoir déjà vue. À quoi tu joues, Dacy ? Vous mijotez quelque chose, toi et l'autre tête de nœud ?

— On cherche des réponses à quelques questions.

— Ah ouais ? Ben on sait rien.

— On n'a pas encore posé les questions.

— C'est pareil. On sait toujours rien.

— Qui vous a payé pour tendre le piège avec les serpents chez Mackey ?

— Le piège avec les serpents ? De quoi qu'elle cause, Pete ?

— Aucune idée, dit Pete Deal. Elle est peut-être bourrée, ou défoncée.

297

— Bon, les gars, on arrête de déconner.

D'un geste presque désinvolte, Dacy glissa la main sous les pans de sa chemise et en sortit un revolver à canon court. Messenger fut autant pris au dépourvu que Draper et Teal. Il aurait pu s'attendre à ce qu'elle use de ce genre de tactique — une pure improvisation western —, mais ce n'était pas le cas. *Un enfant dans le désert*, lui avait-elle lancé un peu plus tôt. C'était vrai.

Le revolver rendit Teal fébrile ; les yeux rivés sur l'arme, il passa nerveusement les mains sur les jambes de son jean Wrangler. La réaction de Draper fut de se mettre en colère.

— Tu crois faire marcher qui, poupée ? Tu ne tireras sur personne avec ce truc.

— Tu es sûr ? Regarde sur quoi il est braqué, Billy. Fais un pas vers moi, et tu passeras le reste de ta vie avec une seule couille.

— Bla-bla.

— Alors vas-y, approche.

Ils s'affrontèrent du regard.

Ni le revolver ni les yeux inflexibles de Dacy ne tremblèrent. Messenger savait qu'elle avait une volonté de fer, mais il n'avait pas réalisé de quel acier elle était trempée. Il ne cessait de découvrir des choses en elle ; surtout, il découvrait qu'elle avait beaucoup à lui apprendre, ce qu'il souhaitait ardemment. Il écoutait et il apprenait, admiratif.

Draper avait compris lui aussi qu'elle ne plaisantait pas ; il ne bougea pas. Teal frottait toujours ses mains sur ses jambes de pantalon, sans détacher son regard du revolver. D'une voix plus renfrognée que furieuse, Draper dit :

— Allez au diable, toi et ton flingue. On n'a rien à vous dire.

— Vous devriez parler, si vous voulez éviter la prison.

— La prison, rien que ça ? On n'a jamais été chez Mackey, et vous ne pouvez pas prouver le contraire.

— Je ne parle pas de Mackey. Je parle du meurtre de John T. Roebuck cette nuit.

L'accusation fit sursauter Teal, qui leva un bras en disant :

— Hé ! On n'a rien à voir avec ça.

— D'après moi, ça pourrait très bien être vous.

— C'est impossible. Écoutez…

Il s'interrompit car un 4 × 4 rouge vif était entré dans le parking et tournait en direction de l'endroit où tous quatre se trouvaient. Dacy baissa le revolver et le cacha derrière sa jambe tandis que le 4 × 4 — un Chevy Blazer — se faufilait à une place vacante non loin de la Jeep. Deux hommes en sortirent : Hanratty et Spears. Hanratty conduisait son propre véhicule ce soir.

— Hé, qu'est-ce qui se passe là-bas ? les interpella-t-il.

L'ivresse était perceptible dans sa voix, et dans son allure : titubant, rougeaud, la chemise à moitié sortie du jean.

— Juste une conversation amicale, lui répondit Dacy de loin. C'est pas vrai, les gars ?

— C'est vrai, dit Teal. Y a pas de lézard ici.

— Vous êtes sûrs ?

— Comme a dit la dame. On vous paie une bière, à toi et à ton pote, quand on a fini, d'accord ?

— Whisky ce soir. En mémoire de John T. Vous êtes au courant pour John T. ?

— Ouais.

— Ce fils de pute, là, le gars de la ville… s'il n'était pas venu, John T. serait toujours en vie.

Personne ne le contredit. Le visage rouge de Hanratty prit

une expression belliqueuse ; il avança vers eux. Messenger se raidit. Mais Tom Spears n'était pas aussi ivre que Hanratty, ou aussi enclin à la vengeance. Il dit d'un ton lugubre :

— Du calme, Joe. On est venus ici pour le whisky, pas pour la bagarre.

Hanratty grommela en jetant un regard noir à Messenger. Mais il reprit son sang-froid, et au bout de quelques secondes il se laissa entraîner par Spears vers le bar.

— On vous le répète : on n'a rien à voir avec le meurtre. On était à la mine King l'autre nuit et on peut le prouver.

— Peut-être que oui. Mais dissimuler une preuve fait de vous des complices.

— Une preuve ? Quelle preuve ?

— Le nom de la personne qui vous a payés pour tendre le piège chez Mackey.

— On en revient là, dit Draper.

— C'est exact, on en revient là. Qui était-ce ? John T. ?

— Hillary Clinton.

— Jim, dit Dacy, prends la Jeep et va chercher le shérif. Je surveille ces deux-là jusqu'à ton retour.

— Très bien, fit Messenger en s'éloignant.

Teal leva de nouveau le bras.

— Une minute, dit-il, attendez une minute. Laissez ce putain de shérif en dehors de ça. Tout ce qu'on a fait, Billy et moi...

— Pete, ferme-la, bon Dieu.

— Tout ce qu'on a fait, c'est rendre service à un ami, juste un service. Même si un des serpents l'avait mordu, il n'en serait pas mort. On voulait juste lui foutre la trouille pour qu'il déguerpisse. C'est tout, je le jure.

— Quel ami ? Son nom.

— John T., dit Draper.

Le soleil s'était couché et il ne plissait ni ne cachait plus ses yeux ; il semblait plus sûr de lui.

— Ouais, c'était Roebuck, reprit-il. Il est venu à la mine et il nous a filé deux cents billets pour tendre le piège. Vous êtes satisfaits maintenant ?

— C'est vrai, Pete ? demanda Dacy à Teal. C'était John T. ?

— Oui. C'était lui.

Depuis un certain temps, la compréhension faisait lentement tache d'huile jusqu'à la conscience de Messenger. À présent, elle était aussi complète que sa renaissance.

— Non, ce n'était pas lui, dit-il d'une voix tranchée.

— Vous nous l'avez demandé, on vous l'a dit, fit Draper. Si vous n'y croyez pas, c'est votre affaire.

— Vous n'êtes que des menteurs.

— Jim ? fit Dacy.

— Ce sont des foutaises, lui confirma-t-il. Ils mentent, d'abord pour se protéger, en partie aussi pour protéger leur « ami ». Ils l'ont dit à John T. et ça l'a mis dans une rage folle. Il a contacté l'ami en question et ils ont arrangé un rendez-vous au ranch d'Anna. Et ce n'était pas la première fois. Viens, Dacy, on s'en va.

— Et ces deux-là ?

— Ils ne nous embêteront pas. Pas s'ils veulent éviter la prison.

— Vous avez compris ? Billy ? Pete ?

Aucun des deux ne répondit. Et aucun ne bougea lorsque Messenger, suivi de Dacy, fit le tour du pick-up pour rejoindre la Jeep. Ils étaient toujours debout là-bas, en train de se disputer, lorsqu'elle sortit du parking pour reprendre l'autoroute.

— OK, dit-elle, on va où maintenant ?

— On retourne en ville.

Puis, une fois sur l'autoroute, il demanda :

— Le rameau de verveine, dans la main de Tess… de quelle couleur était-il ?

— De quelle couleur… bon sang, Jim !

— Dis-moi la couleur.

— Blanc. Des fleurs blanches.

— Sa robe du dimanche était blanche, elle aussi.

— Quel rapport avec… ?

— De quelle taille est la verveine ? Quelle forme ça a ?

— Ce n'est pas bien grand — dans les trente centimètres. Des branches avec des épines, et des petites fleurs en grappes. Mais tu vas me dire ce que tu as en tête, nom d'une pipe ?

— La vérité, dit-il d'un ton grave. Je suis quasiment certain de savoir qui a commis les meurtres. Et je crois savoir pourquoi.

Les ennuis survinrent alors qu'ils étaient arrêtés à une intersection près du sommet de la colline, attendant que le feu passe au vert.

Messenger venait juste de se lancer dans une explication. Concentré sur son raisonnement, il ne prêta pas attention au véhicule qui arrivait derrière eux en rugissant jusqu'à ce que Dacy s'écrie «Merde !» et frappe le volant du poing. Des phares puissants balayèrent le crépuscule devant eux, illuminèrent un instant l'habitacle de la Jeep puis s'écartèrent quand le bolide à l'approche changea de voie. Lorsqu'il vint se glisser à leur hauteur, sur la voie intérieure, Messenger reconnut le 4 × 4 rouge avec Joe Hanratty au volant, flanqué de Tom Spears.

L'agressivité de Hanratty s'était muée en rage, peut-être sous l'effet de quelques whiskies de plus. Il se pencha au-dessus de Tom Spears et leur cracha en trébuchant sur les mots :

— Vous allez pas vous en tirer comme ça, bordel. Range-toi, Dacy.

— Non, rétorqua-t-elle. On n'a rien à se dire.

— Range-toi, je plaisante pas.

— Ne cherche pas les ennuis, Joe. Je ne plaisante pas non plus.

— Écoute, toi et cet enfoiré…

Le feu passa au vert. L'autoroute devant était déserte ; Dacy prit le risque d'embrayer et de partir en trombe, ce qui eut pour effet de provoquer Hanratty. Se retournant sur son siège, Messenger vit les pneus du Blazer produire une fumée noire, entendit la gomme brûler lorsqu'ils mordirent le bitume. Le 4 × 4 se rua vers eux dans une telle embardée que l'avant racla le flanc de la Jeep avant que Hanratty en reprenne le contrôle. Il les dépassa d'une vingtaine de mètres. Puis ses feux arrière s'allumèrent et il se rabattit de nouveau sur eux, délibérément cette fois.

Dacy donna un coup de volant sur la droite pour éviter la collision. La Jeep grimpa sur une bordure surélevée, raclant le trottoir au passage avec une secousse qui faillit lui faire perdre le contrôle. Une forme imposante envahit soudain leur champ de vision ; il cria un avertissement, mais Dacy écrasait déjà la pédale de frein. S'il ne s'était pas arc-bouté et n'avait pas bouclé sa ceinture de sécurité, il aurait été projeté à travers le pare-brise, voire par-dessus, lorsque la Jeep stoppa brutalement, moteur coupé. Une station essence Chevron fermée, constata-t-il. Ils étaient sur l'aire du plein d'essence, face à une des pompes.

Hanratty avait continué tout droit, mais à présent il faisait demi-tour, quittait l'autoroute et se rangeait de biais sur l'aire de la station à vingt mètres d'eux. Dacy avait bondi de la Jeep et se précipitait vers eux. Elle ouvrit la portière du 4 × 4, attrapa Hanratty par la chemise et le tira hors du véhicule.

— Espèce de dingue! Ivrogne! lui cria-t-elle, le visage tout près du sien. Tu aurais pu nous tuer!

Hanratty se dégagea de son étreinte. Puis, tandis que Spears, sorti du côté passager, contournait le 4 × 4, il la gifla — un coup du revers de la main qui l'envoya s'étaler par terre.

En représailles, Messenger le frappa à son tour. Il ne l'avait pas prévu, n'avait pas eu le temps d'y penser, mais s'était élancé sous le coup de la colère dès qu'il avait vu Dacy tomber. Son poing cueillit Hanratty sur le côté du crâne; la douleur se propagea dans ses jointures tandis que l'homme imposant reculait en titubant contre le 4 × 4. Mais Hanratty n'avait pas l'air sonné. Il chargea Messenger en mugissant comme un taureau et referma ses bras puissants sur lui.

Leurs pieds s'emmêlèrent et ils s'écroulèrent, sans relâcher leur étreinte. Hanratty se trouvait au-dessus lorsqu'ils heurtèrent le sol, et son poids combiné à l'impact sur le bitume coupa le souffle de Messenger. Écrasé, ce dernier se débattit des bras et des jambes, parvint à se dégager et s'écarta. Il se remit sur ses pieds comme il put.

Le bruit sec d'un coup de feu emplit ses oreilles.

Un autre.

Sa vision était floue; il cligna des yeux pour y voir clair, cherchant Dacy. Elle était près du 4 × 4, indemne, une expression de rage froide sur le visage, le revolver à canon court à la main. Spears se trouvait à quelques pas d'elle, figé, le regard rivé sur l'arrière du Blazer. Hanratty s'était relevé, lui aussi, et secouait la tête, furieux et incrédule. Messenger avait l'impression qu'ils avaient fait un ramdam suffisant pour rameuter la police et la moitié de la ville ; il était surpris de voir que l'autoroute était toujours déserte, que tous quatre étaient seuls dans les derniers feux du crépuscule sur le désert.

Il entendit un sifflement sourd. Et il vit alors que l'arrière du 4 × 4 s'affaissait. Dacy avait tiré dans les deux pneus arrière.

— Bordel, pourquoi t'as fait ça ? lui dit Hanratty.

Il fit un pas vers elle.

— Reste où tu es, sinon tu auras le même traitement. Je suis sérieuse, Joe.

Hanratty se figea à son tour, le regard furibond.

— Et toi, Tom ? dit Dacy.

— Moi rien, dit Spears. Ce n'était pas mon idée de vous rattraper.

— Bon Dieu, Dacy, tu vas payer pour ces pneus.

— Bien sûr. Comme toi tu paieras les dégâts sur ma Jeep.

Du sang s'écoulait d'une blessure à la tempe de Hanratty ; il l'essuya d'un geste distrait, comme s'il chassait une mouche importune.

— C'est la deuxième fois en deux nuits que tu pointes un flingue sur moi, dit-il. Je devrais te l'arracher des mains.

— Viens, essaie. J'enverrai des fleurs.

— Hein ?

— À l'hôpital. Ça prend du temps de se remettre d'une blessure par balle, Joe. J'ai entendu dire que c'est vraiment douloureux.

— Tes menaces ne me font pas peur, dit-il.

Il devait pourtant se méfier un peu ; mais, comme Billy Draper un peu plus tôt, il refusait de lâcher du terrain.

— Jim, dit-elle. Ça va ?

Les jointures de ses mains le brûlaient, et il avait encore la poitrine douloureuse, la respiration sifflante.

— Pas de mal, dit-il pourtant.

— Remonte dans la Jeep.

Il s'exécuta. Des lumières de phares étaient apparues sur l'autoroute ; deux voitures, chacune roulant dans une direction opposée, passèrent en ralentissant à leur hauteur. Mais leurs occupants, bouche bée, préférèrent ne pas se mêler de la scène dans la station. Les deux paires de phares avaient disparu lorsque Dacy vint s'installer à côté de lui.

— Fichus bouseux ! lâcha-t-elle — toujours furieuse — quand ils furent de retour sur l'autoroute. Tu es sûr que ça va ?

— Oui. Et toi ?

— J'ai encaissé pire. Tu t'en es plutôt bien sorti là-bas.

— Ah oui ? Je ne m'étais pas battu depuis l'école primaire. Dis-moi une chose, Dacy. Est-ce que tu aurais vraiment tiré sur Hanratty s'il s'était approché de toi ? Ou sur Spears ? Ou sur Draper plus tôt ?

— À ton avis ?

— J'aimerais savoir, je crois, c'est tout.

— Mon père m'a appris à toujours finir ce que j'ai commencé. Ça répond à ta question ?

— Oui.

— Ça te gêne ?

— Non.

— Bien. Et maintenant, si tu finissais ce que tu as commencé à me raconter quand on était au feu rouge ?

24

Il faisait nuit noire lorsqu'ils arrivèrent en haut de la butte. Cet endroit était censé être un sanctuaire, mais aux yeux de Messenger les bâtiments, parsemés de flaques de lumières et de couleurs, dégageaient une atmosphère peu accueillante. C'était sans doute un effet de son imagination, lié aux révélations qui les avaient amenés ici. L'endroit ne lui en semblait pas moins désolé, à l'écart, plein de secrets, comme une île flottant dans le ciel nocturne au-dessus de Beulah.

Les lieux étaient éclairés par la lueur ambre des lampadaires ; dans le presbytère, un globe blanc brillait derrière la fenêtre d'une cuisine et un rectangle jaune pâle marquait l'emplacement d'une chambre ou d'un bureau ; dans l'église du Saint-Nom, des ampoules de faible voltage, peut-être même de simples chandelles, suffisaient à transformer les vitraux en scènes religieuses sorties tout droit d'un vieux manuscrit enluminé. Mais toute cette lumière pourpre sombre était figée, comme gelée dans l'air. Une lumière froide, au lieu d'être chaleureuse, aussi froide que l'éclat métallique et argenté des étoiles au-dessus de leurs têtes. Hormis les flaques de lumière blanche projetées par les phares de la Jeep, rien ne bougea lorsqu'ils roulèrent à travers le parking ; et quand

Dacy se gara près de l'entrée de l'église, ces lueurs-là aussi se figèrent.

Dacy coupa les phares et le moteur. Une chape d'épais silence se referma sur eux ; mais presque aussitôt ils entendirent des bruits provenant de la zone d'ombre qui s'étendait derrière l'église. Un pied hors de la Jeep, Messenger se raidit ; Dacy se pencha pour lui saisir le bras. Les bruits continuèrent presque rythmiquement : des coups sourds et des raclements. Du métal sur de la terre.

Quelqu'un creusait dans le cimetière.

Il acheva de sortir de voiture et attendit en frottant ses jointures encore douloureuses. Lorsque Dacy le rejoignit, il vit à la lueur des étoiles qu'elle avait sorti son revolver.

— Tu n'auras pas besoin de ça, dit-il.

— Sans doute que non, mais je préfère l'avoir sous la main.

— Alors cache-le. Ne le montre pas à moins d'y être obligée.

— OK.

Elle remit l'arme sous les pans de sa chemise mais garda la main sur la crosse.

Messenger ouvrit la marche et ils longèrent le mur sud de l'église. Arrivés à l'arrière, près de l'ange de marbre rongé par le sable qui surplombait la tombe des Roebuck, ils s'immobilisèrent pour scruter les ombres. À une cinquantaine de mètres, sous un des cotonniers, une silhouette solitaire brandissait ce qu'il identifia à contre-jour comme une pioche. Les coups sourds étaient ceux de l'outil qui s'abattait sur le sol et les raclements ceux du pic en métal charriant la terre meuble. La pioche se releva, un temps, puis retomba.

Ils approchèrent lentement, sans annoncer leur présence mais sans chercher à se dissimuler non plus. La pioche poursuivait sa tâche sans répit. Ils stoppèrent à nouveau, à quelques pas du cotonnier. Le trou sous l'arbre était profond d'une bonne trentaine de centimètres et de forme grossiè-rement rectangulaire — une tombe, visiblement. Rien de sur-prenant à cela, ni dans l'identité de la personne qui maniait la pioche. Dès le moment où il avait entendu quelqu'un creuser, Messenger avait su de qui il s'agissait.

— Maria, prononça-t-il.

Pas de réponse, et pas plus lorsqu'il l'appela une seconde fois. Comme si elle travaillait dans une bulle, ou en état de transe.

Dacy posa une main sur son bras.

— Laisse-moi essayer.

Elle se rapprocha à deux pas du bord de la tombe et dit d'une voix douce :

— Salut, Maria.

La voie aiguë d'une autre femme parvint cette fois à péné-trer son esprit. Maria Hoxie ne sursauta pas, ne manifesta aucune crainte ; ce soir-là, elle semblait très calme. Elle s'inter-rompit simplement, la pioche à hauteur d'épaule, et regarda autour d'elle, la tête penchée de côté comme un oiseau.

— Qui est-ce ? demanda-t-elle.

— Dacy Burgess.

— Oh, fit-elle, puis : Il y a quelqu'un avec toi.

— Jim Messenger.

Son nom ne parut pas la déranger non plus. Elle resta debout en silence tandis qu'il s'avançait à hauteur de Dacy. L'ombre du cotonnier masquait en partie le corps penché de Maria et le profil de son visage, mais il distinguait sa chevelure noire brillante de sueur, ainsi que ses yeux grands ouverts, avec un peu trop de blanc visible. Elle s'échinait là depuis un bon moment, estima-t-il, avant la tombée de la nuit. En apparence, elle était calme, mais à l'intérieur? Était-elle sur le point de craquer?

— Je ne voulais pas que vous veniez, lui dit-elle, parlant de son arrivée à Beulah, pas de sa présence ici ce soir-là. J'ai essayé de vous faire partir, même si je savais que c'était vain. C'est le Seigneur qui vous a envoyé, n'est-ce pas? Vous êtes le Messager du Seigneur.

Face à son silence, elle ajouta:

— Oui, c'est Lui qui vous a envoyé.

Puis elle releva la pioche et l'abattit de nouveau.

— Qu'est-ce que tu creuses là? demanda Dacy.

— Une tombe. Qu'est-ce que je pourrais creuser d'autre?

— Pour John T.?

— Non.

— Pour qui, alors?

— Pour moi, dit Maria. C'est ma tombe.

Un frisson parcourut l'échine de Messenger. Dacy se rapprocha de lui; elle avait les deux mains le long du corps à présent.

— Tu ne vas pas mourir, Maria, dit-elle.

— Tout le monde meurt. Le Seigneur veut mon âme aussi — je le comprends maintenant. Voilà pourquoi Il a envoyé son Messager pour découvrir la vérité.

— Le suicide est un péché mortel. Tu le sais.

— Je sais. Oh oui, je sais. Mais il y a des péchés bien pires.

— Comme prendre la vie de quelqu'un.

— Encore pires que ça.

Un tremblement la parcourut, visible même dans la pénombre, et l'obligea à interrompre sa tâche. Elle leva la tête pour scruter le ciel velouté.

— Il fait noir, dit-elle, comme si elle venait juste de s'en rendre compte. Je ferais mieux d'aller chercher une lanterne.

— Attends, Maria. Parle-nous d'abord.

— Je vous parle.

— De John T. De ce qui s'est passé la nuit dernière.

Un autre tremblement. Elle laissa tomber la pioche et serra ses bras autour d'elle.

— Je n'aime pas le noir, dit-elle. Je laisse toujours une lampe allumée pour dormir, vous savez?

— Maria, que s'est-il passé avec John T.? lui demanda-t-il d'une voix douce.

— Oh, c'était sa faute. Vraiment. Il m'a forcée à le faire.

— Forcée à le tuer?

— Je croyais qu'il voulait m'aimer, comme les autres fois qu'on s'était retrouvés là-haut. Mais il ne m'a jamais aimée. Il voulait seulement me faire mal.

— Te faire mal comment?

— Il m'a crié dessus, il m'a insultée… Salope, pute — des noms affreux. Pourquoi j'avais donné mon corps à des hommes comme Billy et Pete? Pourquoi je leur avais demandé de lâcher des serpents sur Messenger? Pourquoi je n'avais pas pu le laisser s'occuper de lui? Pourquoi, pourquoi, pourquoi, sans arrêt. Alors je lui ai dit pourquoi. Je lui ai tout dit.

— Que tu étais celle qui avait tué son frère.

Elle ne parut pas l'entendre.

— Il m'a frappée. Dans le ventre, fort. Je vais te tuer, Maria, il m'a dit, et il m'a encore frappée. Mais je savais pour le pistolet, je l'avais vu une fois quand il cherchait des mouchoirs. Je l'ai pris et… ça a fait un bruit terrible dans la voiture et…

Elle resserra ses bras autour d'elle.

— Nous l'avons tué, dit-elle. Dieu et moi.

311

— Pourquoi as-tu mis le feu au ranch? demanda Dacy d'une voix enrouée.

— Dieu me l'a ordonné. C'était un endroit maudit. Toutes les choses mauvaises qui se passaient là, c'était Satan, c'est lui qui m'obligeait à revenir et à faire des choses mauvaises avec des hommes comme John T. La seule façon de sauver mon âme était de renvoyer Satan en enfer. Combattre le feu par le feu.

— C'est aussi Dieu qui t'a dit de tuer Dave Roebuck?

— Oui.

— Parce qu'il était maléfique?

— Oui. «Qu'on ne trouve chez toi personne qui fasse passer son fils ou sa fille par le feu, récita-t-elle. Car quiconque se livre à ces pratiques est une abomination pour le Seigneur.»

— Il a blessé sa fille, dit Messenger, il a fait passer Tess par le feu.

— Oui.

— Et tu en as été témoin.

— Oui.

— Pourquoi es-tu allée au ranch ce jour-là? Pour le voir?

— Non. Pour parler à sa femme. Pour la supplier de me pardonner d'avoir couché avec lui. La nuit d'avant... il était saoul et il s'est moqué de moi, il a dit que tout ce qui l'intéressait, c'était de me baiser. Il n'y avait pas d'amour en lui. Seulement du mal.

— Mais Anna n'était pas là.

— Il n'y avait que lui, et Tess. Il était encore saoul. Il sortait en courant de la grange, il la pourchassait... la pauvre petite était toute nue.

— Tess ne portait pas de vêtements?

— Non, et elle hurlait: «Laisse-moi, laisse-moi, je vais

dire à maman ce que tu as fait!» Elle lui a donné un coup de pied, il a crié et il a ramassé le roc et… J'ai entendu le bruit que ça a fait, je l'ai vue tomber. J'étais plus haut, près du portail. Mais il ne m'a pas vue. Il l'a portée sur son dos dans la grange, j'ai descendu la colline et le fusil de chasse était là, sur le porche. Dieu l'avait mis là en pleine lumière, pour que je le voie. Je l'ai pris pour aller dans la grange et il était penché sur la petite fille, il pleurait, il disait qu'il était désolé, qu'il n'avait pas voulu lui faire mal. Mais il n'était pas désolé. Il était saoul et mauvais alors Dieu m'a dit d'appuyer sur la gâchette et je l'ai fait. Il était une abomination pour le Seigneur.

— Et après?

— Je ne pouvais pas la laisser comme ça. Je ne devais pas. J'ai trouvé ses habits, je les ai rapportés dans la maison et j'ai pris une jolie robe pour couvrir sa nudité.

— Et ensuite tu as cueilli un rameau de fleurs et tu l'as placé dans sa main. Il venait d'un buisson comme celui que tu plantais ici mercredi, sur la tombe de Tess.

— De la verveine du désert. Le premier que j'avais planté pour elle était mort.

Maria s'assit sur le petit monticule de terre et joignit les mains telle une suppliante.

— Tout finit par mourir, dit-elle. Tôt ou tard.

— La robe blanche, la verveine blanche. Le blanc de la pureté.

— Oui.

— C'est pour ça aussi que tu as jeté le corps dans le puits?

— Oui. De l'eau pure pour nettoyer le mal, pour la préparer à entrer au Royaume des Cieux. Elle a souffert, mais pas longtemps. Elle a trouvé la paix dans les bras du Seigneur.

— Mais toi, Maria, tu n'as pas trouvé la paix.

— Je la trouverai bientôt.

— Tu as souffert aussi, non ? De la même manière que Tess, mais plus longtemps. C'est la vraie raison pour laquelle tu n'es pas en paix.

— Oui.

— C'est pour ça que tu t'es comportée de cette manière au ranch, dit-il. Et c'est pour ça que tu n'as parlé à personne ensuite. Tu ne pouvais pas parler de choses pareilles, même pour sauver Anna. Ton père t'a fait jurer de ne jamais parler à personne de ces choses-là, c'est ça ?

— Les gens ne comprendraient pas, c'est ce qu'il m'a dit. Ce qu'on faisait ensemble n'était pas mauvais, parce qu'on s'aimait tous les deux. *Je t'aime plus que la vie, Maria, tu es l'être le plus proche d'un ange jamais créé par Dieu. J'ai besoin de te montrer à quel point je t'aime. Je ne peux pas m'en empêcher ; Seigneur, aide-moi, je ne peux pas.* C'est ce qu'il disait.

Dacy émit un grognement de colère.

— Ce n'était pas de l'amour, Maria, dit Messenger. Tu le sais maintenant.

— Oui. Je le sais maintenant.

Le révérend Walter Hoxie. C'était lui le responsable de tout ce qu'avait fait Maria, pas elle. Il l'avait conduite à rechercher le même genre d'amour avec les Roebuck, Draper, Teal et Dieu sait combien d'autres encore. Il lui avait inculqué une vision pervertie de la religion et avait planté en elle les graines du meurtre. Et, d'une certaine manière, elle avait toujours su qui il était et ce qu'il lui avait fait. Ce n'était pas Dave Roebuck qu'elle avait tué en mars, mais son père adoptif. Ce n'était pas John T. qu'elle avait assassiné la veille, c'était l'homme qui avait commencé à la violer alors qu'elle n'était pas plus âgée que Tess.

— Où est-il? demanda Messenger d'une voix sourde. Où est le bon révérend Hoxie?

— Dans l'église.

— Reste ici avec elle, dit-il à Dacy. Je vais voir Hoxie.

— Jim, fais attention...

— Je veux juste le confronter à la vérité.

Il retourna à grands pas devant l'église. Les gonds grincèrent lorsqu'il poussa l'une des doubles portes. Seule la lumière électrique éclairait l'intérieur; les chandelles votives sur l'autel étaient éteintes. Il remarqua d'abord cela, avant toute chose. Puis...

L'ombre et la lumière: une ombre allongée, à la fois élancée et imposante, recouvrait plusieurs bancs vides. La Vierge Marie sur un des vitraux, les douze apôtres sur un autre, le Christ couronné d'épines sur la croix de bronze derrière l'autel... tous semblaient fixer du regard — ce qu'il fit aussi — l'abomination au beau milieu d'eux.

Le révérend Walter Hoxie pendait, droit et raide, au bout d'une corde enroulée autour d'une des poutres à chevrons. Le nœud grossier qu'il avait confectionné n'était pas assez ajusté, aussi ne s'était-il pas brisé le cou lorsqu'il avait sauté d'un des bancs. Il était mort par strangulation: le visage rouge et marbré, la langue pendante d'une couleur cendreuse. Comme un holocauste, pensa Messenger.

C'était le second cadavre qu'il voyait en moins de vingt-quatre heures, mais cette fois il ne ressentait rien. L'écho de ses pas se répercuta dans l'église déserte lorsqu'il s'approcha. Il y avait un bout de papier épinglé sur le manteau de Hoxie; en se hissant sur ses orteils, Messenger parvint à déchiffrer les mots tracés dessus d'une main tremblante.

Que Dieu me pardonne pour ce que j'ai fait.

Juste ça, rien d'autre.

Dans son dos, les gonds de la porte grincèrent à nouveau. Se retournant, il vit entrer Maria, suivie de Dacy quelques pas derrière; il entendit cette dernière prendre une brusque inspiration lorsqu'elle vit Hoxie. Sous la lumière tamisée, il vit vraiment le visage de Maria pour la première fois : les yeux éteints et incolores, le regard vacant d'une femme proche de la mort. Comme les yeux d'Anna Roebuck à San Francisco. Jusqu'alors, il était persuadé qu'il n'existait personne de plus triste, de plus solitaire que la femme qu'il avait croisée ce premier soir au Café Harmony. Mais il s'était trompé.

La jeune femme qui se tenait là, face à lui, incarnait l'essence même de la solitude.

— Je me suis confessée à lui ce matin, dit-elle. De tout, tous mes péchés et tout ce que Dieu m'a demandé de faire. Il a pleuré exactement comme Dave Roebuck et il m'a dit qu'il était désolé. Et puis il est venu ici. Je savais ce qu'il allait faire mais je n'ai pas essayé de l'en empêcher. Je ne voulais pas l'en empêcher. J'ai creusé sa tombe en premier, loin de la mienne, de l'autre côté du cimetière.

Elle vint se poster à côté de Messenger, son regard vide posé sur ce qui restait de Walter Hoxie. Un courant d'air agita le corps, fit grincer légèrement la corde. Le son lui évoqua une plainte — la plainte d'un enfant dans la nuit.

— « Je suis le narcisse de Saron, psalmodia-t-elle, le lis des vallées. Comme le lis entre les chardons, telle ma bien-aimée parmi les jeunes filles. Comme le pommier parmi les arbres d'un verger, ainsi mon bien-aimé parmi les jeunes hommes. À son ombre désirée je me suis assise, et son fruit est doux à mon palais. Il m'a menée au cellier; et la bannière qu'il dresse sur moi, c'est l'amour. Soutenez-moi avec des gâteaux de raisin, ranimez-moi avec des pommes, car je suis malade d'amour. »

Elle tomba à genoux et baissa la tête, puis, d'une voix claire et ferme, elle se mit à prier.

25

— Je n'arrête pas de penser à elle, dit Dacy.

— Je sais. Moi aussi.

— Les choses qu'elle nous a dites, cet air qu'elle avait… Je n'arrive pas à me les sortir de la tête.

— Maintenant, elle est entre de bonnes mains, dit Messenger. Vois aussi cet aspect-là.

— Ça ne change rien. Je n'oublierai jamais cette nuit-là. Même si je vis jusqu'à cent ans, elle continuera à hanter mes rêves.

— C'est ce que tu penses maintenant, mais ça ne fait que trois jours.

— Tu veux dire que le temps guérit, Jim ?

— Ce n'est pas le cas ?

— Certaines choses. D'autres… il restera toujours comme une croûte qu'on gratte sans même y penser. Le temps ne guérira pas Maria, malgré tous les psys qui vont se pencher sur son cas. Et Beulah ne guérira pas non plus. Les villes sont comme les gens. Quand on leur sort les tripes, même s'ils y survivent, ils ne sont plus jamais pareils.

— Tout le monde me rend responsable. Toi aussi, un peu ?

— Non, répondit-elle. J'en veux aux Roebuck. Et à Walter

Hoxie. Tu as fait ce que tu devais faire. Ce que personne d'autre n'aurait fait. Tu as lavé l'honneur d'Anna, et tu nous as délivrés de notre haine et de notre amertume, Lonnie et moi. Je te serai toujours reconnaissante pour ça, Jim.

— J'ai le sentiment qu'il y a un « mais » quelque part.

— Pas à ton sujet. Le seul « mais », c'est que je ne pourrai peut-être plus continuer à vivre ici. J'ai toujours cru que je resterai dans ce ranch jusqu'à ma mort, mais là… je ne pense plus pareil.

— Ce serait une si mauvaise chose d'aller autre part, de démarrer une nouvelle vie ?

— Je ne sais pas. Peut-être que non. Tonopah, Betty, ou la région de Winnemucca — ça pourrait m'aller. Le gros problème, c'est que je ne pourrai pas tirer grand-chose de cet endroit et que les terrains corrects pour le bétail sont chers.

— Tu pourrais te servir de l'argent qu'Anna a laissé. Toi et Lonnie, vous méritez vraiment de l'avoir.

— Peut-être. Je n'ai pas encore tranché sur ce sujet non plus.

— Tu lui as parlé de l'idée de déménager ?

— Non. Il a déjà assez de choses à digérer pour le moment.

— Ne t'inquiète pas pour lui, quoi que tu décides. C'est un garçon fort. Non, un homme fort. Il ferait un bon vétérinaire.

— Je le sais. Tu penses qu'il mettra toute cette histoire derrière lui plus facilement si on allait s'installer ailleurs ?

— Oui. Et je pense que toi aussi.

Elle ne répondit pas. Silencieuse, elle resta un moment à écouter la cassette de jazz qui jouait en sourdine à l'intérieur ; puis elle se pencha pour étudier — ou faire semblant d'étudier — la disposition des pièces sur l'échiquier. Le soleil en s'inclinant à l'ouest s'infiltra sous le toit du porche, baignant de reflets dorés sa chevelure. Il brida son envie de lui caresser les cheveux et détourna les yeux sur le désert. Pour la première fois depuis trois jours, la route de la vallée s'était vidée des voitures officielles ou anonymes et des véhicules des médias ; la route et la plaine d'armoise irradiaient d'un doux rayonnement couleur chamois. *Comme c'est paisible*, pensa-t-il. *Enfin, pour nous tous, un peu de paix.*

De la jointure du doigt, Dacy poussa un de ses pions, puis elle s'adossa à sa chaise et le regarda. Ils prirent la parole tous les deux en même temps.

Lui dit :

— J'ai beaucoup réfléchi...

Elle dit :

— Quand pars-tu, Jim ?

— Samedi matin. C'est ce que je voulais te dire, en partie.

— Ça devait nous trotter dans la tête tous les deux.

— Dacy, pourquoi tu ne viendrais pas avec moi ? On pourrait aller ensemble faire le nécessaire pour l'enterrement d'Anna...

— Non. Je ne peux pas laisser Lonnie seul, pas maintenant.

— Il pourrait venir aussi.

— Et abandonner le ranch ? Impossible. D'ailleurs...

Comme elle ne terminait pas sa phrase, il lui souffla :

— D'ailleurs ?

— Ce serait plus facile pour toi et moi de se dire au revoir tout de suite.

— Au revoir. Tu le prononces comme si c'était définitif.

— C'est la manière dont ça doit être.

— Non, pas forcément.

— Jim, on ne va pas s'embarquer dans une relation à

distance. Genre je vais à San Francisco quelques jours, tu viens nous rendre visite l'année prochaine pendant tes vacances… ça ne marcherait pas, c'est tout. Ce n'est pas ce qu'on veut ou ce dont on a besoin, l'un comme l'autre.

— Je suis d'accord, mais…

— On a eu notre temps ensemble, nos bons moments… Je ne les oublierai pas non plus. Mais c'est fini. On est des gens trop différents, on vit dans des mondes trop différents…

— Et si on vivait dans le même monde?

— Bon sang, Jim, je ne suis pas Anna. Je ne pourrais jamais vivre en appartement dans une grande ville. Je m'étiolerais et j'en mourrais.

— Dacy, écoute…

— Pareil pour Lonnie. On est des rats du désert, tout simplement. Nos racines sont trop profondément enfoncées dans ce sol ingrat pour qu'on puisse les arracher complètement.

— Tu vas m'écouter, bon sang? Quand je vais rentrer, ce que je meurs d'envie de faire, c'est donner à mon patron un préavis de trois semaines, trouver un arrangement avec mon proprio pour résilier mon bail, empaqueter les affaires qui valent la peine d'être gardées, et rentrer directement ici. J'aurai largement le temps de revenir vous aider, toi et Lonnie, pour le rassemblement. Même si tu décides de déménager, ce ne sera pas fait avant que je revienne; et je travaille plus dur et pour moins cher que n'importe quel employé.

Il y eut un silence de mort. Puis, doucement:

— Je n'arrive pas à croire ce que tu viens de dire.

— Crois-le. Et crois à ça aussi: je t'aime, Dacy.

— Oh, là…

— Et je pense que si toi tu ne m'aimes pas, ou juste un petit peu, au moins tu te soucies de moi. J'ai raison?

Elle secoua la tête, mais c'était un geste d'exaspération plus que de négation.

— Ah, çà, je n'ai jamais rencontré un homme comme toi. Juste quand j'imagine t'avoir cerné, tu redeviens imprévisible.

— Bien. Très bien. Avant, j'étais aussi prévisible qu'un lever de soleil. Maintenant, je suis buté comme une mule, totalement fou, improvisateur, imprévisible, et je n'ai jamais été aussi sincère ou sûr de qui j'étais.

— Tu abandonnerais tout ce que tu as à San Francisco pour emménager dans un ranch misérable au milieu de nulle part?

— Tout ce que j'ai? Dacy, ce que j'ai là-bas, c'est un boulot sans avenir que je n'ai jamais beaucoup aimé, une poignée de connaissances qui m'auront oublié deux semaines après mon départ, et un style de vie qui m'a fait étouffer, lentement mais sûrement, pendant l'essentiel de ma vie d'adulte. Je n'ai rien du tout à San Francisco. Je peux me débarrasser de tout ça en trois semaines, sans regret, sans regarder en arrière. Mais je ne peux pas le faire — et je ne le ferai pas — si je n'ai pas autre chose qui vaut la peine que je change de vie.

— Moi.

— Toi, Lonnie, un ranch misérable au milieu de çà ou d'un autre nulle part — ce serait un nouveau départ pour moi aussi. De mon côté, je m'engage totalement; toi, tu n'es pas obligée. Tu poseras les conditions et je les respecterai. Une période d'essai, si tu préfères: trois mois, six mois, un an. Un employé, un amoureux à mi-temps ou à plein temps… ce que tu voudras de moi. Mais d'abord, je dois savoir si je suis le bienvenu, avant mon départ samedi.

Elle resta sans réaction. Ses yeux plissés étaient dissimulés sous ses paupières; il ne parvenait pas à déchiffrer son regard.

En arrière-fond, Mildred Bailey chantait « I Can't Get Started With You ». *Je ne peux pas m'embarquer avec toi. Mon Dieu,* se dit-il, *faites que ce ne soit pas prophétique.*

— Penses-y, dit-il, tu veux bien ? Penses-y et donne-moi ta réponse samedi matin.

— Oui, je devrais sans doute y réfléchir. Parler à Lonnie, aussi, pour savoir ce qu'il en dit. Mais je ne crois pas que ce sera nécessaire.

— Dis-le, alors, Dacy. Ne tourne pas autour du pot. Oui ou non ?

— Oui, dit-elle.

Sandrine Collette, *Des nœuds d'acier*
Victor Gischler, *Coyote Crossing*
Matthew F. Jones, *Une semaine en enfer*
Joe R. Lansdale, *Diable rouge*

Composition Ütibi.
Achevé d'imprimer
sur Roto-Page
par l'Imprimerie Floch
à Mayenne, le 25 septembre 2013.
Dépôt légal : septembre 2013.
Numéro d'imprimeur : 85550.

ISBN 978-2-207-11598-5 / Imprimé en France.

251976